가와사끼병의 생물학

THE BIOLOGY OF kawasaki disease

이종극 지음

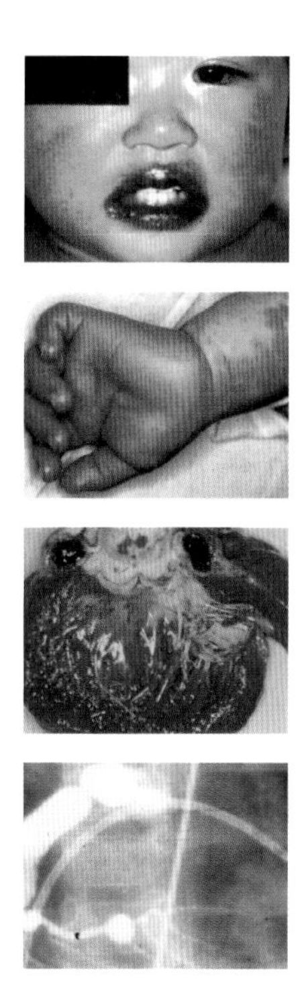

가와사끼병의 생물학

The Biology of Kawasaki Disease

첫째판 1쇄 인쇄 | 2021년 3월 19일
첫째판 1쇄 발행 | 2021년 3월 30일

지 은 이 이종극
발 행 인 장주연
출 판 기 획 조형석
책 임 편 집 이예제
편집디자인 최정미
표지디자인 김재욱
일 러 스 트 김경열
발 행 처 군자출판사(주)
등록 제4-139호(1991. 6. 24)
본사 (10881) **파주출판단지** 경기도 파주시 회동길 338(서패동 474-1)
전화 (031) 943-1888 팩스 (031) 955-9545
홈페이지 | www.koonja.co.kr

ISBN 979-11-5955-684-5
정가 30,000원

저자

이종극

- 서울대학교 학사 (1987)
- 서울대학교 석사 (1989)
- 미국 미네소타 대학교 박사 (1996)
- 미국 국립보건원 (NIH) 국립암연구소 (NCI) 박사후연구원 (1996–2001)
- 질병관리본부 국립보건연구원 유전체센터 책임연구원 (2001–2006)
- 서울아산병원(울산의대) 의생명연구소 & 융합의학과 부교수–교수 (2006–현재)
- email) cookielee@empal.com

주요 저서

- 질병 유전체 분석법 (2006년, 월드사이언스)
- 질병 유전체 분석법 2 (2010년, 월드사이언스)
- 질병 유전체 분석법 3 (2015년, 월드사이언스)
- 유전변이 분석 프로토콜 (2018년, 월드사이언스)
- 가와사끼병의 생물학 (2021년, 군자출판사)

머리글

가와사끼병은 1961년에 일본의 소아과 의사인 가와사끼 박사에 의해 첫 번째 사례가 관찰되고 1967년에 총 50건의 유사 사례가 일본 알레르기 학회지에 처음 보고되었다. 그리고 1974년에 영문으로 미국 소아학회지에 이 질병이 소개되면서 가와사끼병에 대해 널리 알려지게 되었다. 가와사끼병은 세계적으로 매년 발병률이 증가하고 있으며 우리나라는 일본 다음으로 발병률이 가장 높은 국가로 매년 약 5,000명의 어린이가 가와사끼병으로 입원하고 있다. 특히 제때에 적절한 치료를 받지 않으면 심장 관상 동맥이 부풀어 올라 파열하여 사망하거나 또는 심각한 심혈관계 후유증을 초래하는 매우 중요한 소아 질병이다. 5세 미만의 소아에서 주로 발병하고 발병률이 매우 높은 심각한 질병임에도 불구하고 한국에서는 일본이나 미국에 비해 가와사끼병에 대한 연구가 상대적으로 활발하지 못한 실정이다. 이 질병에 대한 상세한 내용을 파악할 수 있는 교재가 아직 한국에는 없고 해외에서도 2017년에 발간된 [Kawasaki Disease; edited by Saji, Newburger, Burns and Takahashi]가 있지만 주로 임상 분야에 대한 내용으로 여러 연구자가 개별 장(chapter)별로 써서 편집한 것이라 이 질병에 대한 전체적인 내용을 체계적으로 파악하기는 어렵다. 그래서 가와사끼병에 대한 전반적인 내용을 파악할 수 있도록 다양한 내용을 모두 다루어 이 분야 연구자 및 임상 진료 의사 분들이 이해하기 쉽도록 한 권의 책으로 출간하게 되었다.

이 책은 내가 가와사끼병 연구를 통해 배운 지식, 정보 및 경험들을 모두 담은 결과물로 아주 큰 애정이 깃들어 있다. 그래서 이 책이 나오기까지 나를 가와사끼병 연구로 이끌어 주신 여러 선생님들께 특별한 감사를 표하지 않을 수 없다. 내가 가와사끼병에 대해 알게 된 계기는 미국에서 박사학위와 박사후연구원 과정을 마치고 2001년에 귀국해서 질병관리본부 유전체센터 책임연구원으로 일하면서 순천향대학교 부천병원의 [폐 및 호흡기 질환 유전체 센터]의 학술 세미나 미팅에 가서 서울아산병원 소아과 홍수종 교수님으로부터 이 질병에 대해서 처음 듣게 되었다. 홍수종 교수님은 소아에서 발생하는 가와사끼병이라는 것이 있는데 소아 면역 질환으로 매우 중요하니 관심을 가져 달라는 말씀을 하셨다. 당시에는 해당 질병에 대한 지식도 없었고 관심을 가질 만한 여유도 없이 그렇게 스쳐 지나갔다. 그리고 2006년에 서울아산병원으로 옮겨와서 소아과 박인숙 교수님께서 하시던 [선천성 기형 및 유전질환 유전체 연구센터]의 연구에 함께 참여하면서 본격적으로 가와사끼병 연구를 시작했다. 특히 박인숙 교수님의 추천으로 2008년에 대만에서 개최된 제9회 국제 가와사끼병 심포지엄(The 9th International Kawasaki Disease Symposium)에 참석하면서 우리나라는 발병률이 매우 높음에도 불구하고 한국 연구자들의 발표가 거의 없는 것을 보고 본격적으로 가와사끼병 유전연구를 시작해야겠다는 생각을 굳히게 되었다. 그리고 바로 돌아와서는 이대목동병원의 홍영미 교수님과 협의하여 여러 병원이 참여하는 [한국 가와사끼병 유전연구 컨소시엄]을 구성하여 체계적인 임상 정보 수집과 DNA 시료 수집 체계를 확립하였다. 컨소시엄에서 사용하는 임상정보 수집 양식은 홍수종 교수님께서 가지고 계시던 것을 수정해서 사용했다. [한국 가와사끼병 유전연구 컨소시엄]에는 서울아산병원의 박인숙 교수님과 유정진 교수님, 이대목동병원의 홍영미 교수님, 고려대안산병원의 장기영 교수님, 중앙대병원의 윤신원 교수님, 대전성모병원의 이경일 교수님, 강릉아산병원의 한명기 교수님, 명지병원의 전현옥 교수님, 서울대병원의 김기범 교수님, 인제대 부산백병원의 송민섭 교수님, 부산대병원의 이형두 교수님, 경희대 강동병원의 윤경림 교수님, 충남대병원의 길홍량 교수님 등이 참여해서 가와사끼병 환자의 임상정보와 혈액 시료를 수집해 주셨다. 이렇게 많은 분들의 도움을 받을 수 있었던 것은 정말 큰 행운이 아닐 수 없다. 개인적으로 생각해 보면 [한국 가와사끼병 유전연구 컨소시엄]이 한국에서 체계적으로 유전 연구를 위해 구성된 거의 유일하고 성공한 유전연구 컨소시엄인 것 같다. [한국 가와사끼병 유전연구 컨소시엄] 연구를 바탕으로 [일본 가와사끼병 유전연구 컨소시엄], [대만 가와사끼병 유전연구 컨소시엄], 그리고 서양인 중심으로 구성된 [국제 가와사끼병 유전연구 컨소시엄]과 공동 연구를 수행할 기회를 가지면서 더 많은 것을 배우는 계기가 되었다. [한국 가와사끼병 유전연구 컨소시엄]을 위해 특별히 많은 도움을 주신 홍영미 교수님과 장기영 교수님께 감사를 드린다. 끝으로 나를 가와사끼병 연구의 세계로 이끌어 주시고 이 책 표지의 사진을 사용하도록 허락해 주신 박인숙 교수님께 특별한 감사의 마음을 전한다. 아울러 가장 긴 시간 동안 가와사끼병 연구를 나와 함께 해온 김재정 박사에게도 늘 고마운 마음을 간직하고 있다. 그리고 이 책의 내용을 꼼꼼히 읽고 교정해준 김재정 박사와 권영창 박사에게도 감사하다. 마지막으로 가와사끼병 유전연구에 참여해준 가와사끼병 환자와 환자 가족분들에게 특별한 감사를 전하고 싶다.

[가와사끼병의 생물학]이 가와사끼병을 연구하시는 분들에게 좋은 길잡이로 사용될 수 있기를 기대해 본다. 이 책에서 부족한 부분에 대한 많은 조언을 부탁드리고 차후에 많은 분들의 좋은 의견이 추가로 반영될 수 있기를 바란다. 그리고 코로나 감염증으로 여로 모로 어려운 경제적 상황에서도 이 책이 출판될 수 있도록 수고해 주신 군자출판사 관계자분들께 큰 고마움을 전한다.

2021년 2월 이종극

차례

Chapter 3 가와사끼병의 역학

Chapter 4 가와사끼병의 원인

Chapter 5 가와사끼병의 유전학

Chapter 6 가와사끼병의 병리 기전

Chapter 7 가와사끼병의 치료와 관리

Chapter 8 가와사끼병의 면역글로불린 치료 저항성

Chapter 9

가와사끼병의 심장 합병증

Chapter

1

가와사끼병에 대한 소개

1. 가와사끼병의 출현

1961년 1월에 일본 도쿄에 있는 적십자 병원에 근무하던 소아과 의사인 가와사끼 박사(Dr. Tomisaku Kawasaki)는 4살짜리 소년에게서 발진과 열병을 일으키는 특이한 질병의 첫 사례를 관찰하였다. 그리고 비슷한 환자를 지속적으로 수집하고 관찰하여 1967년에 총 50건의 유사한 환자를 "점막 피부 림프절 증후군(mucocutaneous lymph node syndrome)"이라는 새로운 질병명으로 일본 알레르기 학회지[Kawasaki, 1967]에 보고하면서 이 질병이 처음 일본 학계에 알려졌다. 그리고 1974년에 영어로 미국소아학회지에 소개됨으로써 가와사끼병이 전 세계적으로 널리 알려졌다[Kawasaki, 1974] (그림 1-1).

Dr. Tomisaku Kawasaki(1925-2020)

그림 1-1. 가와사끼병을 발견한 일본의 소아과 의사인 Tomisaku Kawasaki 박사의 2018년 국제 가와사끼병 심포지엄에 참석한 모습

일본의 또 다른 소아과 의사인 야마모토 박사(Dr. Takajiro Yamamoto)도 비슷한 특징을 가진 사례를 수집하기 시작했다. 1968년에 야마모토 박사는 처음으로 이 질환을 가와사끼병(Kawasaki disease)이라고 명명하고, 23명의 환자에서 가와사끼병의 3가지 특징으로 발열, 특징적인 임상적 표현형 및 심장 이상의 유발을 보고하였다[Yamamoto, 1968]. 그리고 1975년에는 20명의 가와사끼병 환자에서 50% 이상의 심장 이상과 환자의 3분의 1 이상에서 동맥류(aneurysm)가 확인되었다[Kato, 1975].

한국에서는 1973년에 총 5건의 가와사끼병 환자 사례가 한국소아학회지에 보고되었다[Park, 1973]. 미국에서도 1976년에 하와이에서 처음으로 총 16건의 가와사끼병 환자가 보고되었다[Melish, 1976]. 그리고 대만에서도 1976년에 첫 번째 사례가 관찰되었고, 이 결과는 1985년에 논문으로 보고되었다[Yang, 1985; Lue, 2014]. 처음에는 주로 일본, 한국, 대만, 하와이 등에서 지속적으로 가와사끼병 발생이 증가하고 다른 여러 국가에서도 같은 질병이 보고되었다.

2. 가와사끼병에 대한 주요 발자취

- **가와사끼병의 발견(1961-1974):** 일본의 소아과 의사인 가와사끼 박사는 일본 도쿄의 적십자 병원에서 소아과 의사로 일하던 1961년 1월에 가와사끼병으로 알려진 첫 번째 사례를 보았다. 첫 환자는 4살짜리 소년으로, 이 질병에서 자발적으로 회복되었고 최종적으로는 '진단 불명'으로 퇴원했다. 그리고 1년 후 비슷한 사례(1살짜리 소년)를 또 보게 되었다[Kawasaki, 2018]. 그 이후에 비슷한 사례를 계속 수집하여 1967년에 총 50건의 사례를 '점막 피부 림프절 증후군'이라는 이름으로 분류하여 일본 알레르기 학회지에 보고했다[Kawasaki, 1967]. 그리고 1974년에 미국 소아과 학회지에 가와사끼병에 대해서 영문으로 다시 보고하면서 전 세계에 널리 알려지게 되었다[Kawasaki, 1974]. 그리고 가와사끼 박사가 1967년에 일본 알레르기 학회지에 일본어로 출간된 논문은 2002년에 영문으로 번역되어 소아 감염병 학회지에 소개되었다[Burns, 2002].

- **가와사끼병의 역학 연구(1970-현재):** 가와사끼병이 처음 보고되고 나서 일본에서 첫 번째 전국적인 역학 설문 조사를 시행하여 1961년 최초 보고된 사례부터 1970년까지 총 10년간에 모두 3,140건의 사례가 1972년 일본 소아과 학회지에 보고되었다[Shigematsu, 1972]. 이 보고에 따르면 주로 2년 차에 발생률이 가장 높았고, 남자가 1.5배 더 많이 발병하며, 주로 겨울과 봄에 더 많이 발병하는 양상을 확인하였다. 그리고 치사율은 1.7%로 보고되었다. 일본은 그 이후에 2년마다 전국적인 역학 설문 조사가 진행되고 있다. 한국에서도 1994년에 처음으로 전국 역학 설문 조사를 시행하여 1991년에서 1993년 사이에 총 3년간 발생한 가와사끼병 1,709건의 사례를 보고하였다[Park, 2002]. 그 후에 한국에서는 3년마다 전국적인 역학 설문 조사가 시행되고 있다.

- **가와사끼병의 면역글로불린 치료제 연구(1984-1986)**: 가와사끼병에서 면역글로불린이 치료제로 처음 사용된 것은 1984년에 일본에서 기존에 아스피린만을 치료제로 사용한 그룹에 비해서 아스피린과 1.6 g/kg 면역글로불린(IVIG)을 사용한 환자 그룹이 심장 관상 동맥류 발생이 현저하게 감소함을 보고한 이후부터이다[Furusho, 1984]. 면역글로불린 치료 방법은 1986년에 미국에서 고용량의 면역글로불린(2 g/kg)이 더 우수함을 입증함으로써 아스피린과 병행하여 고용량의 면역글로불린이 가와사끼병의 표준 치료법으로 현재 사용되고 있다[Newburger, 1986](그림 1-2).

- **가와사끼병의 전장유전체연관성 연구(2011-현재)**: 고집적 유전변이형 칩 기술이 발전하여 대규모 유전변이형을 분석할 수 있는 전장유전체연관성연구(genome-wide association study; GWAS) 방법이 가와사끼병 유전연구에 활용되면서 다양한 나라의 가와사끼병 유전연구 컨소시엄 그룹에서 전장유전체연관성연구를 수행하여 가와사끼병의 감수성 유전자로 *FCGR2A*, *BLK*, *CD40* 및 *HLA class II* 유전자가 발굴되었다[Khor, 2011; Onouchi, 2012; Lee, 2012].

- **국제 가와사끼병 학술대회 (1984-3년마다 개최)**: 1984년에 미국 하와이에서 제1회 국제 가와사끼병 국제 학술대회(The 1st International Kawasaki Disease Symposium; IKDS)가 개최된 이후에 거의 3년마다 일본 또는 미국에서 국제 가와사끼병 학술대회가 개최되어 가와사끼병 관련 최신 연구 결과를 토의하고 교류하는 장소로 활용되고 있다.

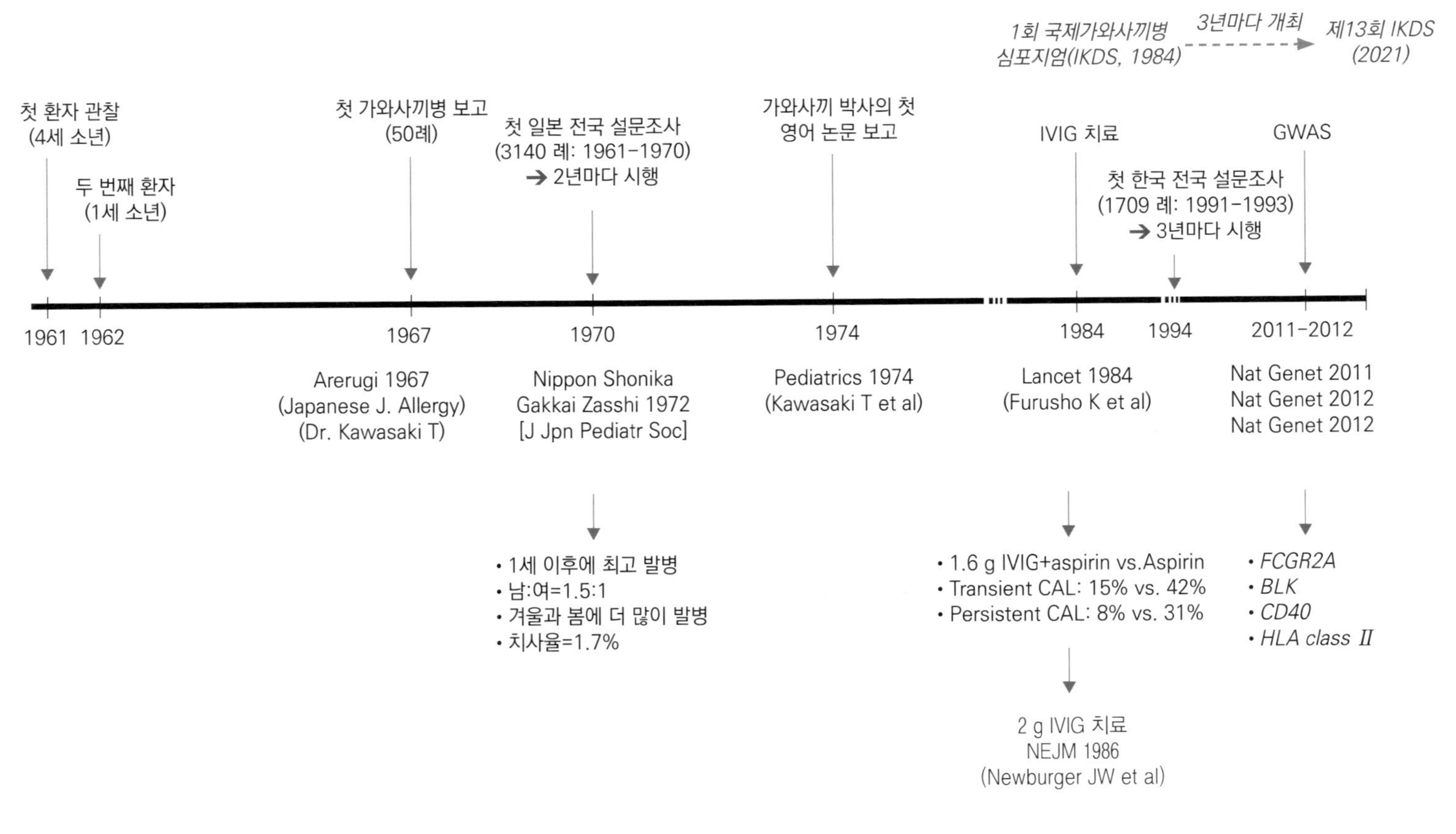

그림 1-2. 가와사끼병 연구의 주요 발자취.

CAL, coronary artery lesion; GWAS, genome-wide association study; IKDS, international Kawasaki disease symposium; IVIG, intravenous immunoglobulin; KD, Kawasaki disease.

3. 가와사끼병에 대한 간략한 설명

- **임상적 특징**: 가와사끼병은 열, 발진, 결막 충혈, 림프절 병증, 구강 점막 및 특징적인 사지 말단의 변화를 포함하는 징후 및 증상의 특징을 가진 급성 다발성 혈관염이다. 주로 5세 미만의 어린이가 영향을 받으며 이 질환은 남자에서 더 많이 발병한다.
- **병인**: 가와사끼병의 병인은 아직 알려져 있지 않다.
- **역학**: 전 세계적으로 가와사끼병 발생률이 증가하고 있다. 역학 자료에 따르면 이 질병은 모든 인종의 사람들에서 발생하며 일본에서 가장 높은 발생률을 보이고 주로 아시아 민족에서 높은 빈도로 발생한다.
- **진단**: 가와사끼병은 임상 증상에 근거해서 진단한다.
- **치료**: 아스피린과 더불어 정맥 면역글로불린(Intravenous immunoglobulin; IVIG) 투여가 현재의 가와사끼병 표준 치료 방법이다.
- **예후**: 가와사끼병은 선진국의 소아에서 후천성 심장병의 주요 원인이다. 치료받지 않은 환자의 약 20–25% 및 치료받은 환자의 약 4%가 관상 동맥 확장 및 관상 동맥류를 발생시킨다.

가와사끼병에서 아직 해결되지 않은 영역으로는 1) 이 질병의 원인을 모르고, 2) 진단 검사법이 없으며, 3) 현행 표준 치료제로 사용되는 면역글로불린 주사는 비용이 비싸고 치료를 받기 위해서는 입원해야하고 치료받은 환자의 약 15–20%는 치료제에 반응하지 않는다는 점이다. 앞으로 이러한 문제점을 해결하기 위한 추가적인 연구가 필요하다.

참고문헌

1. Burns JC, Kushner HI, Bastian JF, et al. Kawasaki disease: A brief history. Pediatrics. 2000;106(2):E27. PMID: 10920183
2. Furusho K, Kamiya T, Nakano H, et al. High-dose intravenous gammaglobulin for Kawasaki disease. Lancet. 1984;2(8411):1055-1058. PMID: 6209513
3. Kato H, Koike S, Yamamoto M, Ito Y, Yano E. Coronary aneurysms in infants and young children with acute febrile mucocutaneous lymph node syndrome. J Pediatr. 1975;86(6):892-898. PMID: 236368
4. Kawasaki T. Acute Febrile Mucocutaneous Syndrome With Lymphoid Involvement With Specific Desquamation of the Fingers and Toes in Children. Arerugi. 1967;16(3):178-222. PMID: 6062087
5. Kawasaki T, Kosaki F, Okawa S, Shigematsu I, Yanagawa H. A new infantile acute febrile mucocutaneous lymph node syndrome (MLNS) prevailing in Japan. Pediatrics. 1974;54(3):271-276. PMID: 4153258
6. Kawasaki T, Singh S. Kawasaki disease - the journey over 50 years: 1967-2017. Int J Rheum Dis. 2018;21(1):7-9. PMID: 29115053
7. Khor CC, Davila S, Breunis WB, et al. Genome-wide association study identifies FCGR2A as a susceptibility locus for Kawasaki disease. Nat Genet. 2011;43(12):1241-1246. PMID: 22081228
8. Lee YC, Kuo HC, Chang JS, et al. Two new susceptibility loci for Kawasaki disease identified through genome-wide association analysis. Nat Genet. 2012;44(5):522-525. PMID: 22446961
9. Lue HC, Chen LR, Lin MT, et al. Epidemiological features of Kawasaki disease in Taiwan, 1976-2007: results of five nationwide questionnaire hospital surveys. Pediatr Neonatol. 2014;55(2):92-96. PMID: 24120536
10. Melish ME, Hicks RM, Larson EJ. Mucocutaneous lymph node syndrome in the United States. Am J Dis Child. 1976;130(6):599-607. PMID: 7134
11. Newburger JW, Takahashi M, Burns JC, et al. The treatment of Kawasaki syndrome with intravenous gamma globulin. N Engl J Med. 1986;315(6):341-347. PMID: 2426590
12. Onouchi Y, Ozaki K, Burns JC, et al. A genome-wide association study identifies three new risk loci for Kawasaki disease. Nat Genet. 2012;44(5):517-521. PMID: 22446962
13. Park JS, Seo CJ, Cho SH, Lee DB. Clinical observation of mucocutaneous lymph node syndrome: 5 cases. J Korean Pediatr Soc 1973;16:61-67.
14. Park YW, Park IS, Kim CH, et al. Epidemiologic study of Kawasaki disease in Korea, 1997-1999: comparison with previous studies during 1991-1996. J Korean Med Sci. 2002;17(4):453-456. PMID: 12172037
15. Shigematsu I. Epidemiology of mucocutaneous lymph node syndrome. (in Japanese). Nippon Shonika Gakkai Zasshi (J Jpn Pediatr Soc). 1972;76: 695-696.
16. Yamamoto T, Kimura J. Carditis complicating a case of acute febrile mucocutaneous lymph node syndrome (Kawasaki): a subtype of mucocutaneous ocular syndrome or erythema multiforme. Shonika Rinsho 1968;21:236-9.
17. Yang HY, Lin GJ, Lee CY, Lue HC. Clinical observation of mucocutaneous lymph node syndrome. Acta paediatr Sin 1985;26:213-222.

Chapter

2

가와사끼병의 임상적 특성 및 진단

1. 가와사끼병의 임상적 특성 및 진행 과정

가와사끼병은 5세 미만의 소아에서 주로 발생하는 급성 전신성 혈관 염증 질환으로 주요 증상으로는 5일 이상 지속되는 고열과 함께 발진, 결막 충혈, 구강 점막의 변화(입술의 홍조, 균열, 딸기 모양의 혀 등), 목의 임파선 비대, 손과 발의 부종 및 피부 벗겨짐 등이 있다(표 2-1). 일부 환자에서 관상 동맥이 늘어나거나 관상 동맥류(coronary artery aneurysm; CAA)를 일으키고, 이로 인해 협심증이나 심근경색을 일으켜 심한 경우 사망할 수 있는 위험한 질병이다[McCrindle, 2017].

표 2-1. **가와사끼병 환자의 주요 6가지 증상**

#	증상	증상 보유 환자의 비율		
		일본[1]	한국[2]	홍콩[3]
1	발열 ≥5일	~100%	100%	100%
2	다형성 피부 발진	88%	83%	86%
3	입술 또는 구강 점막의 이상: 딸기 혀, 갈라진 입술, 인두의 확산성 홍반	89%	83%	86%
4	사지의 이상: 손바닥과 발바닥의 부종, 손가락 끝의 박리	82%	65%	72%
5	비화농성 결막염	93%	89%	88%
6	경부 림프절 >1.5 cm	69%	59%	24%

출처: [1] Yanagawa, 2006; [2] Kim, 2017; [3] Ng, 2005

가와사끼병의 진단은 대표적인 임상 증상을 기준으로 이루어지며 일반적으로 열을 동반하면서 나머지 5개 주요 임상 증상 중에서 4개 이상의 경우에는 완전형 가와사끼병(complete type)이라고 하고, 2개 또는 3개의 임상 증상만을 보이는 경우에는 불완전형 가와사끼병(incomplete type)이라고 한다. 최근에는 불완전형 가와사끼병도 증가하고 있으며 전체 환자의 약 15% 정도를 차지하고 있다[Wang, 2005].

가와사끼병의 주요 증상 중에서 경부 림프절 병증(비대)은 성별에 의해서도 차이를 보이고(남자 = 70.4% vs. 여자 = 66.2%), 또한 나이에 따라서도 뚜렷한 차이를 보인다(6개월 미만 = 47% vs. 5-9세 = 88%)[Yanagawa, 2006]. 림프절 병증은 1세 미만의 가와사끼병 환자에서는 약 50%가 관찰되고 그 후에는 나이가 많아질수록 증가하고 5세가 되면 80-90%의 환자에서 관찰된다[Yanagawa, 2006]. 어린 소아에서 림프절 병증의 관찰이 낮은 이유는 이 시기에 자신의 면역반응이 충분히 진행되지 않아 림프절 병증을 확인하기가 어렵기 때문이라고 한다. 어린 소아에서 림프절 병증이 관찰되는 비율이 상대적으로 매우 낮기 때문에 주로 1세 미만에서는 불완전형 가와사끼병 환자의 비율이 높은 특징을 보인다. 위의 내용은 한국 가와사끼병 유전연구 컨소시엄에서 수집한 1,984명의 데이터에서도 유사한 결과를 확인할 수 있었다(그림 2-1).

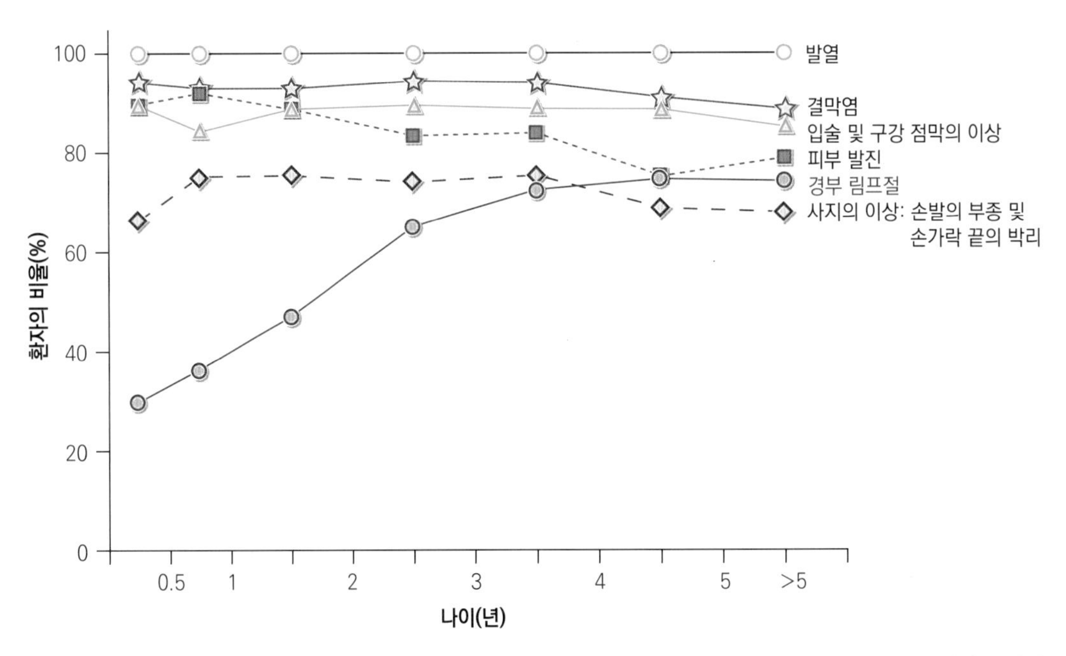

그림 2-1. [한국 가와사끼병 유전연구 컨소시엄]에서 수집한 가와사끼병 환자 1,984명의 데이터에서 나이 구간별 주요 증상을 가진 환자의 비율(%).

가와사끼병 환자는 진단 기준으로 사용되는 주요 증상 외에도 과민성, 포도막염, 무균성 수막염, 기침, 구토, 설사, 복통, 담낭 수액, 요도염, 관절통, 관절염, 저 알부민 혈증, 간 기능 장애 및 심장 이상 등의 광범위한 비특이적 임상 특징도 동반한다[Newburger, 2004; Baker, 2009].

가와사끼병의 진행은 3가지 임상 단계로 나눌 수 있다[Patel & Shulman, 2015].

- **급성 단계(acute phase)**: 급성 발열 단계는 일반적으로 1–2주 지속된다. 이 단계는 발열과 함께 다른 심각한 주요 증상을 보이는 시기이다.
- **아급성 단계(subacute phase)**: 아급성 단계는 열, 발진 및 림프절 병증이 해결된 후로 발병 후 약 10일–25일 사이에 발생한다. 그러나 아급성 단계는 박리, 혈전증, 관상 동맥류 발생 및 동맥류 환자의 급사 위험이 가장 높은 시기이다.
- **회복 단계(convalescent phase)**: 회복 단계는 적혈구 침강 속도(ESR)와 CRP수치가 정상화될 때 시작되며, 일반적으로 발병 후 약 6–8주가 소요된다.

2. 가와사끼병의 진단

가와사끼병 환자를 발열 후 5–10일 내에 면역글로불린으로 조기에 치료하면 관상 동맥 병변의 발생률을 25%에서 5%로 감소시킬 수 있기 때문에 조기 진단하는 것이 중요하다[Newburger, 2004; Tsuda, 2014]. 특히 7일 이상 발열이 지속된 6개월 미만의 유아는 가와사끼병 진단에 필요한 임상 증후가 충분하지 않은 불완전형을 보이기 때문에 조기에 치료를 받지 못해 생명을 위협하는 심각한 합병증을 겪을 수 있다[Yeom, 2013]. 따라서 가와사끼병을 조기에 진단하여 적절한 치료를 받는 것은 매우 중요한 일이다. 가와사끼병은 구체적인 진단 검사가 없기 때문에 임상 증상 및 징후로 진단한다. 두 가지 가와사끼병 진단 기준이 가와사끼병의 진단에 가장 많이 사용되고 있다. 첫 번째 진단 기준은 일본의 가와사끼병 질병 연구위원회 지침(일본 보건부 2002년도 지침)이다[Ayusawa, 2005]. 그리고 두 번째 진단 기준은 미국 심장학회(American Heart Association) 지침으로 2004년에 발표되었고[Newburger, 2004], 2017년에 개정되어[McCrindle, 2017] 사용하고 있다. 이 기준들은 임상 증상을 근거로 하며 1967년 가와사끼 박사가 제시한 가와사끼병 사례에 대한 설명과 크게 다르지 않다[Kawasaki, 1967].

(1) 가와사끼병 진단을 위한 일본 가와사끼병 연구위원회 가이드라인(일본 보건부)

일본 가이드라인에서는 다음의 6개 주요 증상 기준 중에서 5개 이상을 만족해야 한다[Ayusawa, 2005]:

- 5일 이상 열이 지속됨 (≥ 5일)
- 양측 결막 충혈
- 입술과 구강의 변화: 입술의 붉어짐, 딸기 혀, 구강 및 인두 점막의 충혈
- 다형성 피부 발진
- 말단 사지의 변화 (급성 단계: 손바닥과 발바닥의 붉어짐, 지속성 부종; 회복 단계: 손가락 끝에서 막질 박리)
- 급성 비화농성 경부 림프절 병증

- 가와사끼병의 진단을 위해서는 위 6가지 항목에서 5가지 이상을 만족해야 하지만(definitive KD (A)), 4가지 주요 증상만을 가진 환자도 2차원 심장 초음파 검사 또는 관상 동맥 조영술에서 관상 동맥류(coronary artery aneurysm) 또는 팽창(dilation)이 발견되면 (definitive KD (B)) 가와사끼병으로 진단된다. 일본의 2011–2012년도 전국 역학 조사 자료에 따르면 definitive KD (A)가 전체 환자의 78.4%를 차지하고 definitive KD (B)가 1.8%를 차지한다(표 2-2). 특히 definitive KD (B)의 비율이 매우 낮은 것은 면역글로불린 치료 후에 관상 동맥 합병증의 발생이 급격히 감소했기 때문이다.
- 그리고 많은 경우에 5일 전에 가와사끼병으로 조기 진단하여 치료하기 때문에 발열 기간이 4일 이하인 환자도 5일 이상 열이 발생한 환자와 동등한 것으로 발열 기준이 개정되었다[Ayusawa, 2005]. 일본에서는 환자의 약 30%가 발병 후 4일 이내에 면역글로불린 치료

표 2-2. 일본에서 임상 증상의 개수에 따른 가와사끼병 환자의 분류

가와사끼병 그룹	분류 기준	환자의 비율*
Definitive KD (A)	6개 증상에서 5개 또는 6개가 있을 때	78.4%
Definitive KD (B)	6개 증상에서 4개를 가지고 있고 관상 동맥의 이상이 발견된 경우	1.8%
Incomplete KD	4개 주요 증상이 있고 관상 동맥 합병증이 없거나 또는 3개 이하의 증상이 있는 경우	19.8%

*일본의 2011-2012년도 전국 역학 조사 데이터[Makino, 2015].

를 받는다[Muta, 2007]. 가와사끼병 환자에서 발열은 거의 모든 환자에서 나타나며 해열제 또는 항생제에 의해 없어지지 않는다.

- 미국 심장학회 가이드라인은 열이 가와사끼병 진단에서 없어서는 안 될 징후이지만, 일본 가이드라인은 열과 다른 5가지 증상에 동일한 가중치를 부여하고 있다. 그래서 일본 가이드라인을 사용해서 가와사끼병을 진단하는 경우에는 드물기는 하지만 열을 동반하지 않는 사례도 일본[Yoshino, 2017], 멕시코[Yamazaki–Nakashimada, 2017] 및 미국[Pinches, 2016]에서 보고되고 있다. 발열을 동반하지 않고 가와사끼병으로 진단되는 경우는 염증 반응이 늦게 나타나기 때문으로 생각되며, 이러한 경우에는 관상 동맥의 이상을 증가시킬 수 있다[Fukuda, 2013].

※ 일본의 제6차 진단 가이드라인의 개정사항 [Kobayashi, 2020; Fukazawa, 2020]:

① **발열기간 삭제**: 임상에서는 발열 후 3일과 4일에도 진단되어 치료가 시행되고 있어서 기존의 진단 기준에 포함된 5일 이상의 발열 기간은 가와사끼병 진단 기준에서 삭제됨.

② **피부 발진에 BCG 접종 부위의 발진 포함**: 다른 부위의 피부에 발진이 없더라도 BCG(Bacille Calmette–Guérin) 접종 부위에 발진이 있는 경우에는 피부 발진이 있는 것으로 간주해서 진단함.

③ **완전형과 불완전형 가와사끼병 진단 기준 명확화**: 기존에 definitive KD (A)와 defnitive KD (B)로 분류된 것이 완전형 가와사끼병(complete KD)로 정의하고 3개의 임상증상과 관상 동맥 이상을 가진 경우와 관상 동맥 이상이 없는 상태에서 3개 또는 4개의 임상증상만을 가진 경우를 불완전형 가와사끼병(incomplete KD)으로 진단함(표 2-3).

표 2-3. 완전형과 불완전형 가와사끼병의 분류 기준

주요 임상 증상의 숫자	관상 동맥 이상 (+)	관상 동맥 이상(–)
6	완전형	완전형
5	완전형	완전형
4	완전형	불완전형
3	불완전형	불완전형

출처: [Kobayashi, 2020]

(2) 가와사끼병 진단을 위한 미국 심장학회 가이드라인

미국 심장학회의 가와사끼병 진단 지침은 2014년에 발표되고 2017년에 개정되었다[Newburger, 2014; McCrindle, 2017 (revised)]. 이 지침에 따르면 전형적인 가와사끼병(classic KD 또는 complete KD라고 부름)은 5일 이상 열을 동반하면서 주요 임상 증상 5개 중에서 4개 이상을 가진 경우에 진단된다. 특히 4개 이상의 주요 임상 증상이 있을 때(특히 손발의 발진과 부종이 있는 경우)는 발열 기간이 4일이라도 전형적인 가와사끼병으로 진단할 수 있다. 가와사끼병 진단에 사용되는 5개 주요 임상 증상은 다음과 같다:

1. 입술의 홍반과 갈라짐, 딸기 혀, 구강 및 인두 점막의 홍반
2. 삼출물이 없는 양측 결막 충혈
3. 발진: 반구진성 발진, 홍색 피부 발진 또는 다형 홍반
4. 급성기의 손발의 홍반 및 부종 그리고 아급성기에는 손발 말단 부위의 박리
5. 경부 림프절 병증(≥1.5 cm 직경) (주로 한쪽 부위에)

• 완전형 가와사끼병 진단을 위한 임상 증상이 부족한 경우에는 종종 불완전형 가와사끼병(incomplete KD; iKD)으로 진단된다. 특히 관상 동맥 이상이 발견되면 대부분의 경우 가와사끼병으로 확진된다.

• 실험실 검사(lab test)는 급성기 동안에 일반적으로 정상인지, 또는 1) 백혈구 수치(특히 호중구(neutrophils)의 증가, 2) CRP와 ESR과 같은 급성기 반응물의 증가, 3) 혈장 내 Na과 알부민 수치의 감소, 4) 혈장 내 간 효소의 증가, 그리고 5) 무균 농양(sterile pyuria)이 있는지 알 수 있다. 그리고 발열 후 2주째에는 6) 혈소판 증가가 일반적으로 관찰된다(thrombocytosis: 혈소판 수 증가는 늦게 나타나는 반응임).

• 발병 7일 이후에 ESR, CRP 및 혈소판 수가 정상인 경우에는 가와사끼병이 아닐 가능성이 높다. 그리고 WBC 수가 낮거나 림프구 숫자가 많아도 다른 질병일 가능성이 높다.

• 나이가 많은 소아 및 청소년에서는 자주 진단이 늦어져 관상 동맥 이상을 일으키는 비율

이 높은 것으로 알려져 있다[Cai, 2011].

- <u>불완전형 가와사끼병의 진단</u>: 불완전형 가와사끼병은 1세 미만의 소아에서 가장 많이 발생하며 관상 동맥 이상을 초래할 가능성이 높아진다. 만약 원인이 밝혀지지 않은 상태에서 발열이 지속되거나, 주요 증상이 4개 이하이거나, 실험실 검사 수치가 높거나 또는 관상 동맥의 이상이 발견된 소아는 불완전형 가와사끼병(그림 2-2)으로 생각해야 한다. 불완전형 가와사끼병의 진단 비율이 높은 것은 진단과 치료를 과도하게 하는 잠재적 위험성을 가지고 있다. 그러나 불완전형 가와사끼병은 관상 동맥 이상을 초래하는 경우가 많아서 전형적인 가와사끼병 임상 진단 기준을 만족하지 않더라도 가와사끼병으로 진단하는 것은 타당한 것으로 인정되고 있다[Witt, 1999].

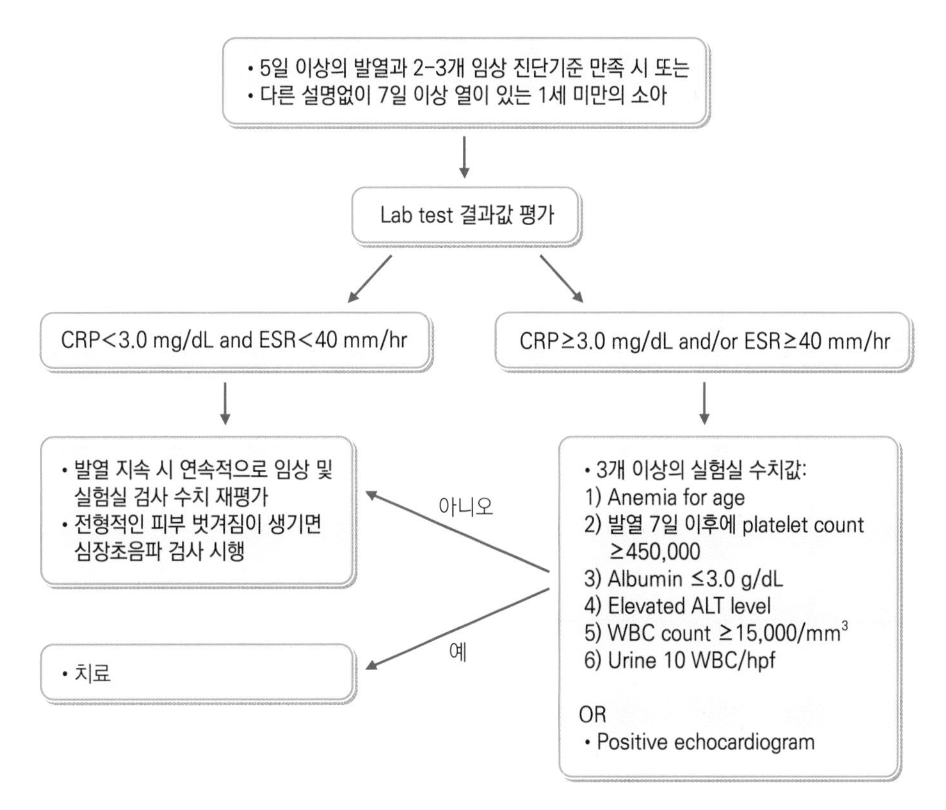

그림 2-2. 불완전형 가와사끼병이 의심되는 경우의 평가 방법.
출처: [McCrindle, 2017]

(3) 가와사끼병의 분류: 완전형 vs. 불완전형

가와사끼병의 진단은 특징적인 임상 증상을 바탕으로 이루어진다. 가와사끼병의 특징적인 임상 증상의 숫자를 기준으로 1) 완전형 가와사끼병과 2) 불완전형 가와사끼병으로 분류하고 있다[Chong, 2018].

- **완전형 가와사끼병(complete KD; cKD)**: 4일 이상의 발열과 5개 주요 임상 증상 중에서 4개 이상을 가지고 있는 경우.
- **불완전형 가와사끼병(incomplete KD; iKD)**: 4일 이상의 발열과 5개 주요 임상 증상 중에서 2개 이상이고 4개 미만의 경우. 불완전형 가와사끼병의 사례는 1세 미만의 영아에서 가장 흔하다. 1세 미만의 영아에서는 임상 증상의 발현이 불안정하고 관상 동맥류 발생 위험이 가장 높아서 진단하는데 어려움이 있다[Rosenfeld, 1995].

※ **비전형 가와사끼병(atypical KD)**: 일반적으로 가와사끼병에서 볼 수 없는 임상적 특징을 가지고 있으면서 가와사끼병 진단 기준을 충족하는 경우에 비전형 가와사끼병으로 분류한다[Chong, 2018].

※ 비전형 또는 불완전형 가와사끼병의 경우, 가와사끼병이 주로 발생하는 나이인 5세 미만의 연령대를 벗어난 경우에 더 많이 나타나고 있다. 비전형 또는 불완전형 가와사끼병도 관상 동맥 이상의 위험이 완전형과 비슷하기 때문에 이 부류의 환자를 경증의 가와사끼병으로 취급해서는 안 된다.

관상 동맥 이상의 위험성을 낮추기 위해서 불완전형 가와사끼병의 진단율이 높아지고 있으며, 일본에서는 약 20% 정도 진단되고 한국은 33% 정도 진단되고 있다(표 2-4). 대체로 불완전

표 2-4. 나라별 불완전형 가와사끼병의 진단 비율(%)

국가	불완전형 가와사끼병(%)	참고문헌
일본	19.8%	[Makino, 2015]
한국	32.8%	[Kim, 2017]
미국	27%	[Yellen, 2010]
캐나다	23%	[Manlhiot, 2012]

형 가와사끼병의 평균 발병률은 15-36%이며, 연령 분포 곡선의 끝 부분인 1세 이하와 5세 이상의 소아에서 많이 발생한다[Marchesi, 2018].

(4) 가와사끼병에서 진단 지연의 문제점

가와사끼병의 진단 지연은 발병 후 10일을 지나서 최초의 면역글로불린 치료가 시행되는 경우로 정의하고 있다. 발병 후 10일을 초과하여 치료가 시행되는 진단 지연의 위험 요인(risk factors for delayed diagnosis)으로는 다음과 같은 것이 있다[Minich, 2007];

- 임상 센터
- 6개월 미만의 나이
- 불완전형 가와사끼병
- 병원으로부터의 거리가 먼 경우

의사가 진단을 늦게 내려 적절한 치료를 조기에 받지 못하면 가와사끼병 환자는 관상 동맥류를 가질 위험성이 높아진다[Wilder, 2007]. 특히 1세 미만 또는 5세 이상에서는 가와사끼병 진단의 주요 증상이 충분히 발현되지 않아서 불완전형 가와사끼병의 발생률이 높아 진단이 지연되는 경우가 많이 발생하고 조기에 적절한 치료가 시행되지 않아서 관상 동맥 이상의 위험성이 커진다[Bayers, 2013].

3. 가와사끼병에서 관상 동맥 이상의 중증도에 대한 분류 기준

가와사끼병은 동맥(특히 관상 동맥)에 영향을 미치는 소아의 급성 전신성 혈관염(acute systemic vasculitis)으로 급성기 동안에 관상 동맥이 늘어나는 경우 또는 관상 동맥류(coronary artery dilation or aneurysm)를 포함한 관상 동맥 병변(coronary artery lesion)을 유발하여 어린이에게 매우 치명적일 수 있다. 관상 동맥 병변을 적절히 관리하기 위해서는 관상 동맥 이상의 중증도를 분류하는 진단 기준이 필요하며 일본 지침과 미국 지침이 있다. 일본 지침은 나이 구간별 관상 동맥의 절대적인 크기(관상 동맥의 내부 반경의 크기)를 기준으로 하고(2020년에 발표된 제6차 개정에서는 Z-score 방법도 병행해서 사용할 수 있음), 미국 지침은 해당 나이 구간에 측정된 집단의 관상 동맥 혈관의 크기 분포도를 기준으로 Z-score로 분류하고 있다(표 2-5). 관상 동맥류는 혈관염의 결과로 치료받지 않은 경우에는 약 20-25%의 환자에서 발생하지만, 적절한 치료를 받게 되면 5% 이하로 감소한다. 미국에서는 약 4.0-5.0%의 관상 동맥류 발생률을 보고한 반면에[Tremoulet, 2008], 일본의 경우에는 치료받은 환자의 약 1.0%에서 관상 동맥류가 생기는 것으로 알려져 있다[Makino, 2015]. 한편 일본과 미국이 관상 동맥 이상에 대한 기준이 달라서 두 국가의 관상 동맥 이상에 대한 발생률을 직접 비교하는 것은 곤란하다[Ogata, 2013]. 최근 비교 연구에 의하면 미국심장학회의 Z-score를 기준으로 평가하는 것이 일본 기준을 이용하는 경우보다 더 많은 관상 동맥류를 진단하게 된다고 한다[Burns, 2018; 그

표 2-5. 관상 동맥 이상의 중증도에 대한 분류 기준

지침	분류 기준	설명
일본	JMH criteria [1]	**동맥류(Aneurysm)**: • <5 yr – 내부 직경(internal diameter; ID) >3 mm • ≥5 yr – ID >4 mm
	Updated JMH (2008) [2]	• **소형(small) 동맥류** (dilatation with ID <4 mm or if child is ≥5 yr of age, ID ≤1.5 times that of an adjacent segment) • **중형(medium) 동맥류** (dilatation with ID >4 mm but ≤8 mm or if child is ≥5 yr of age, ID 1.5 to 4 times that of an adjacent segment) • **대형(large) 동맥류** (dilatation with ID >8 mm or if child is ≥5 yr of age, ID >4 times that of an adjacent segment)
	JMH (2020) [3]	**Z-score method**: coronary artery dilation, if Z-score of coronary artery diameter ≥2.5 SD unit or **conventional method**: same as updated JMH (2008)
미국	AHA 2004 criteria [4]	• **동맥류**: ID Z-score >2.5 (as per body surface area adjusted Z-scores) • **소형(small) 동맥류**: <5 mm • **중형(medium) 동맥류**: 5 to 8 mm • **대형(giant) 동맥류**: >8 mm based on absolute diameter
	AHA 2017 criteria [5]	• **정상**: Z-score <2 • **동맥 늘어짐(dilation only)**: Z-score 2 to <2.5; or if initially <2, a decrease in Z-score during follow-up ≥1 • **소형(small) 동맥류**: Z-score ≥2.5 to <5 • **중형(medium) 동맥류**: Z-score ≥5 to <10, and ID <8 mm • **대형(large or giant) 동맥류**: Z-score ≥10, or ID ≥8 mm

JMH, the Japanese Ministry of Health; AHA, American Heart Association; SD, standard deviation. 출처: Singh, 2018. [1] Research Committee on Kawasaki Disease, 1984; [2] JCS Joint Working Group, 2010; [3] Kobayashi, 2020; [4] Newburger, 2004; [5] Manlhiot, 2010.

림 2-3].

가와사끼병 급성기에는 심장 합병증을 모니터하기 위해 필수적으로 심장 초음파 검사(echocardiography)를 해야 한다. 심장 초음파 검사는 가와사끼병을 가진 소아의 심장 관상 동맥 이상을 평가하는데 필요한 영상 검사 방식이다[Singh, 2018].

- **발병 시 심장 초음파 검사 시기:** 심장 초음파 검사는 진단 시 시행한 다음에 심장 관상 동맥 이상이 관찰되지 않으면 치료 후 1-2주 및 4-6주에 다시 시행해야 한다[McCrindle, 2018; McCrindle, 2019]. 그러나 심장 관상 동맥의 크기가 Z-score 값으로 +2.5 이상인 환자의 경우는 적어도 Z-score 값이 더 이상 증가하지 않을 때까지 좀 더 일찍 그리고 좀 더 자주 검사를 해서 평가해야 한다[McCrindle, 2018]. 한편 발병 후 7일 이내에 수행한 심장 초음파 검사가 정상이더라도 나중에 관상 동맥류가 발생할 수도 있다[McCrindle, 2019]. 그래서 심장 초음파 검사는 진단 시(급성기), 퇴원 시 그리고 발병 후 2주 및 6주에 실시하는 것이 일반적이다[Newburger, 2004; Newburger, 2016].

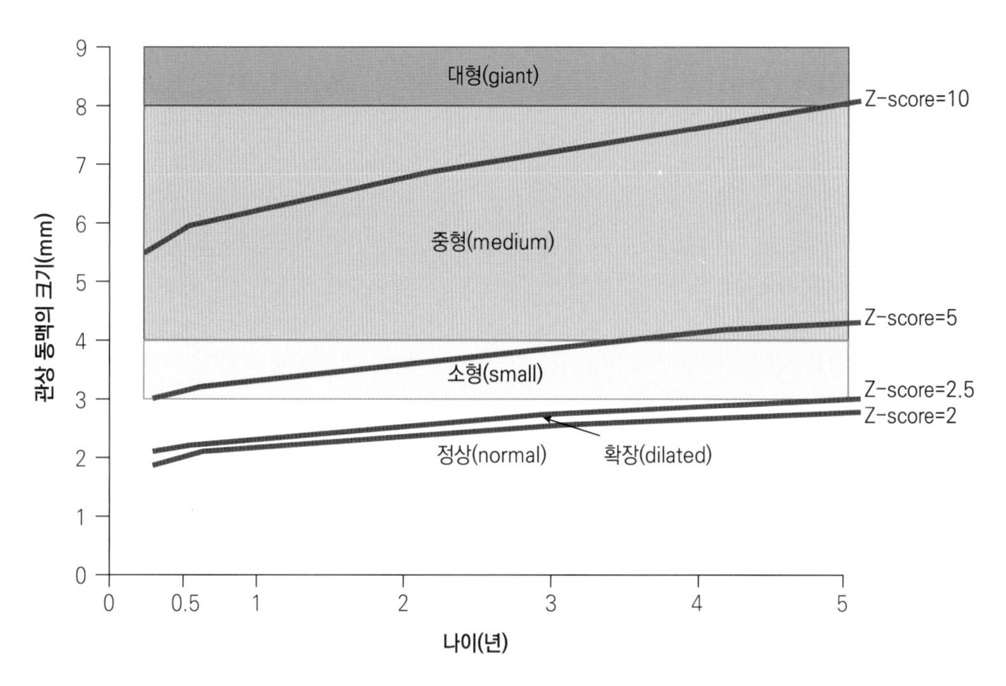

그림 2-3. **관상 동맥 이상에 대한 중증도 판별에 대한 일본 지침과 미국 지침의 비교[Burns, 2018].** 일본 지침은 관상 동맥의 절대적 크기(지름)를 기준으로 분류하고 미국 지침은 Z-score 값을 기준으로 분류함.

- **장기 추적 기간 동안에 심장 초음파 검사의 역할[McCrindle, 2018]**: 만약 정상적인 Z-score 값을 가지거나 일시적인 관상 동맥 늘어짐(transient dilation)만 있는 환자는 4-6주를 초과하는 장기 추적 검사가 필요하지 않다. 장기 추적 관찰 중에 심장 초음파 검사의 빈도는 환자의 위험 분류에 따라 다르다. 관상 동맥류의 크기가 Z-score로 +2.5 미만의 환자는 가끔 추적 모니터링이 필요하지만 심장 초음파 검사는 생략할 수 있다. 그러나 지속적으로 동맥류가 있는 사람들의 경우에는 혈전증(thrombosis)과 심실 벽 운동 이상(ventricular wall motion abnormalities)이 있는지 확인하기 위해서 심장 초음파 검사를 시행해야 한다.

4. 임상적으로 유사한 질병과 구분하는 진단 방법의 필요성

가와사끼병은 다양한 종류의 감염성 질환 또는 면역 반응 질환과 매우 유사한 임상적 양상을 보여서 진단 시 세심한 주의가 요구된다(표 2-6). 그래서 유사한 임상 양상을 보이는 질병과 구분할 수 있는 진단(differential diagnosis)이 필요하다. 가와사끼병과 다른 발열 질병을 구분할 수 있는 기술들이 개발되었으나 확실한 진단 검사법으로 아직 유용성이 검증되지는 않았다 [Hao, 2016; Ling, 2013].

표 2-6. **가와사끼병과 유사한 임상 증상을 보이는 질병들**

분류	세부 분류	예
감염	바이러스	Measles, Rubella, Adenovirus, Cytomegalovirus, Enterovirus, Epstein-Barr virus, Parvovirus B19, Human herpesvirus 6, Influenza virus
	박테리아	*Staphylococcal* and *streptococcal* toxin-mediated disease (Scarlet fever, *Staphylococcal* scalded skin syndrome, Toxic shock syndrome), Cervical (lymph) adenitis, Rocky mountain spotted fever, Leptospirosis, *Mycoplasma pneumonia*, Bartonellosis, Tularemia, *Rickettsia orientalis*, *Yersinia pseudotuberculosis* infection, *Chlamydia pneumonia*
	다른 감염	*Candida albicans*
과민성 반응		Drug hypersensitivity reactions, including Stevens-Johnson syndrome
다른 면역 반응 및 면역 이상		Systemic-onset juvenile idiopathic arthritis, Acrodynia (mercury toxicity), Sarcoidosis, Polyarteritis nodosa, Vaccinations (vaccines for measles, smallpox, DPT)

출처: combined from [1] Son MBF, 2018, [2] Marchesi, 2018, and [3] Saji, 2017.

가와사끼병은 임상적으로 유사한 질병인 성홍열(scarlet fever), 스티븐스-존슨 증후군(Stevens-Johnson syndrome) 또는 영아 주변 동맥염(infantile periarteritis nodosa) 등으로 잘못 진단될 수 있다[Kawasaki, 1974]. 이와는 반대의 경우로 유사하게 공유하는 임상적 특징으로 인해 광범위한 소아 질병이 가와사끼병으로 오진될 수 있다. 특히 면역글로불린 치료 저항성을 보이는 가와사끼병 환자는 오진의 가능성을 확인해야 한다[Zhu and Ang, 2016]. 예를 들면, 가와사끼병의 치료제로 사용되는 면역글로불린은 자가 면역 질환인 전신성 특발성 관절염(systemic onset juvenile idiopathic arthritis; SoJIA)의 보조 치료제로 사용되고 있는데, 만약에 면역글로불린을 여러 번 주사한 후에도 반응성이 없는 가와사끼병 환자의 경우에는 전신성 특발성 관절염(SoJIA)의 진단을 고려해야 한다[Kumar, 2013]. 그리고 가와사끼병 진단의 기준 6개 중에서 5개 또는 6개를 만족하는 일부 환자에서도 다른 질병이 있을 수 있다. 예를 들면, 가와사끼병이 의심되는 환자군에 대한 연구에서 다른 질병인 경우가 전체 환자의 46%(18/39)에서 가와사끼병의 임상적 진단 기준을 만족했다고 한다[Burns, 1991]. 따라서 임상적으로 유사한 질병과 구분하기 위해서 가와사끼병을 진단할 때는 각별한 주의가 필요하다.

5. 가와사끼병 진단을 위한 새로운 바이오마커 개발 동향

현재는 가와사끼병 환자의 임상 증상만을 사용해서 질병을 진단하고 있지만, 실험실 검사 수치를 이용한 다양한 지표들이 검사의 보조 수단으로 활용되고 있다. 특히 혈액 내 다양한 종류의 염증 관련 수치들이 가와사끼병에서 높게 나타나고 있다[Bayers, 2013; 표 2-7]. 그리고 이 수치들은 질병의 진행 과정에 따라 시기별로 다른 양상을 보인다[Tremoulet, 2011]. 예를 들면, 급성기에는 WBC(특히 immature neutrophils), ESR, CRP 등이 증가하고 헤모글로빈은 감소한다. 그리고 아급성기에는 혈소판 수치가 증가하고, 회복기에는 림프구(lymphocytes)와 호산구(eosinophils)가 증가한다.

- **급성기**(발병 2-10일): WBC, % bands(미성숙 호중구), ESR, CRP 증가(↑) & 헤모글로빈 감소(↓)
- **아급성기**(발병 11-21일): 혈소판 수 ↑
- **회복기**(발병 22-60일): % 림프구 & 호산구 ↑

표 2-7. 가와사끼병 환자에서 나타나는 비정상적인 실험 검사 항목 수치들

구분	가와사끼병	관상 동맥 병변을 가진 가와사끼병
증가	• **혈액 세포 수**: - 백혈구(WBC) 수 - 호중구(neutrophil) 수 - 혈소판(platelet) 수: >450,000/mm^3 (질병 2주부터 시작하여); 4-8주 후에 정상으로 돌아옴 - 호산구(eosinophil) 수: 급성기에 증가해서 회복기에 최고치에 도달 • **염증 변수**: - ESR (erythrocyte sedimentation rate): 6-10주에 정상화됨 - CRP (C-reactive protein): 치료 후 2-5일에 정상화됨 • **간 기능 검사**: - ALT (alanine aminotransferase) - AST (aspartate aminotransferase) - GGT (gamma-glutamyl transpeptidase)	• 호중구 수 • 혈소판 수 • 혈소판 분포 폭(platelet distribution width) • 평균 혈소판 부피(mean platelet volume) • ESR • 심장 트로포닌(cardiac troponin) • Endothelin-1
감소	• 알부민(albumin) • 헤모글로빈(hemoglobin) • 나트륨(sodium) • 칼륨(potassium) • 총 콜레스테롤(total cholesterol) • 고밀도 지단백질(high-density lipoprotein) • 림프구(lymphocyte) 수	• 알부민 • 헤모글로빈

출처: [Bayers, 2013]

지금까지 연구된 가와사끼병의 바이오마커로는 염증성 지표, 면역학적 지표, 단백질 마커, 뇨 단백질 마커, 유전 마커 등이 있다(표 2-8). 이 모든 바이오마커들은 아직 임상적 유용성이 확실히 검정되지 않은 상태로 추가적인 연구가 필요한 부분이다.

표 2-8. 가와사끼병의 바이오마커

그룹	변수	설명
염증 바이오마커	Erythrocyte sedimentation rate (ESR), total leukocyte count (TLC), platelet count, mean platelet volume (MPV), platelet distribution width (PDW), C-reactive protein (CRP), Procalcitonin, peripheral blood eosinophilia (PBE)	염증성 바이오마커는 다양한 종류의 염증 상태에서 높아지는 비특이적 마커로 가와사끼병 진단에 제한적으로 사용 가능함
면역 바이오마커	CD8 T cells, Th1 cells, Th2 cells, CD14+ monocytes, CD69+CD8+ T cells, effector memory T cells (Tem), regulatory T cells (Treg), central memory T cells (Tcm), myeloid and plasmocytoid DC, Th17 proportions, IFN-γ and IL-2, IL-4 and IL-10, IL-6, IL-17A/F, ROR-gt, TGF-β, TNF α, CXCL10 (IP-10), CCL-2	가와사끼병에서 면역학적 마커는 제한된 숫자의 환자에서 얻어진 결과로 임상 적용 가능성은 아직 명확하지 않음
단백질 바이오마커	NT-proBNP, suppression of tumorigeneicity 2 (sST2), cardiac troponin 1 (cTnI), periostin, gamma-glutamyl transferase (ALT), clusterin, thrombospondin (TSP-1 and TSP-2), fibrinogen beta and gamma chains, CD5 antigen-like precursor (CD5L), nitric oxide synthases (iNOS), periostin, lipopolysaccharide-binding protein (LBP), leucine-rich alpha-2-glycoprotein (LRG1), angiotensinogen (AGT), tenacin-C	이 연구 결과는 대부분 한 센터에서 적은 숫자의 환자로부터 얻어진 것으로 임상에 사용하기 위해서는 대규모 인구 집단에서 추가적인 검정 연구가 필요함
뇨 단백질 마커	filamin, talin, complement regulator CSMD3, immune pattern recognition receptor muclin, immune cytokine protease meprin A	보다 큰 규모의 반복성 검정이 필요함
유전 바이오마커	ITPKC, ORAI1, CD40, BLK, FCGR2A, CASP3, TGFbR2, SMAD3, AAM17, MMP-11	대부분의 연구가 적은 숫자의 환자에서 얻어진 결과로 대규모 다국가 환자 시료를 이용한 추가적인 검정이 필요함

출처: [Chaudhary, 2019]

참고문헌

1. Ayusawa M, Sonobe T, Uemura S, et al. Revision of diagnostic guidelines for Kawasaki disease (the 5th revised edition). Pediatr Int. 2005;47(2):232-234. PMID: 15771703
2. Baker AL, Lu M, Minich LL, et al. Associated symptoms in the ten days before diagnosis of Kawasaki disease. J Pediatr. 2009;154(4):592-595. PMID: 19038400
3. Bayers S, Shulman ST, Paller AS. Kawasaki disease: part I. Diagnosis, clinical features, and pathogenesis. J Am Acad Dermatol. 2013;69(4):501-512. PMID: 24034379
4. Bayers S, Shulman ST, Paller AS. Kawasaki disease: part II. Complications and treatment. J Am Acad Dermatol. 2013;69(4):513-522. PMID: 24034380
5. Burns JC, Mason WH, Glode MP, et al. Clinical and epidemiologic characteristics of patients referred for evaluation of possible Kawasaki disease. United States Multicenter Kawasaki Disease Study Group. J Pediatr. 1991;118(5):680-686. PMID: 2019921
6. Burns JC, Hoshino S, Kobayashi T. Kawasaki disease: an essential comparison of coronary artery aneurysm criteria. Lancet Child Adolesc Health. 2018;2(12):840-841. PMID: 30337184
7. Cai Z, Zuo R, Liu Y. Characteristics of Kawasaki disease in older children. Clin Pediatr (Phila). 2011;50(10):952-956. PMID: 21628347
8. Chaudhary H, Nameirakpam J, Kumrah R, et al. Biomarkers for Kawasaki Disease: Clinical Utility and the Challenges Ahead. Front Pediatr. 2019;7:242. PMID: 31275907
9. Chong CH, Lee SJ, Bullock A, et al. Kawasaki disease: An ongoing challenge. J Paediatr Child Health. 2018;54(3):323-326. PMID: 29143467
10. Fukazawa R, Kobayashi J, Ayusawa M, et al. JCS/JSCS 2020 Guideline on Diagnosis and Management of Cardiovascular Sequelae in Kawasaki Disease. Circ J. 2020;84(8):1348-1407. PMID: 32641591.
11. Fukuda S, Ito S, Oana S, et al. Late development of coronary artery abnormalities could be associated with persistence of non-fever symptoms in Kawasaki disease. Pediatr Rheumatol Online J. 2013;11(1):28. PMID: 23902667
12. Hao S, Jin B, Tan Z, et al. A Classification Tool for Differentiation of Kawasaki Disease from Other Febrile Illnesses. J Pediatr. 2016;176:114-120. PMID: 27344221
13. JCS Joint Working Group. Guidelines for diagnosis and management of cardiovascular sequelae in Kawasaki disease (JCS 2008)--digest version. Circ J. 2010;74(9):1989-2020. PMID: 20724794
14. Kawasaki T. Acute febrile mucocutaneous syndrome with lymphoid involvement with specific desquamation of the fingers and toes in children. Arerugi 1967;16:178-222. PMID: 6062087
15. Kawasaki T, Kosaki F, Okawa S, Shigematsu I, Yanagawa H. A new infantile acute febrile mucocutaneous lymph node syndrome (MLNS) prevailing in Japan. Pediatrics. 1974;54(3):271-276. PMID: 4153258
16. Kim GB, Park S, Eun LY, et al. Epidemiology and Clinical Features of Kawasaki Disease in South Korea, 2012-2014. Pediatr Infect Dis J. 2017;36(5):482-485. PMID: 27997519
17. Kobayashi T, Ayusawa M, Suzuki H, et al. Revision of diagnostic guidelines for Kawasaki disease (6th revised edition). Pediatr Int. 2020;62(10):1135-1138. PMID: 33001522
18. Kumar S, Vaidyanathan B, Gayathri S, Rajam L. Systemic onset juvenile idiopathic arthritis with macrophage activation syndrome misdiagnosed as Kawasaki disease: case report and literature review. Rheumatol Int. 2013;33(4):1065-1069. PMID: 21132551
19. Ling XB, Kanegaye JT, Ji J, et al. Point-of-care differentiation of Kawasaki disease from other febrile illnesses. J Pediatr. 2013;162(1):183-188. PMID: 22819274
20. Makino N, Nakamura Y, Yashiro M, et al. Descriptive epidemiology of Kawasaki disease in Japan, 2011-2012: from the results of the 22nd nationwide survey. J Epidemiol. 2015;25(3):239-245. PMID: 25716368
21. Manlhiot C, Christie E, McCrindle BW, Rosenberg H, Chahal N, Yeung RS. Complete and incomplete Kawa-

saki disease: two sides of the same coin. Eur J Pediatr. 2012;171(4):657-662. PMID: 22134803

22. Manlhiot C, Millar K, Golding F, McCrindle BW. Improved classification of coronary artery abnormalities based only on coronary artery z-scores after Kawasaki disease. Pediatr Cardiol. 2010;31(2):242-249. PMID: 20024653
23. Marchesi A, Tarissi de Jacobis I, Rigante D, et al. Kawasaki disease: guidelines of the Italian Society of Pediatrics, part I - definition, epidemiology, etiopathogenesis, clinical expression and management of the acute phase. Ital J Pediatr. 2018;44(1):102. PMID: 30157897
24. McCrindle BW, Cifra B. The role of echocardiography in Kawasaki disease. Int J Rheum Dis. 2018;21(1):50-55. PMID: 29152929
25. McCrindle BW, Rowley AH, Newburger JW, et al. Diagnosis, Treatment, and Long-Term Management of Kawasaki Disease: A Scientific Statement for Health Professionals From the American Heart Association [published correction appears in Circulation. 2019 Jul 30;140(5):e181-e184]. Circulation. 2017;135(17):e927-e999. PMID: 28356445
26. Minich LL, Sleeper LA, Atz AM, et al. Delayed diagnosis of Kawasaki disease: what are the risk factors?. Pediatrics. 2007;120(6):e1434-e1440. PMID: 18025079
27. Muta H, Ishii M, Iemura M, Suda K, Nakamura Y, Matsuishi T. Effect of revision of Japanese diagnostic criterion for fever in Kawasaki disease on treatment and cardiovascular outcome. Circ J. 2007;71(11):1791-1793. PMID: 17965504
28. Newburger JW, Takahashi M, Burns JC. Kawasaki Disease. J Am Coll Cardiol. 2016;67(14):1738-1749. PMID: 27056781
29. Newburger JW, Takahashi M, Gerber MA, et al. Diagnosis, treatment, and long-term management of Kawasaki disease: a statement for health professionals from the Committee on Rheumatic Fever, Endocarditis and Kawasaki Disease, Council on Cardiovascular Disease in the Young, American Heart Association. Circulation. 2004;110(17):2747-2771. PMID: 15505111
30. Ng YM, Sung RY, So LY, et al. Kawasaki disease in Hong Kong, 1994 to 2000. Hong Kong Med J. 2005;11(5):331-335. PMID: 16219951
31. Ogata S, Tremoulet AH, Sato Y, et al. Coronary artery outcomes among children with Kawasaki disease in the United States and Japan. Int J Cardiol. 2013;168(4):3825-3828. PMID: 23849968
32. Patel RM, Shulman ST. Kawasaki disease: a comprehensive review of treatment options. J Clin Pharm Ther. 2015;40(6):620-625. PMID: 26547265
33. Pinches H, Dobbins K, Cantrell S, May J, Lopreiato J. Asymptomatic Kawasaki Disease in a 3-Month-Old Infant. Pediatrics. 2016;138(2):e20153936. PMID: 27371760
34. Research Committee on Kawasaki Disease (1984). Report of Subcommittee on Standardization of Diagnostic Criteria and Reporting of Coronary Artery Lesions in Kawasaki Disease. Ministry of Health and Welfare, Tokyo, Japan.
35. Rosenfeld EA, Corydon KE, Shulman ST. Kawasaki disease in infants less than one year of age. J Pediatr. 1995;126(4):524-529. PMID: 7699529
36. Saji BT, Newburger JW, Burns JC, Takahashi M (Eds.). Kawasaki disease: current understanding of the mechanism and evidence-based treatment (1st ed.), Springer Japan, Japan (2017), p267.
37. Singh S, Jindal AK, Pilania RK. Diagnosis of Kawasaki disease. Int J Rheum Dis. 2018;21(1):36-44. PMID: 29131549
38. Son MBF, Newburger JW. Kawasaki Disease. Pediatr Rev. 2018;39(2):78-90. PMID: 29437127
39. Tremoulet AH, Best BM, Song S, et al. Resistance to intravenous immunoglobulin in children with Kawasaki disease. J Pediatr. 2008;153(1):117-121. PMID: 18571548
40. Tremoulet AH, Jain S, Chandrasekar D, Sun X, Sato Y, Burns JC. Evolution of laboratory values in patients with Kawasaki disease. Pediatr Infect Dis J. 2011;30(12):1022-1026. PMID: 21817952

41. Tsuda E, Hamaoka K, Suzuki H, et al. A survey of the 3-decade outcome for patients with giant aneurysms caused by Kawasaki disease. Am Heart J. 2014;167(2):249-258. PMID: 24439987

42. Wang CL, Wu YT, Liu CA, Kuo HC, Yang KD. Kawasaki disease: infection, immunity and genetics. Pediatr Infect Dis J. 2005;24(11):998-1004. PMID: 16282937

43. Wilder MS, Palinkas LA, Kao AS, Bastian JF, Turner CL, Burns JC. Delayed diagnosis by physicians contributes to the development of coronary artery aneurysms in children with Kawasaki syndrome. Pediatr Infect Dis J. 2007;26(3):256-260. PMID: 17484225

44. Witt MT, Minich LL, Bohnsack JF, Young PC. Kawasaki disease: more patients are being diagnosed who do not meet American Heart Association criteria. Pediatrics. 1999;104(1):e10. PMID: 10390296

45. Yamazaki-Nakashimada M, Venegas-Montoya E, Espinosa-Navarro M, Garrido-García M, Scheffler-Mendoza S. Afebrile Kawasaki disease is not a benign form of the disease. Pediatr Int. 2017;59(10):1128-1129. PMID: 29081078

46. Yanagawa H, Nakamura Y, Yashiro M, Uehara R, Oki I, Kayaba K. Incidence of Kawasaki disease in Japan: the nationwide surveys of 1999-2002. Pediatr Int. 2006;48(4):356-361. PMID: 16911079

47. Yellen ES, Gauvreau K, Takahashi M, et al. Performance of 2004 American Heart Association recommendations for treatment of Kawasaki disease. Pediatrics. 2010;125(2):e234-41. PMID: 20100771

48. Yeom JS, Woo HO, Park JS, Park ES, Seo JH, Youn HS. Kawasaki disease in infants. Korean J Pediatr. 2013;56(9):377-382. PMID: 24223598

49. Yoshino A, Tanaka R, Takano T, Oishi T. Afebrile Kawasaki disease with coronary artery dilatation. Pediatr Int. 2017;59(3):375-377. PMID: 28317308

50. Zhu FH, Ang JY. The Clinical Diagnosis and Management of Kawasaki Disease: a Review and Update. Curr Infect Dis Rep. 2016;18(10):32. PMID: 27681743

Chapter

3

가와사끼병의 역학

1. 가와사끼병의 역학 연구 방법

(1) 가와사끼병의 역학 연구에 대한 간략한 역사

일본의 가와사끼 박사에 의해 1961년에 첫 번째 환자가 관찰된 이후에 5년간 총 50명의 환자 사례가 1967년에 일본 알레르기 학회지에 처음 보고되었다[Kawasaki, 1967].

- **일본의 역학 연구**: 일본에서는 1970년부터 2년마다 국가적 역학 조사 사업이 진행되어 2018년 기준으로 300,000명 이상의 가와사끼병 환자가 보고되었다[Nakamura, 2018].
- **한국의 역학 연구**: 한국은 1994년에 1991–1993년도 발병 상황을 조사하는 전국적인 역학 조사 사업이 처음으로 진행되어 총 1,709명의 환자를 보고하고[Park, 2002] 난 후에 동일한 전국적인 역학 조사 사업이 3년마다 진행되고 있다[Kim, 2017].
- **대만의 역학 연구**: 대만의 경우에는 일본이나 한국과는 다르게 1995년도에 국가 건강 보험 자료를 사용해서 가와사끼병 발병에 대한 국가적 현황 분석이 진행되었다[Huang, 2009].

(2) 가와사끼병의 역학 연구 방법

역학 조사는 전국적으로 설문조사를 하거나, 또는 국가 건강 보험 시스템 데이터를 이용하여 수행할 수 있다[Kim, 2019].

- **전국 설문 조사(nationwide survey)**: 일본과 한국에서 사용하는 이 방법의 장점은 실험실 데이터, 관상 동맥 합병증 및 기타 다른 합병증을 포함하여 가와사끼병 발생에 대한 다양하고 자세한 데이터를 얻어 가와사끼병 발생 및 합병증의 병리 생리학 및 위험 인자를 추론할 수 있다. 그러나 단점으로는 정확한 발병률을 파악하기 위해서는 전국적인 조사 응답률이 높아야 한다. 실제 일본의 응답률은 71-75% 정도이고[Makino, 2015; Makino, 2018], 한국의 응답률은 87-95% 정도이다[Kim, 2014; Kim, 2017]. 이 방법의 또 다른 단점은 병원 간 가와사끼병의 진단 정확도가 상당히 다양할 수 있다는 것이다. 따라서 전국적인 조사는 전통적인 가치와 병리 생리학 및 위험 요인에 대한 단서를 제공할 가치가 있음에도 불구하고 가와사끼병의 실제 발생률을 반영할 수 없다.

- **국민 건강 보험 시스템 데이터(national health insurance system data)**: 이 방법의 장점은 각 국가의 전체 인구를 대상으로 한다는 것이다. 대만과 한국의 국민 건강 보험 프로그램은 의무 가입으로 인해 99% 이상의 인구를 커버하고 병원에서 치료받은 모든 환자를 포함하기 때문에 가와사끼병 발생률을 정확히 조사할 수 있다[Huang, 2009; Lin, 2015; Lin, 2017; Ha, 2016]. 이 방법을 사용할 때는 보험 데이터에서 가와사끼병으로 진단받고 면역글로불린 치료를 받은 환자 데이터를 사용한다[Ha, 2016]. 이 방법은 전국 설문 조사 방법의 불완전한 응답률 때문에 더 높은 발생률을 제공한다. 그러나 이 방법의 단점은 수집된 데이터가 대부분 단순하고 일반적으로 발생률, 연령 분포, 성별 비율, 지방 분포 및 계절 변화에 국한된다는 것이다. 또한 국가 건강 보험 데이터 중에서 면역글로불린 치료를 받지 않은 가와사끼병 환자의 일부는 놓칠 수 있다. 예를 들어, 한국에서 2012-2014년 전국 설문 조사 데이터에서 가와사끼병 환자의 4.6%가 면역글로불린으로 치료받지 않은 것으로 조사되었다[Kim, 2017].

- **기타 다른 방법**: 다른 방식은 각 국가의 의료 시스템에 따라 가와사끼병 발생률을 조사하는 것이다. 예를 들면, 미국은 1970년대 중반부터 CDC, 어린이 입원 환자 데이터베이스(Kids' inpatient database) 또는 전국 입원 환자 샘플(nationwide inpatient samples)에 보고된 국가 감시 데이터를 사용하고 있다[Lin, 2017; Uehara, 2012]. 중국의 경우에는 인구가 너무 크기 때문에 전국적인 조사가 거의 불가한 실정이다. 그래서 지역별로 해당 지역(예, 북경 및 상해)에 대한 설문 조사로 가와사끼병의 발생률을 조사한다[Chen, 2012].

(3) 가와사끼병의 역학에 대한 주요 핵심 내용

가와사끼병에 대한 역학 연구에서 밝혀진 주요 핵심 내용[McCrindle, 2017; Nakamura, 2018]을 간략히 요약하면 다음과 같다.

- **병인(etiology)**: 이 질병의 원인은 아직 모른다.
- **발생률(incidence rate)**: 5세 미만의 어린이 10만 명당 가와사끼병 발생률은 일본은 300명 이상, 한국은 200명 이상, 그리고 미국은 약 25명 정도가 된다.
- **인종 특이성(ethnicity)**: 아시아 어린이, 특히 일본계에서 상대적 위험도가 가장 크다. 일본, 한국, 중국, 대만을 포함한 동북아시아 국가의 가와사끼병 발생률은 미국과 유럽보다 약 10–30배 더 높다[Uehara, 2012].
- **성별(sex)**: 남성과 여성의 비율은 약 1.5:1로 남성이 여성보다 위험도가 더 높다.
- **나이(age)**: 가와사끼병은 주로 어린이들에게 영향을 미친다. 사례의 85%는 5세 미만의 어린이에서 발생한다.
- **계절성(seasonality)**: 일본과 한국은 겨울과 여름에, 북미는 겨울과 이른 봄에 가장 많이 발생한다.
- **재발(recurrence)**: 일본에서 가와사끼병의 재발률과 가족 발생은 각각 3%와 1%이며 [Yanagawa, 1998], 형제(siblings)의 상대적 위험도는 10배 더 높다.
- **관상 동맥 이상(coronary artery lesions; CAL)**: 가장 어린(6개월 미만) 연령 그룹에서 심혈관 병변이 더 흔하다. 가와사끼병의 관상 동맥류는 40세 미만의 성인에서 급성 관상 동맥 증후군(acute coronary syndromes)의 5%를 차지한다.
- **사망률(mortality)**: 일본과 한국에서 사망률은 0.1% 미만이다.

2. 가와사끼병의 국가별 발생률

가와사끼병은 모든 인종에서 발생하지만 주로 아시아계 어린이에서 가장 많이 발생하고 있다. 특히 일본, 한국, 중국 및 대만에서 가장 발생률이 높고, 북미 또는 유럽에 비해서 약 10–30배 더 많이 발생한다(그림 3-1). 한국은 일본 다음으로 가장 많이 발생하고 있고, 매년 약 5,000명 정도가 가와사끼병으로 입원하고 있다[Kim, 2019].

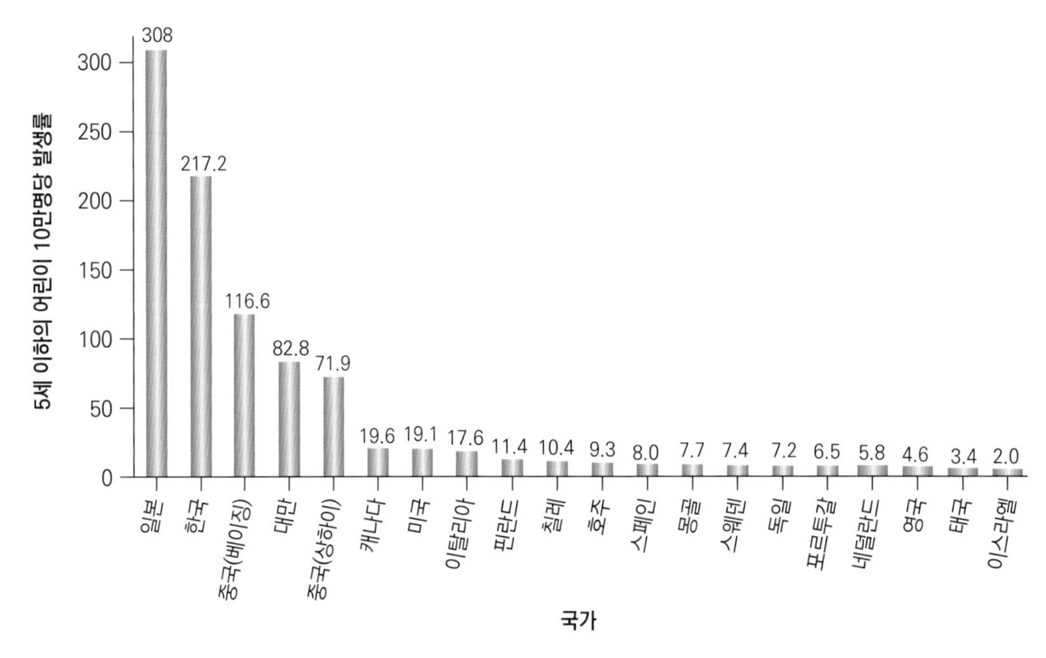

그림 3-1. **5세 미만의 어린이 10만 명당 나라별 연간 가와사끼병 발생률[Kim, 2019]**

그림 3-2. **일본, 한국과 대만에서 연간 가와사끼병 발생률의 변화 양상(1997-2017년도).** 아시아 3개국의 논문으로 보고된 발생률 정보를 이용하여 위 그림이 만들어 짐.

일본에서 연간 가와사끼병 발생률이 가장 높으며 한국도 일본과 유사한 증가 패턴을 보이고 있다(그림 3-2). 한편 한국과 일본은 동일하게 2013–2017년까지 발생률이 큰 증가 없이 정점에 도달한 것으로 보인다. 그러나 일본의 최근 역학 조사에서는 2018년도에 다시 최고 정점을 기록하면서 증가하는 양상을 보이고 있어 향후 증감 추세가 어떻게 변할지 관심을 가지고 계속 추적할 필요가 있다.

(1) 일본의 발생률

일본에서는 가와사끼병에 대한 전국적인 역학 조사 사업은 1970년부터 2년마다 시행되고 있다. 일본의 전국 역학 조사 분석에서 밝혀진 내용을 2018년도 데이터를 중심으로 간략히 요약하면 다음과 같다.

- **발생률**: 5세 미만의 어린이 10만 명당 359명의 가와사끼병 환자가 발생하고 있다[Ae, 2020]. 그리고 전년도에 비해 2배 이상 발생률이 폭증한 3번의 대유행 시기(1979, 1982년과 1986년)가 있었다.
- **성별**: 일본에서 남성과 여성의 비율은 약 1.3–1.5:1 (2018년도 성비는 1.34:1)로 남성의 위험도가 더 높다.
- **나이**: 환자의 80–85%는 5세 미만의 소아에서 발생하고, 나이 특이적인 발생률은 9개월–12개월령 유아(infant)에서 가장 높다.
- **계절성**: 일본에서는 겨울에 환자 발생이 가장 높고 가을(10월)에 발생률이 가장 낮다.
- **전형적인 완전형 가와사끼병(typical definite cases)**: 진단으로 사용되는 6개 주요 증상에서 5개 이상을 만족하는 환자군인 완전형 가와사끼병은 전체 환자의 78.9%를 차지한다.
- **비전형적인 완전형 가와사끼병(atypical definite cases)**: 4개의 주요 증상과 심장 이상을 가진 경우인 비전형적인 완전형 가와사끼병은 전체 환자의 1.7%를 차지한다.
- **불완전형 가와사끼병(incomplete KD)**: 4개의 주요 임상 증상을 가지지만 심장 이상은 없는 경우와 3개 이하의 주요 임상 증상을 가진 경우의 불완전형 가와사끼병은 전체 환자의 21.1%를 차지한다.
- **형제가 함께 가와사끼병을 가진 경우(sibling cases)**: 전체 환자의 2.2%이다.
- **부모 중 적어도 한 사람이 과거에 가와사끼병을 가진 경우(family history)**: 전체 환자의 1.3%

를 차지한다.

- **재발한 경우(recurrent cases)**: 전체 환자의 4.6%이다.
- **사망률**: 전체 환자의 0.01%이다.
- **심장 이상(cardiac lesions)**: 급성기 심장 혈관 이상을 가진 경우는 9.0%이고, 발병 1달 후 심장 혈관 이상을 가진 경우는 2.6%를 차지한다(심장 혈관 이상은 남성이 여성보다 급성기에 1.76배, 발병 1달 후에 1.85배 더 많이 발생하고 있다).
- **면역글로불린(IVIG) 치료를 받는 환자의 경우**: 전체 환자의 94.6%를 차지한다.
- **면역글로불린(IVIG) 치료 저항성을 보이는 환자의 경우**: 전체 환자의 19.7%이다.

표 3-1. 일본의 가와사끼병에 대한 전국 역학 조사 자료

조사 번호	응답율 (%)	년도	환자 수	5세 이하 비율 (%)	10만 명당 발생률	불완전형 비율 (%)	급성기 CAL: 1개월후 CAL (%)	성비	IVIG 저항성 (%)	형제 사례 (%)	재발률 (%)	사망률 (%)	참고 문헌
1st		≤1964	88		1.1			1.93					
		1965	61		0.7			1.18					
		1966	79		1			1.63					
		1967	101		1.2			1.46				2.0	
		1968	310		3.7			1.33				1.9	
		1969	461		5.3			1.56				2.0	
2nd		1970	887		10.1			1.46				1.1	
		1971	804		8.6			1.49				1.5	
		1972	1135		11.9			1.38				1.4	
3rd: 1.5y		1973	1524		15.4			1.56				2.3	
		1974	1963		19.6			1.44				1.0	[1]
4th: 2.5y		1975	2216		22.2			1.51				0.7	
		1976	2337		23.7			1.51				0.7	
5th		1977	2798		29.1			1.56				0.8	
		1978	3459		37.4			1.48				0.4	
6th		1979	6867		**77.5***			1.38				0.6	
		1980	3932		45.9			1.43				0.2	
7th: 1.5y		1981	6383		77.8			1.36				0.3	
		1982	15519		**194.7**		16.5	1.30		1.8	3.9	0.3	
8th: 2.5y	61.6	1983	5961		77.3		16.7	1.37		1.3	4.4	0.3)	
		1984	6514		85.4		18.0	1.39		1.4	3.5	0.3	

조사번호	응답율 (%)	년도	환자 수	5세 이하 비율 (%)	10만명당 발생률	불완전형 비율 (%)	급성기 CAL: 1개월후 CAL (%)	성비	IVIG 저항성 (%)	형제 사례 (%)	재발률 (%)	사망률 (%)	참고문헌
9th		1985											
		1986	12847		**176.8**								[2]
10th	63.9	1987			73.8								
		1988											
11th	66.6	1989											
		1990											
12th	68.9	1991	5677	80	90		13.1	1.44		1.0	3	0.08	[3]
		1992	5544	80	90			1.42					
13th	65.5	1993	5389	88.8	95.1	11.6	12.8	1.41		1.0	3	0.10	[4]
		1994	6069					1.43					
14th	67.6	1995	6107		102.6	11.7	12.0	1.39		0.9	3.3	0.08	[5]
		1996	6424		108		12.1	1.35					
15th	68.5	1997	6373	81.6	108		20.1:7.0	1.31					[6]
		1998	6593		111.7			1.29					
16th	66.5	1999	7047	88.9	119.6		18.7:6.2	1.39					[7]
		2000	8267		141.1		17.5:5.7	1.36					
17th	68.0	2001	8113		138.8		16.7:4.9	1.30					
		2002	8839		151.2		15.7:5.1	1.40					
18th	70.1	2003	9146	88.9	159.2	13.6	13.6:4.4	1.37		1.1	3.7	0.04	[8]
		2004	9992		174								
19th	70.7	2005	10041		184.6	14.3	12.9:3.8	1.39		1.3	3.7	0.01	[9]
		2006	10434		188.1								
20th	73.3	2007	11581		215.3	17.4	11.0:3.2	1.38	22.9	1.4	3.5	0.026	[10]
		2008	11756		218.6								
21st	71.1	2009	10975		206.2	18.6	9.3:3.0	1.32	16.6	1.6	3.6	0.004	[11]
		2010	12755		239.6								
22nd	71.6	2011	12774		243.1	19.8	9.3:2.8	1.37	17.0	1.5	3.5	0.015	[12]
		2012	13917		264.8								
23rd	74.9	2013	15696		302.5	19.5	8.5:2.6	1.34	17.1	1.9	3.5	0.025	[13]
		2014	15979		308								
24th	76.8	2015	16323		330.2	20.6	7.9:2.3	1.34	17.8	2.09	4.2	0.01	[14]
		2016	15272		309								
25th	75.2	2017	15164	86.8	309(?)	21.1	9.0:2.6	1.34	19.7	2.2	4.6	0	[15]
		2018	17364		359								

*pandemic at 1979, 1982, and 1986 are shown in **bold**. CAL, coronary artery lesions. [1] Yanagawa, 1987; [2] Uehara, 2005; [3] Yanagawa, 1995; [4] Yanagawa, 1996; [5] Yanagawa, 1998; [6] Yanagawa, 2001; [7] Yanagawa, 2006; [8] Nakamura, 2008; [9] Nakamura, 2008; [10] Nakamura, 2010; [11] Nakamura, 2012; [12] Makino, 2015; [13] Makino, 2018; [14] Makino, 2019; [15] Ae, 2020.

(2) 한국의 발생률

한국은 1973년에 5명의 가와사끼병 환자가 처음 보고된[Park, 1973] 이후로 지속적으로 발생률이 증가하고 있으며, 최근에는 매년 약 5,000명 이상의 환자가 발생하고 있다. 한국에서는 1991년부터 한국소아심장학회(한국가와사끼병학회)에서 3년마다 전국 역학 설문 조사를 시행하고 있다. 가장 최근에 조사된 제9차 전국역학조사 자료(2015–2017년) 내용을 간략히 요약하면 다음과 같다(표 3-2).

- **발생률**: 2017년도에 5세 미만의 어린이 10만 명당 191명의 환자가 발생했다[Kim, 2020].
- **성별**: 남성과 여성의 비율은 약 1.41:1로 남성의 위험도가 더 높다.
- **나이**: 환자의 84%는 5세 미만의 소아에서 발생하고 있다.
- **계절성**: 겨울에 환자 발생이 가장 높고, 늦은 봄(5–6월)이 그 다음으로 높다.
- **불완전형 가와사끼병**: 4개의 주요 임상 증상을 가진 불완전형 가와사끼병은 전체 환자의 44.9%를 차지한다.
- **재발한 경우(recurrent cases)**: 전체 환자의 4.9%이다.
- **사망률**: 0.018%이다.
- **관상 동맥 이상(coronary artery complications)**: 심장 혈관 이상을 가진 경우는 전체 환자의 18.2%를(coronary dilations = 17.1%; coronary artery aneurysm = 1.7%; giant aneurysms = 0.17%) 차지한다.
- **면역글로불린(IVIG) 치료를 받는 환자의 경우**: 전체 환자의 95%이다.
- **면역글로불린(IVIG) 치료 저항성을 보이는 환자의 경우**: 전체 환자의 14.8%이다.

표 3-2. 한국의 가와사끼병에 대한 전국 역학 조사 자료

조사 번호	응답율 (%)	년도	환자 수	5세 이하 비율 (%)	10만 명당 발생률	불완전형 비율 (%)	CD: CA: GA (CAL; %)	성비	IVIG 저항성 (%)	형제 사례 (%)	재발률 (%)	사망률 (%)	참고 문헌
		1973	8										
		1974	3										
		1975	3										
		1976	1										
		1977	6	90.6				2.06					[1]
		1978	30										
		1979	133										
		1980–1981.6	137										
1st	62	1991–1993	1709				25.2:4.9:0.0 (25.2)	1.7		0.18	2.9		[2]
2nd	54	1994–1996	2680				20.1:5.4:0.0 (20.1)	1.6		0.26	1.7		[2]
		1997	1143										
3nd	45	1998	1419	83.4			16.1:5.1:0.0 (19.8)	1.51		0.26	2.3	0	[2]
		1999	1300										
		2000	2681		73.7								
4rd	82.1	2001	3229	81.7	90.8		17.3:3.1:0.0 (18.6)	1.52		0.17	2.9	0.033	[3]
		2002	3240		95.5								
		2003	3352		104.2								
5th	83.3	2004	3279	<90	106.4		18.0:2.5:0.0 (18.8)	1.55		0.29	2.0	0.03	[4]
		2005	3031		104.6								
		2006	2990		108.7								
6th	83.2	2007	3127	87	118.3		16.4:2.1:0.0 (17.5)	1.47		0.17	2.2	0.01	[5]
		2008	2922		112.5								
		2009	3942		115.4		18.2:2.2:0.24						
7th	87	2010	4635	87	132.9	42.2	14.3:1.8:0.26	1.44	11.6		3.8	0	[6]
		2011	4455		134.4		16.9:1.8:0.29						
		2012	4584		170.9		9.7:1.7:0.14						
8th	94.8	2013	5181	87	194.9	32.8	12.6:1.8:0.14	1.40	11.8		4.7	0.007	[7]
		2014	5144		194.7		9.9:1.5:0.18						
		2015	5449		202.2								
9th	94.9	2016	5171	84	197.1	44.9	17.1:1.7:0.17 (18.2)	1.41	14.8		4.9	0.018	[8]
		2017	4758		191								

CA, coronary aneurysm; CAL, coronary artery lesions; CD, coronary dilation; GA, giant aneurysm. [1] Lee, 1982; [2] Park, 2002; [3] Park, 2005; [4] Park, 2007; [5] Park, 2011; [6] Kim, 2014; [7] Kim, 2017; [8] Kim, 2020.

(3) 미국의 발생률

- **하와이에서 역학 조사 내용:** 미국은 1976년에 하와이에서 처음으로 총 16건의 가와사끼병 사례가 보고되었다[Melish, 1976]. 하와이는 지리적으로 일본과 가까워 일본 이민자도 상당히 많이 거주하는 곳으로 일본계, 수입이 많은 가족, 그리고 발병 전에 호흡기 감염을 가진 경우에 가와사끼병이 더 많이 발생하는 특징을 가진 것으로 보고되었다[Dean, 1982]. 1996–2006년의 하와이 환자 데이터(Hawaii state inpatients data)를 분석한 결과, 인종별로 일본계가 발생률이 가장 높고(5세 미만의 어린이에서 10만 명당 210.5명), 다음으로 하와이 원주민(86.9명), 다른 아시아계(84.9명), 중국계(83.2명) 그리고 백인 어린이(13.7명)의 순서로 발병되었다[Holman, 2010]. 이 조사에서 가와사끼병 환자의 계절별 발생률의 차이는 관찰되지 않았다. 그리고 1996–2006년 동안 하와이 전체에서 연간 평균 가와사끼병 발생률은 5세 미만의 어린이 10만 명당 50.4명이였다.

- **미국 본토에서 역학 조사 내용:** 미국 본토의 가와사끼병 발생률은 병원 퇴원 기록을 바탕으로 조사하여 5세 미만 어린이 10만 명당 약 25명씩 발병하는 것으로 파악되었다[Chang, 2003; Holman, 2003; Holman, 2010]. 그리고 미국에서 인종 간 발병률의 차이는 1997–2006년의 가와사끼병 발병 데이터를 분석해서 아시아계와 태평양 섬 출신의 발생률이 가장 높았고(5세 미만의 어린이 10만 명당 32.5–39명), 아프리카계 미국인(16.9–19.7명), 히스패닉계(11.1–15.7명), 그리고 백인계 어린이(9.1–12명)가 가장 낮은 발병률을 보였다[Holman, 2003; Holman, 2010]. 그리고 최근에는 연간 가와사끼병으로 입원하는 비율이 감소하고 있으며 미국의 가와사끼병 환자의 관상 동맥류는 2.25–3.2% 정도인 것으로 보고되어 있다[Okubo, 2017].

3. 가와사끼병의 역학적 특성

(1) 성별에 따른 발생률의 차이

거의 모든 국가에서 가와사끼병의 남:여 성비는 약 1.5:1로 보고되었고[Makino, 2018; Holman, 2010], 심각한 심장 이상은 남자에서 두드러지게 나타났다[Rowley, 2018]. 성별의 차이는

표 3-3. **가와사끼병에서 나이 구간별 남/여 성비의 비율**

연구 [참고문헌]	그룹	나이 그룹					*P*
[Yanagawa, 2006]	나이	<1년	1-4년	≥5년			
	성비(M/F)	**1.51**	**1.27**	**1.22**			
[Ozeki, 2018]	나이	<1년	1-2년	2-3.5년	3.5-5년		
	성비(M/F)	**1.50**	**1.41**	**1.28**	**1.25**		
[Kitano, 2018]	나이	<4개월	4-10개월	11-47개월	48-83개월	≥84개월	
	성비(M/F)	**2.0**	**1.6**	**1.3**	**1.3**	**0.7**	0.01

M/F, male/female ratio; *P*, *P*-value.

나이가 어릴수록 남자의 발생률이 높고 나이가 증가할수록 성별의 차이가 감소하는 패턴을 보이고 있다[Yanagawa, 2006; Ozeki, 2018; Kitano, 2018]. 특히 7세(84개월) 이후에는 여자의 발병률이 남자보다 더 높아지고 있다(표 3-3). 남자에서 더 많이 발병하는 가와사끼병의 원인은 아직 밝혀지지 않았으나 어린이에서 발생하는 다양한 종류의 감염(예, meningitis, Campylobacter enteritis) 및 다른 감염성 질환에서도 유사한 현상이 관찰되고 있다[Kido, 2019]. 따라서 소아에서 남자의 발생률이 높은 것은 아주 어린 시기에 엄마가 태아의 면역 체계에 미치는 모체효과(maternal effects)가 크게 작용하지 않을까 하는 생각을 가져본다.

(2) 나이에 따른 발생률의 차이

일본의 전국 역학 조사에 따르면 가와사끼병의 연령 분포 곡선은 9개월에서 12개월 사이에 최고치에 도달했으며, 환자의 약 85%가 5세 미만이었다[Yanagawa, 1998]. 그러나 북유럽과 일본에서 가와사끼병 발생률을 비교한 결과에서, 일본 환자의 86.4%가 5세 미만이지만 노르웨이, 핀란드, 스웨덴, 덴마크에서 진단된 환자의 67.8%가 5세 미만으로 인종 간 차이를 보였다 ($p < 0.001$) [Salo, 2012; Kido, 2019]. 그리고 가와사끼병의 발병 연령이 어린 것은 이 질병의 감수성이 면역체계의 발달과 관련될 수 있음을 시사하고 특히 6개월 미만은 성인처럼 매우 낮은 발병률을 보이는데 이는 엄마의 항체에 의한 보호 기능이 작동하기 때문으로 생각된다[Nomura, 2002]. 한편 12개월 미만의 어린 환자는 임상 증상이 잘 발현되지 않아서 불완전형 가와사끼병이 많아 진단이 바르게 되지 않거나 진단이 늦어지는 경우가 빈번해서 관상 동맥류 발생 위험이 증가한다(치료하지 않으면 최대 60%까지)[Jakob, 2016; Rosenfeld, 1995; Hedrich, 2018].

- **3개월 미만 환자의 임상적 특징:** 3개월령 미만의 영아에서는 가와사끼병 발생이 아주 드물게 발병하고 있다. 일본의 전국 역학 조사에 따르면 1.7%가 3개월령 미만의 환자였고 [Makino, 2015], 한국은 2.2%가 3개월령 미만의 환자로[Park, 2008] 보고되었다. 이처럼 3개월령 미만의 환자 비율이 매우 낮은 것은 엄마로부터 받은 면역(passive immunity by maternal antibody)의 보호 효과와 영아가 실내에 주로 있기 때문에 공기 중 병원체에 노출될 가능성이 낮기 때문으로 해석하고 있다[Yeom, 2013]. 일본의 한 연구 결과에 의하면 3개월령 미만의 환자는 다른 연령대의 환자에 비해서 불완전형 가와사끼병의 비율이 높고, 치료 전에 관상 동맥 이상이 더 많고, 다른 발열 질환 대조군에 비해서 NT-ProB-NP 값이 더 높은 특징을 가지고 있었다[Satoh, 2018].

- **6개월 미만 환자의 임상적 특징:** 일본의 전국 역학 조사에 의하면 6개월령 미만의 환자는 일본에서 8.3%를 차지하고[Makino, 2015], 한국에서는 7.7%로 보고되어 있다[Park, 2008]. 6개월령 미만의 가와사끼병 환자의 임상적 특징으로는 1) 불완전형 가와사끼병의 비율이 높고, 2) 진단과 치료가 늦게 시행되고, 3) 관상 동맥 이상이 높으며, 4) 면역글로불린 치료 저항성도 높다[Singh, 2016; Rosenfeld, 1995; Burns, 1986; Manlhiot, 2009; Pannaraj, 2004; Song, 2009; Yoon, 2016; Chang, 2006]. 이러한 나쁜 결과는 이 시기에 임상 증상이 제대로 발현되지 않은 불완전형 가와사끼병의 비율이 높아 진단이 늦어져서 치료를 받지 못하거나 또는 늦게 치료되면서 관상 동맥류의 위험성이 높아지는 결과를 초래한다[Salgado, 2017].

- **1세 미만 환자의 임상적 특징:** 1세 이상의 환자와 비교해서 1세 미만의 유아 환자는 림프절 병변이 낮고, 불완전형 가와사끼병이 많아서 진단과 치료가 늦어지고 관상 동맥류 이상이 높은 특징을 가지고 있다[Joffe, 1995; No, 2013; Takahashi, 1987; Cameron, 2019; Kang, 2015].

- **5세 이상 환자의 임상적 특징:** 5세 미만의 환자에 비해서 5세 이상의 환자는 염증이 더 심하고, 불완전형 가와사끼병의 비율이 높고, 진단과 치료가 늦어지고, 면역글로불린 치료 저항성이 높고, 심장 관상 동맥 이상이 더 많이 생긴다[Manlhiot, 2009; Cai, 2011; Muta, 2004]. 그리고 발생률이 극히 낮지만 성인에서도 가와사끼병이 생길 수 있는데 성

인의 경우에는 어린이 환자에 비해 관상 동맥 이상의 비율이 낮고 예후도 훨씬 좋다[Seve, 2005].

미국에서 의사를 상대로 한 설문조사에 따르면 일반 소아과 의사(50%)와 전염병 전문 의사(25%)의 많은 비율이 6개월 미만의 환자와 8세 이상의 어린이에서 유사한 증상이 있더라도 가와사끼병 진단을 생각하지 않았다고 한다. 이처럼 6개월령 미만 또는 청소년에서 가끔 발생하는 가와사끼병은 진단을 하지 못하거나 늦게 진단함으로써 관상 동맥 이상이 더 자주 발생하게 되는 위험에 처한다[Pannaraj, 2004].

(3) 재발률

가와사끼병의 재발(recurrence)은 처음 발병하고 나서 치료된 후에 적어도 2개월[Nakamura, 1994; Hirata, 2001] 또는 3개월[Rowley, 2018]이 지나서 가와사끼병이 다시 발병한 경우를 재발로 정의하고 있다. 일부의 연구자는 완치 후에 적어도 14일이 지나고 나서 다시 발병하는 경우로 정의하는 경우도 있다[Tremoulet, 2008; Durongpisitkul, 2003].

- **일본의 재발률**: 일본의 전국 역학 조사에 따르면 일본에서 가와사끼병의 재발률은 약 3–4.6%로 보고되었으며[Yanagawa, 1995; Ae, 2020], 가장 최근 역학 조사 자료인 25차(2017–2018년) 조사에서는 재발률이 4.6%로 나타났다[Ae, 2020]. 일본에서 가와사끼병 발생률은 매년 증가하고 있으나 재발률은 지난 30년 자료에서 특별한 변화 없이 일정하게 유지되고 있다(1987–1988년: 4.4% vs. 2013–2014: 4.2%)[Sudo, 2017].
- **한국의 재발률**: 한국의 전국 역학 조사에 따르면 한국에서 가와사끼병의 재발률은 1.7–4.9%로 보고되었으며[Park, 2002; Kim, 2020], 가장 최근에 조사된 제9차 조사(2015–2017)에서는 4.9%의 재발률이 보고되었다[Kim, 2020].
- **대만의 재발률**: 대만의 가와사끼병 재발률은 1.8%로 보고되어 있다[Wu, 2017].
- **미국의 재발률**: 미국의 질병관리통제센터(CDC)의 전국 가와사끼병 조사(1984–2008) 자료에서는 1.7%의 재발률을 보고하였다[Maddox, 2015]. 미국의 조사 내용(1984–2008)을 일본(2001–2002)의 역학 데이터와 비교했을 때에는 미국 전체 환자의 재발률은 1.7%이지만 아시아 및 태평양 섬 출신의 인종은 일본과 동일하게 모두 3.5%의 가와사끼병 재발률이

관찰되었다[Maddox, 2015].

- **가와사끼병 재발의 위험 요인들(risk factors of recurrent KD):** 가와사끼병에서 재발의 위험 요인으로 남자, 어린 나이(1세 미만), 면역글로불린 치료 저항성, 중증 염증 수치(high CRP levels, reduced hemoglobin levels, high AST levels), 심장 이상을 동반한 환자 등이 있는 것으로 조사되었다[Yang, 2013; Bayers, 2013; Sudo, 2017; Nakamura, 1996; Hirata, 2001]. 재발 환자에서 95.5%가 발병 후 2년 이내에 재발했으며, 여자 어린이가 재발할 가능성이 더 높았다[Yang, 2013]. 그리고 재발하는 경우에는 발열 기간은 초기 발병 시에 비교해 더 짧았다[Balasubramanian, 2009; Chen, 1989].

- **가와사끼병 재발의 예후(prognosis of recurrent KD):** 처음 발병한 경우와 비교해서 재발한 경우에는 관상 동맥 이상을 유발할 위험도가 약 2배 정도 더 커진다[Nakamura, 1998a; Nakamura, 1998b]. 그리고 재발 환자는 면역글로불린 치료 저항성의 가능성이 높아지고[Uehara, 2008], 더 심각한 상태를 보였다[Nakamura, 1998b; Nakada, 2008]. 성인에서 가와사끼병이 발생하는 경우는 아주 드물지만 총 91건의 성인 가와사끼병 사례가 보고되어 있다[Sève, 2011]. 그리고 소아 때에 발병한 가와사끼병이 성인이 되어서 재발하는 경우는 극히 이례적이지만 지금까지 총 4건의 사례가 보고되었다[Kamal, 2016].

(4) 사망률

일본(2015–2016)과 한국(2015–2017)에서 가와사끼병의 사망률은 각각 0.01%와 0.018%로 보고되었다[Makino, 2019; Kim, 2020]. 표준화된 사망률(standardized mortality ratio, SMR:한국가 수집 자료에서 실제 관찰된 사망자 수를 예상한 사망자 수로 나눈 값)을 사용해서 일본에서 1982–1992년 사이에 진단된 환자에서 2009년까지 추적 조사하여 분석한 결과에 의하면 다음과 같다[Nakamura, 2013].

- 가와사끼병으로 심장 이상을 가진 환자의 표준화된 사망률(SMR) = **1.86**
- 가와사끼병으로 심장 이상을 가진 남자 환자의 표준화된 사망률(SMR) = **2.27**
- 가와사끼병으로 급성기 이후에 심장 이상이 없는 환자의 표준화된 사망률(SMR) = **0.65**

위 결과를 요약하면, 가와사끼병으로 심장 이상을 가진 경우에는 집단의 평균보다 사망률이 1.86배 더 높고, 만약 심장 이상을 가진 남자 환자의 경우에는 2.27배 사망률이 높아진다. 그러나 가와사끼병 환자이지만 급성기 이후에 심장 이상이 없는 경우에는 표준화된 사망률이 0.65로 사망할 확률이 크게 낮아진다.

4. 가와사끼병의 발병에 영향을 미치는 요인들

(1) 출생 시 임신 주령 및 체중

일본의 2009–2010년도 전국 역학 조사에 의하면 가와사끼병 환자는 일반 집단과 비교해서 조금 더 일찍 태어나고 체중은 더 적은 것으로 조사되었다[Nakamura, 2012; 표 3–4]. 따라서 조산을 하거나 저체중으로 태어나는 경우에는 가와사끼병의 발병 위험도가 증가할 것으로 예상된다.

표 3-4. 출생 시 임신 주령과 체중이 가와사끼병 발병에 미치는 효과

	정상 출산	조산	출생시 저체중 (<2500 g)	
			남자	여자
일반 인구 집단 (2009년 일본)	93.9%	5.7%	8.5%	10.8%
가와사끼병 집단 (n= 9,346; 2009-2010)	91.0%	8.2%	10.7%	13.2%

출처: [Nakamura, 2012]

(2) 모유 수유

모유 수유가 가와사끼병 발병에 미치는 효과를 분석한 연구가 3개 보고되어 있다(표 3-5). 우선 일본의 전국 집단 조사에서 가와사끼병으로 입원한 232명이 포함된 총 37,630명의 어린이에서 완전한 모유 수유와 부분 모유 수유가 분유를 먹인 경우와 비교하여 가와사끼병 위험도(odds ratio; OR)가 각각 0.26과 0.27로 매우 강한 예방 효과를 보였다(표 3-5). 또한 통계적으로는 유의하지는 않지만 초유(colostrum)만을 먹인 경우에도 예방 효과(OR = 0.39)를 보였다. 모유의 예방 효과는 모유 수유 기간이 아니라 모유 또는 초유 속의 성분과 관련된 것으로 보인다[Yojifuji, 2016]. 적은 숫자를 이용한 독일과 중국의 연구에서도 모유 수유가 가와사끼병의 발

표 3-5. **가와사끼병 발병에 미치는 모유 수유의 예방 효과**

1. 일본 연구 [Yorifuji, 2016]:

수유 방법	입원 가와사끼병 환자수/전체 수	병원 입원 비율 (%)	오즈비 (95% 신뢰구간)	
			변수 보정 전	변수 보정 후[a]
분유	8/262	3.1	1 (reference)	1 (reference)
초유 후 분유	7/583	1.2	0.39 (0.14-1.08)	0.39 (0.14-1.09)
부분 모유	139/17,097	0.8	0.26 (0.13-0.54)	0.27 (0.13-0.55)
완전한 모유	78/9,793	0.8	0.25 (0.12-0.53)	0.26 (0.12-0.55)

2. 독일 연구 [Meyer, 2019]:

모유 수유 기간	가와사끼병 (n, %)	대조군 (n, %)	오즈비 [95% 신뢰구간][c]	*P*-value
< 2주	66 (21.4)	30 (9.2)	1 (reference)	0.013
> 2주[b]	242 (78.6)	296 (90.8)	0.471	

3. 중국 연구 [Wang, 2020]:

수유 방법	가와사끼병 (n, %)	대조군 (n, %)	OR (95% CI)	*P*-value
분유	152 (39.1)	119 (27.9)	1 (reference)	0.001
부분 모유	98 (25.2)	108 (25.4)	0.70	
완전한 모유	139 (35.7)	199 (46.7)	0.53	

[a]어린이 요인들(성별, 조산 출생, 출산수, 단산 또는 다산)과 엄마 요인들(엄마의 흡연 여부, 엄마의 교육 수준, 엄마의 나이 구간)에 대한 변수를 보정하여 분석함.
[b]부분 모유 수유를 받은 어린이(partial breastfed children)도 포함하여 분석.
[c]conditional logit-model (n = 454)

병을 약 절반 정도 줄이는 예방 효과를 확인할 수 있었다[Meyer, 2019; Wang, 2020].

(3) 예방 접종

6세 이하의 어린이 총 1,721,186명에서 백신이 접종되지 않은 기간에 비교하여 백신 접종 후 1–42일 기간에 가와사끼병 발병률이 절반으로 줄었으며(rate ratio = 0.50), 특히 백신 접종 후 8–42일 기간에는 가장 낮은 발병률(rate ratio = 0.45)을 보였다(표 3-6). 또한 백신 접종이 가와사끼병 발병에 예방 효과를 보이는 것은 특정한 종류의 백신의 효과가 아니라 모든 종류의 백신 접종이 가와사끼병 발생을 감소시키는 효과를 보였다. 본 연구 결과는 어린이에서 백신 접종은 가와사끼병 발병의 위험성을 증가시키지 않고 대신에 백신 접종이 가와사끼병 발생을 잠시 감소시키는 효과가 있음을 입증한다. 또 다른 한 연구에서도 어린이에서 백신 접종이 가와사끼병 발병의 원인이 아님을 확인하였다[Bonetto, 2016].

표 3-6. **백신이 접종되지 않은 기간에 비해 백신 접종 후의 기간에 가와사끼병의 발생률**

분석에 사용된 노출 기간	발생 비율(95% 신뢰구간)	*P* 값
백신 접종 후 1-14일	0.53 (0.19-1.44)	0.211
백신 접종 후 1-28일	0.51 (0.24-1.06)	0.070
백신 접종 후 1-42일	**0.50 (0.27-0.92)**	**0.026**
백신 접종 후 8-14일	0.27 (0.04-1.91)	0.188
백신 접종 후 8-28일	0.43 (0.17-1.06)	0.067
백신 접종 후 8-42일	**0.45 (0.22-0.90)**	**0.024**
백신 접종 후 15-42일	0.52 (0.25-1.08)	0.078

*성별, 나이, 계절, 관리 받은 기관의 효과를 보정하고 분석함. 출처: [Abrams, 2015]

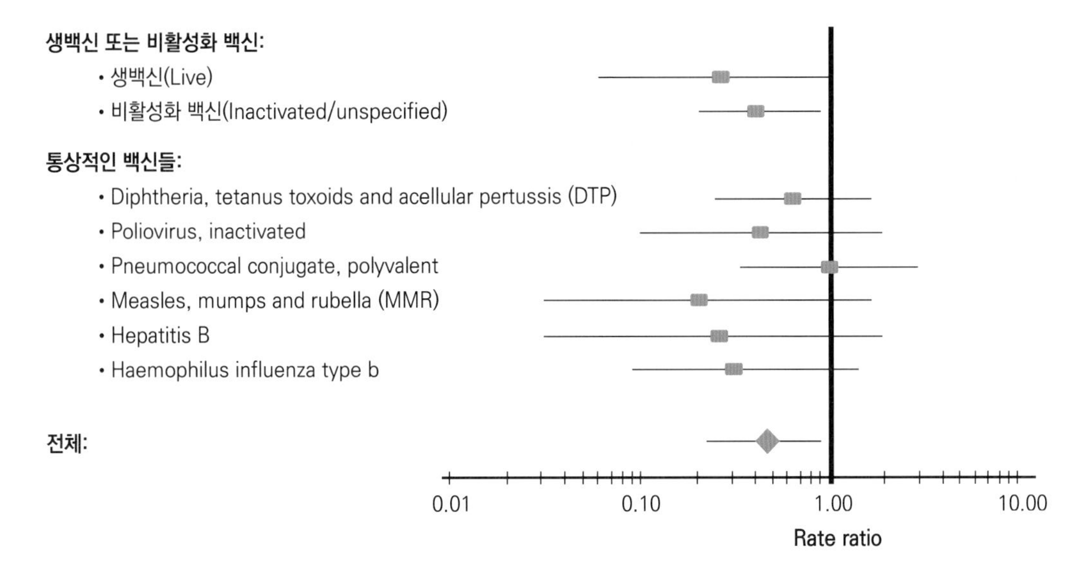

그림 3-3. **백신 접종 후 8-42일 기간과 이 기간 이외의 시기에 발생한 가와사끼병 발생률 비교를 백신의 종류별로 분석한 결과.**

출처: [Abrams, 2015]

(4) 농촌과 도시

일본의 가와사끼병 전국 역학 조사 데이터에서 농촌 지역에 비해서 도시 지역에서 가와사끼병 발생률이 높았다[Nakamura, 1987]. 그리고 41,872명의 신생아 조사 데이터에서도 농촌 지역보다 도시 지역에서 1.55배 가와사끼병의 발생률이 높게 나타났다[Fujiwara, 2019]. 한국의 역학 조사 데이터에서도 대도시 지역이 소도시 지역보다 가와사끼병의 발생률이 높았다[Kim, 2017]. 그리고 대만에서도 통계적 유의성은 없었으나 동일하게 도시 지역이 농촌 지역보다 가와사끼병 발생률이 더 높게 나왔다[Chang, 2019]. 위의 결과는 모두 가와사끼병의 발생률은 위생 상태가 상대적으로 좋은 도시 지역에서 더 많이 발생하고 있음을 나타낸다.

(5) 계절

가와사끼병의 발생률은 계절적 시기에 따라 나라별로 약간의 차이를 보이고 있다[Uehara, 2012]. 일본과 한국은 겨울에 발생률이 가장 높고 다음으로 여름철에 발생률이 높은 패턴을 보인다[Nakamura, 201; Makino, 2018; Kim, 2019; Park, 2007]. 두 나라에서 가을은 발생률이 가장 낮은 시기이다. 중국, 대만 및 홍콩은 여름에 발생률이 가장 높은 패턴을 보인다[Li, 2008; Du, 2007; Huang, 2006; Ng, 2005; Ma, 2010; Huang, 2009]. 미국이나 유럽의 경우에는 주로 겨울이 발생률이 가장 높은 계절이다[Belay, 2006; Holman, 2003; Holman, 2010; Harnden, 2009; Fischer, 2007; Lin, 2010]. 그리고 흥미롭게도 하와이와 호주에서는 계절적 발생률의 차이를 보이지 않고 있다[Holman, 2010]. 또한, 일본의 역학 자료에 의하면 겨울철에 모든 연령대의 어린이가 가장 높은 발생률을 보이고, 나이가 0-11개월령의 경우에는 여름철에 가장 높은 발생률을 보였다[Ozeki, 2018; Kitano, 2018]. 한편, 역학 연구에 의해 보고된 가와사끼병 발생의 지리적 및 계절적 패턴은 계절적 감염원이 유전적으로 민감한 사람에서 면역학적 반응을 유발하여 가와사끼병의 병리학적 기전으로 작용할 수 있음을 암시하고 있다. 그리고 나라별로 가와사끼병의 계절별 발생률 차이를 보이는 것은 아마도 기후와 환경의 차이, 다른 인종 집단의 차이, 다른 생활 습관과 문화의 차이 등으로 설명할 수 있다. 또 다른 설명으로는 가와사끼병의 발생이 주로 온도가 너무 덥거나 너무 추운 계절에 발생하고 있어서 인종이나 문화적 차이보다는 날씨 환경의 차이가 주요한 요인으로 작용할 수도 있다. 이 경우에는 감염성 원인보다는 환경적인 요인이 더 크게 작용할 것이다.

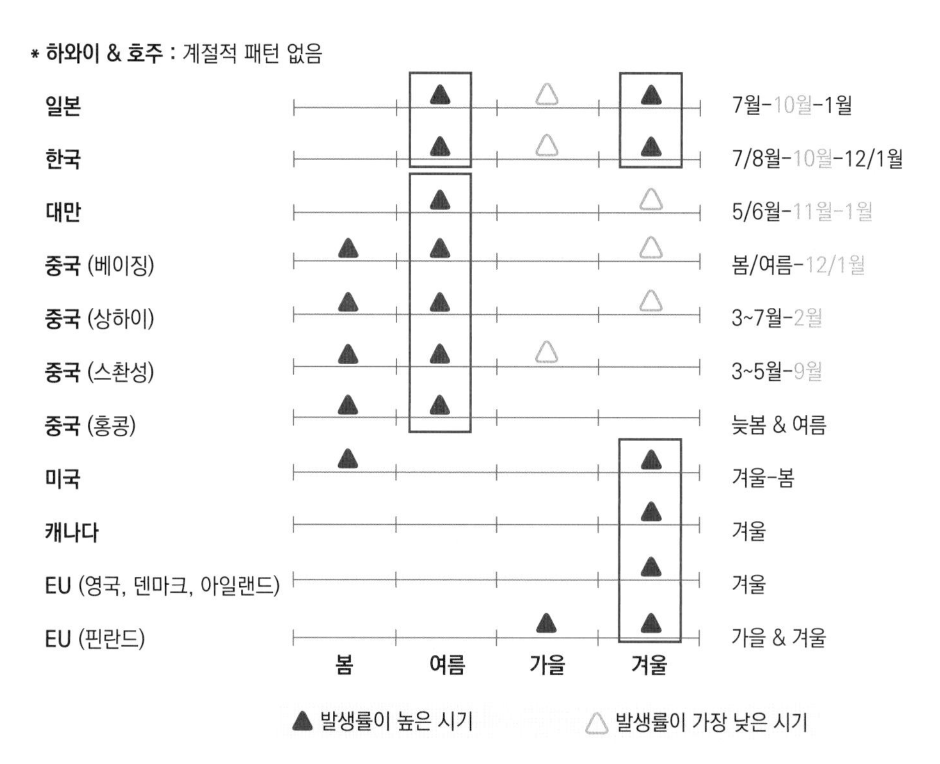

그림 3-4. **세계 주요 나라의 계절별 가와사끼병 발생 패턴**

(6) 알레르기성 질병과 가와사끼병의 관련성

가와사끼병을 가진 환자의 경우에는 다양한 종류의 알레르기성 질환의 발생 위험이 증가하고, 또한 반대로 다양한 종류의 알레르기성 환자도 가와사끼병 발병의 위험도가 증가하는 것으로 밝혀졌다(그림 3-5).

- **일본의 연구결과:** 가와사끼병을 앓은 적이 있는 소아는 정상 대조군에 비해서 알레르기 가족력이 훨씬 더 높았다(71% vs 56%, $p<0.001$). 특히, 가와사끼병 소아에서 아토피성 피부염(atopic dermatitis) 및 알레르기성 비염(allergic rhinitis)의 발생률은 대조군과 비교하여 유의하게 ~1.7배 높았다[Matsuoka, 1997].

- **대만의 연구결과:** 대만에서 가와사끼병을 앓고 난 소아는 아토피성 피부염, 알레르기성 비염, 천식 및 두드러기 등의 알레르기 감수성 위험이 높은 경향이 있었다[Woon, 2013;

Tsai, 2013; Hwang, 2013; Kuo, 2013; Wei, 2014].

- **싱가포르의 연구결과:** 가와사끼병을 앓은 소아는 가와사끼병을 겪지 않은 형제자매보다 나중에 더 많은 알레르기와 천식이 나타났다[Liew, 2011].

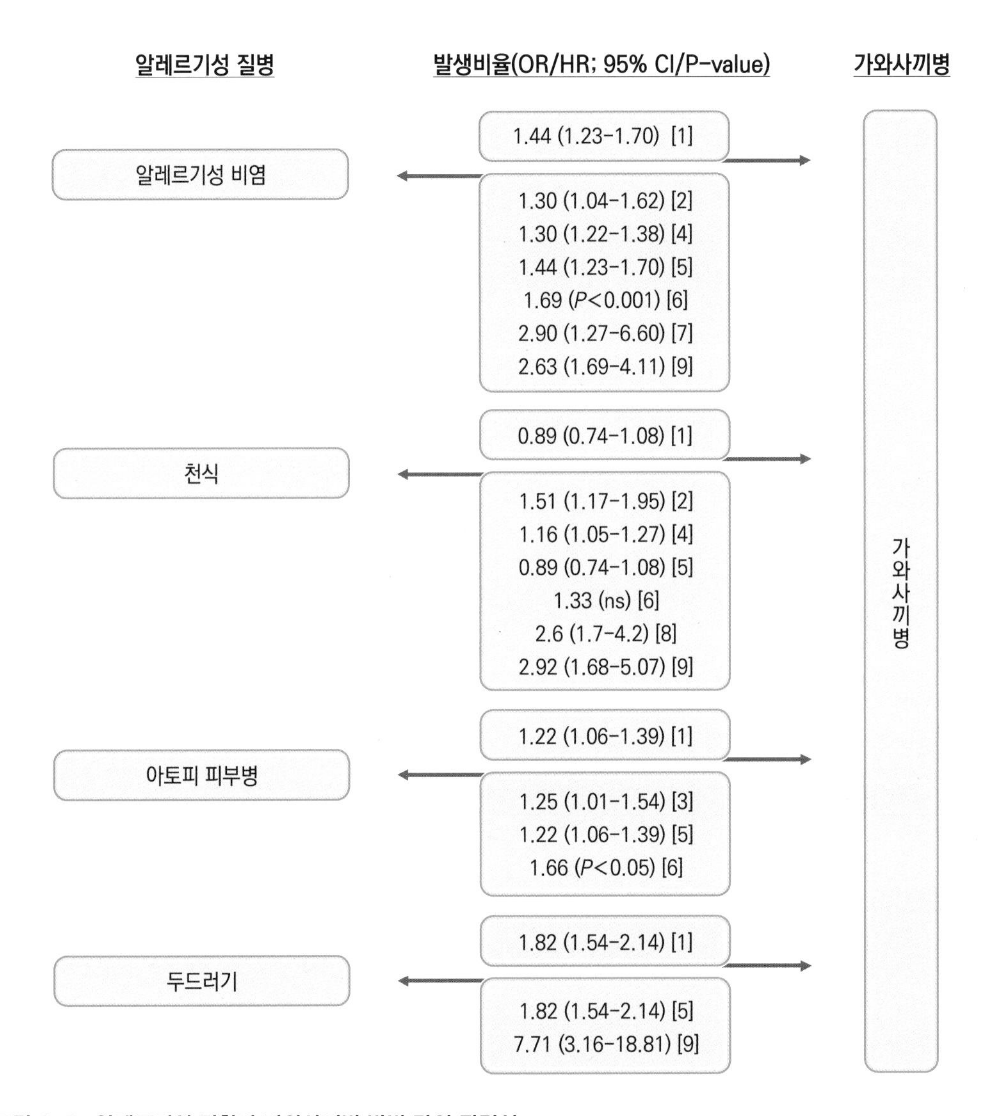

그림 3-5. **알레르기성 질환과 가와사끼병 발병 간의 관련성.**

OR, odds ratio; HR, hazard ratio; CI, confidence interval; ns, not significant. 출처: [1] Kuo, 2016 (Taiwan); [2] Kuo, 2013 (Taiwan); [3] Woon, 2013 (Taiwan); [4] Tsai, 2013 (Taiwan); [5] Wei, 2014 (Taiwan); [6] Matsuoka, 1997 (Japan); [7] Liew, 2011 (Singapore); [8] Webster, 2011 (Austrailia); [9] Hassidim, 2016 (Israel).

- **호주의 연구결과:** 정상 대조군과 비교할 때, 가와사끼병 환자는 감염(OR = 1.9, 95% CI = 1.4–2.6, $P = 7.2 \times 10^{-6}$) 및 천식/알레르기(OR = 2.6, 95% CI = 1.7–4.2, $P = 1.3 \times 10^{-5}$)로 적어도 한 번 이상 입원할 가능성이 더 높았다[Webster, 2011].

- **이스라엘의 연구결과:** 이스라엘에서 가와사끼병은 알레르기 질환(천식, 알레르기성 비염 및 혈관 부종/ 두드러기) 발병과 관련이 있었다. 알레르기 질환과의 관련성은 심장 관상동맥 이상을 가진 가와사끼병의 경우에 더 크게 증가하였다[Hassidim, 2016].

한 연구 결과에 따르면 가와사끼병 환자는 아토피성 피부염의 발생률이 대조군보다 9배 높았다. 그리고 가와사끼병 환자의 경우에 알레르기 검사에 사용되는 IgE와 IL-4 수준이 유의하게 증가하였고 아토피성 피부염의 발생률도 더 높게 나왔다[Brosius, 1988]. 가와사끼병 환자에서 아토피성 피부염 및 알레르기가 생길 높은 위험도, 상승된 혈청 IgE 수준, 호산구(eosinophil) 증가 및 low affinity IgE 수용체(FCER2)를 발현하는 혈액 내 단핵구(monocytes)/대식세포(macrophages)의 증가는 IL-4의 효과와 관련될 수 있다[Burns, 2005]. 가와사끼병 환자는 환경 속 알레르겐(allergens)에 노출이 적은 환경에 살 가능성이 더 높았고, 만약 알레르겐에 노출시키면 가와사끼병 발병 위험도가 단기적으로 낮았다[Manlhiot, 2018]. 이 결과는 알레르기 질병과 가와사끼병의 발병은 모두 위생 가설(hygiene hypothesis)로 설명될 수 있음을 의미한다. 참고로 위생 가설은 Strachan 박사에 의해서 1989년에 처음 제안되었으며[Strachan, 1989], 어린 시절에 감염원, 공생 미생물(symbiotic microorganisms)과 기생충에 노출되지 않으면 면역체계 발달을 억제하여 알레르기 질병에 대한 감수성이 증가한다는 학설이다. 시골 지역에 사는 어린이는 알레르기 질환 발생 위험도가 낮았는데[Peroni, 2010; Barnes, 2001], 가와사끼병의 경우에도 시골 어린이에서 발생률이 더 낮게 나와서[Nakamura, 1987; Fujiwara T et al., 2019; Kim, 2017], 두 질병이 공통적으로 높은 IgE를 매개로 한 위생 가설 모델을 지지하는 증거로 사용될 수 있다.

5. 가와사끼병의 역학 연구에서 사용되는 정보 수집 양식

다른 연구자가 참고할 수 있도록 여러 나라에서 수행된 가와사끼병 역학 자료 수집을 위한 양식을 아래에 첨부한다.

- Name (initials only)
- Address (municipality)
- Sex
- Date of birth
- Data and day of first hospital visit for illness
- Diagnosis
  - Typical definite
  - Atypical definite
  - Incomplete
- Recurrences
- History of KD (+ or −):
  - Siblings
  - Parents
- Blood tests:
  - Hemoglobin
  - Glutamic pyruvic transaminase
  - Serum sodium
- IVIG therapy
- IVIG resistance status
- Additional therapy (+ or −)
  - Additional IVIG therapy
  - Steroids
  - Infliximab
  - Immunosuppressive agents (not specified)
  - Plasmapheresis
- Cardiac lesions
  - At the first visit
  - Acute phase (onset-1 month)
  - Sequelae (>1 month)

- Atypical definite, four of the six principal symptoms and coronary artery aneurysm confirmed on coronary angiography or 2-D echocardiography in the course of treatment
- Typical definite, five or six of the six principal symptoms specified in guidelines for the diagnosis of KD
- Incomplete, not meeting the diagnostic criteria but reported as suspected KD by the pediatrician
- IVIG, I.V. immunoglobulin
- KD, Kawasaki disease

그림 3-6. **일본의 23차 전국 역학 조사 자료 양식[Makino, 2018].**

Kawasaki Disease Genetics Data Collection Sheet (Korean)

■ **Personal Information**

- Patient's Name:______________________
- Sex: ① Male ② Female
- Race: ① Korean ② Others:______________
- Date of Birth (yyyy-mm-dd):______________________
- Date of Admission (yyyy-mm-dd):______________________
- Date of Discharge (yyyy-mm-dd):______________________
- KD Sample ID:___KD-______________________
- Date of Sampling (yyyy-mm-dd):______________________
- Time Point of Sampling: ① Acute ② Subacute ③ Convalescent ④ Normal

  Acute:치료전; Subacute:치료후 0-21일(3주); Convalescent:치료후 3주-6개월; Normal:치료후 6개월이후

■ **Clinical Signs & Symptoms**

- Fever≥5 days: ① No ② Yes [*date of onset:______________ total:______days]
- Conjunctival Injection: ① No ② Yes
- Cervical Lymphadenopathy (>1.5 cm): ① No ② Yes
- Polymorphous Skin Rashes: ① No ② Yes
- Abnormalities of Lip or Oral Mucosa: ① No ② Yes
  (strawberry tongue/fissured lips/injected pharynx)
- Abnormalities of Extremities: ① No ② Yes
  (edema of palm&soles/desquamation of finger tips)

▣ Types of Kawasaki Disease: ① Incomplete (fever+≥2 criteria) ② Complete (fever+≥4 criteria)

▣ Others:______________________

■ **Echocardiogram Finding**

- Coronary Artery: ① Normal ② Dilated/Aneurysm
- Diameter (at worst):______________mm
- Date of Echo (yyyy-mm-dd):______________________

■ **Treatment**

*Standard treatment: 2 g/kg IVIG, or write non-standard primary treatment:______________________
*Date of IVIG infusion (yyyy-mm-dd):______________________

- ① Responder (disappearance of fever after treatment)
- ② Retreated (=Non-responder): (write the retreatment)______________________
- ③ Not Treated: (why)______________________

■ **Others**

- Family History (sibling patient ?): ① No ② Yes
- History of Recurrence: ① No ② Yes [*Date of previous attack (yyyy-mm-dd):____________]

■ **Lab Data**

*Date of Initial Measurement (yyyy-mm-dd):______________________

CRP:	(mg/L)	ESR:	(mm/hr)
White Blood Cell Count:	($\times10^9$/L)	Neutrophil (%:	%
Platelet Count:	($\times10^9$/L)	Hb:	(g/L)
Albumin:	(mg/dL)	AST/ALT:	(IU/L)
Total Protein:	(mg/dL)	Others:	

그림 3-7. 한국 가와사끼병 유전연구 컨소시엄에서 사용하는 조사 양식[Lee, 2015].

Surveillance of Kawasaki disease in Hong Kong
(Hong Kong Kawasaki Disease Study Group)

1. Name of patient: (initial e.g. CKM for Chan Ka Mei) ____________________

2. Sex: ____________________

3. DOB (ddmmyy): ____________________

4. Race: ☐ Chinese (C) ☐ Non-Chinese (NC)

5. District (e.g. Shatin, Mongkok, Wanchai, etc.): ____________________

6. Name of Doctor: ____________________ Tel of Doctor: ______________

7. Name of Hospital: ____________________ Hospital No.: ______________

8. Date of fever onset (ddmmyy): ______________

9. Diagnostic criteria: Please tick (description if any)

1. Fever >5 days	☐ ______________
2. Rash	☐ ______________
3. Conjunctivitis	☐ ______________
4. Mouth changes	☐ fissured/bleeding lips ☐ strawberry tongue ☐ erythema of oral or pharyngeal cavity
5. Extremity changes	☐ edema of hand/feet ☐ erythema of palm/sole ☐ desquamation of finger tips and toes
6. Lymphadenopathy	☐ Cx lymph node >1.5 cm ☐ multiple Cx Lns

10. Other significant presenting features: ______________

11. Coronary artery aneurysms (infants >2.0 mm; beyond infancy >3.0 mm):

☐ Yes with ☐ ectasia ☐ aneurysm: ☐ No

At 2 wks after onset: ☐ Yes RCA size_____mm; LCA size________mm ☐ No

At 4 wks after onset: ☐ Yes RCA size_____mm; LCA size________mm ☐ No

At 8 wks after onset: ☐ Yes RCA size_____mm; LCA size________mm ☐ No

12. IVIG: ☐ given ☐ not given ☐ <D10 ☐ >D10 (day________)

☐ 2 g/kg iv infusion ☐ 1 g/kg iv infusion

☐ 400 mg/kg/dose × 5 days iv infusion ☐ others __________

13. How soon to become afebrile after starting IVGG ?

☐ <12 hr ☐ <24 hr ☐ <48 hr ☐ >48 hr

그림 3-8. 홍콩 가와사끼병 스터디 그룹에서 사용한 가와사끼병 조사 양식[Ng, 2005].

참고문헌

1. Abrams JY, Weintraub ES, Baggs JM, et al. Childhood vaccines and Kawasaki disease, Vaccine Safety Datalink, 1996-2006. Vaccine. 2015;33(2):382-387. PMID: 25444786
2. Ae R, Makino N, Kosami K, Kuwabara M, Matsubara Y, Nakamura Y. Epidemiology, Treatments, and Cardiac Complications in Patients with Kawasaki Disease: The Nationwide Survey in Japan, 2017-2018. J Pediatr. 2020;225:23-29. PMID: 32454114
3. Balasubramanian S, Ganesh R. Recurrent Kawasaki disease. Indian J Pediatr. 2009;76(8):848-849. PMID: 19475343
4. Barnes M, Cullinan P, Athanasaki P, et al. Crete: does farming explain urban and rural differences in atopy?. Clin Exp Allergy. 2001;31(12):1822-1828. PMID: 11737032
5. Bayers S, Shulman ST, Paller AS. Kawasaki disease: part II. Complications and treatment. J Am Acad Dermatol. 2013;69(4):513-522. PMID: 24034380
6. Belay ED, Maddox RA, Holman RC, Curns AT, Ballah K, Schonberger LB. Kawasaki syndrome and risk factors for coronary artery abnormalities: United States, 1994-2003. Pediatr Infect Dis J. 2006;25(3):245-249. PMID: 16511388
7. Bonetto C, Trotta F, Felicetti P, et al. Vasculitis as an adverse event following immunization - Systematic literature review. Vaccine. 2016;34(51):6641-6651. PMID: 26398442
8. Brosius CL, Newburger JW, Burns JC, Hojnowski-Diaz P, Zierler S, Leung DY. Increased prevalence of atopic dermatitis in Kawasaki disease. Pediatr Infect Dis J. 1988;7(12):863-866. PMID: 3211629
9. Burns JC, Shimizu C, Shike H, et al. Family-based association analysis implicates IL-4 in susceptibility to Kawasaki disease. Genes Immun. 2005;6(5):438-444. PMID: 15889128
10. Burns JC, Wiggins JW Jr, Toews WH, et al. Clinical spectrum of Kawasaki disease in infants younger than 6 months of age. J Pediatr. 1986;109(5):759-763. PMID: 3772656
11. Burns JC. Translation of Dr. Tomisaku Kawasaki's original report of fifty patients in 1967. Pediatr Infect Dis J. 2002;21(11):993-5. PMID: 12442017
12. Cai Z, Zuo R, Liu Y. Characteristics of Kawasaki disease in older children. Clin Pediatr (Phila). 2011;50(10):952-956. PMID: 21628347
13. Cameron SA, Carr M, Pahl E, DeMarais N, Shulman ST, Rowley AH. Coronary artery aneurysms are more severe in infants than in older children with Kawasaki disease. Arch Dis Child. 2019;104(5):451-455. PMID: 30413485
14. Chang FY, Hwang B, Chen SJ, Lee PC, Meng CC, Lu JH. Characteristics of Kawasaki disease in infants younger than six months of age. Pediatr Infect Dis J. 2006;25(3):241-244. PMID: 16511387.
15. Chang RK. The incidence of Kawasaki disease in the United States did not increase between 1988 and 1997. Pediatrics. 2003;111(5 Pt 1):1124-1125. PMID: 12728105
16. Chang YT, Wang HS, Liu JR, et al. Association of maternal ethnicity and urbanicity on severe pediatric disease: a nationwide cohort study. BMC Pediatr. 2019;19(1):514. PMID: 31870333
17. Chen CY, Wu JR. Gaoxiong Yi Xue Ke Xue Za Zhi. 1989;5(3):189-193. PMID: 2733077
18. Chen JJ, Ma XJ, Liu F, et al. Epidemiologic Features of Kawasaki Disease in Shanghai From 2008 Through 2012. Pediatr Infect Dis J. 2016;35(1):7-12. PMID: 26372452
19. Dean AG, Melish ME, Hicks R, Palumbo NE. An epidemic of Kawasaki syndrome in Hawaii. J Pediatr. 1982;100(4):552-557. PMID: 7062202
20. Du ZD, Zhao D, Du J, et al. Epidemiologic study on Kawasaki disease in Beijing from 2000 through 2004. Pediatr Infect Dis J. 2007;26(5):449-451. PMID: 17468660
21. Durongpisitkul K, Soongswang J, Laohaprasitiporn D, Nana A, Prachuabmoh C, Kangkagate C. Immunoglobulin failure and retreatment in Kawasaki disease. Pediatr Cardiol. 2003;24(2):145-148. PMID: 12457253

22. Fischer TK, Holman RC, Yorita KL, Belay ED, Melbye M, Koch A. Kawasaki syndrome in Denmark. Pediatr Infect Dis J. 2007;26(5):411-415. PMID: 17468651
23. Fujiwara T, Shobugawa Y, Matsumoto K, Kawachi I. Association of early social environment with the onset of pediatric Kawasaki disease. Ann Epidemiol. 2019;29:74-80. PMID: 30459020
24. Ha S, Seo GH, Kim KY, Kim DS. Epidemiologic Study on Kawasaki Disease in Korea, 2007-2014: Based on Health Insurance Review & Assessment Service Claims. J Korean Med Sci. 2016;31(9):1445-1449. PMID: 27510389
25. Harnden A, Mayon-White R, Perera R, Yeates D, Goldacre M, Burgner D. Kawasaki disease in England: ethnicity, deprivation, and respiratory pathogens. Pediatr Infect Dis J. 2009;28(1):21-24. PMID: 19145710
26. Hassidim A, Merdler I, Chorin O, et al. Atopic Predilection among Kawasaki Disease Patients: A Cross-Sectional Study of 1,187,757 Teenagers. Int Arch Allergy Immunol. 2016;170(2):92-96. PMID: 27437950
27. Hirata S, Nakamura Y, Yanagawa H. Incidence rate of recurrent Kawasaki disease and related risk factors: from the results of nationwide surveys of Kawasaki disease in Japan. Acta Paediatr. 2001;90(1):40-44. PMID: 11227331
28. Holman RC, Curns AT, Belay ED, Steiner CA, Schonberger LB. Kawasaki syndrome hospitalizations in the United States, 1997 and 2000. Pediatrics. 2003;112(3 Pt 1):495-501. PMID: 12949272
29. Holman RC, Belay ED, Curns AT, Schonberger LB, Steiner C. Kawasaki syndrome hospitalizations among children in the United States, 1988-1997. Pediatrics. 2003;111(2):448. PMID: 12563081
30. Holman RC, Christensen KY, Belay ED, et al. Racial/ethnic differences in the incidence of Kawasaki syndrome among children in Hawaii. Hawaii Med J. 2010;69(8):194-197. PMID: 20845285
31. Holman RC, Belay ED, Christensen KY, Folkema AM, Steiner CA, Schonberger LB. Hospitalizations for Kawasaki syndrome among children in the United States, 1997-2007. Pediatr Infect Dis J. 2010;29(6):483-488. PMID: 20104198
32. Huang GY, Ma XJ, Huang M, et al. Epidemiologic pictures of Kawasaki disease in Shanghai from 1998 through 2002. J Epidemiol. 2006;16(1):9-14. PMID: 16369103
33. Huang WC, Huang LM, Chang IS, et al. Epidemiologic features of Kawasaki disease in Taiwan, 2003-2006. Pediatrics. 2009;123(3):e401-e405. PMID: 19237439
34. Hwang CY, Hwang YY, Chen YJ, et al. Atopic diathesis in patients with Kawasaki disease. J Pediatr. 2013;163(3):811-815. PMID: 23647775
35. Jakob A, Whelan J, Kordecki M, et al. Kawasaki Disease in Germany: A Prospective, Population-based Study Adjusted for Underreporting. Pediatr Infect Dis J. 2016;35(2):129-134. PMID: 26465100
36. Joffe A, Kabani A, Jadavji T. Atypical and complicated Kawasaki disease in infants. Do we need criteria?. West J Med. 1995;162(4):322-327. PMID: 7747497
37. Kamal S, Khan MA, Altorok N. Recurrent Kawasaki Disease: Mind the Age, But It Does Not Matter. J Clin Rheumatol. 2016;22(4):223-224. PMID: 27219316
38. Kang JH, Hong SJ, Seo IA, et al. Early Detection of Kawasaki Disease in Infants. Korean Circ J. 2015;45(6):510-515. PMID: 26617654
39. Kawasaki T. [Acute febrile mucocutaneous syndrome with lymphoid involvement with specific desquamation of the fingers and toes in children]. Arerugi 1967;16:178-222.
40. Kido S, Ae R, Kosami K, et al. Seasonality of i.v. immunoglobulin responsiveness in Kawasaki disease. Pediatr Int. 2019;61(6):539-543. PMID: 30980447
41. Kim GB, Han JW, Park YW, et al. Epidemiologic features of Kawasaki disease in South Korea: data from nationwide survey, 2009-2011. Pediatr Infect Dis J. 2014;33(1):24-27. PMID: 24064559
42. Kim GB, Park S, Eun LY, et al. Epidemiology and Clinical Features of Kawasaki Disease in South Korea, 2012-2014. Pediatr Infect Dis J. 2017;36(5):482-485. PMID: 27997519
43. Kim GB. Reality of Kawasaki disease epidemiology. Korean J Pediatr. 2019;62(8):292-296. PMID: 31319643

44. Kim GB, Eun LY, Han JW et al. Epidemiology of Kawasaki Disease in South Korea: A nationwide survey 2015-2017. Pediatr Infect Dis J. 2020;39(11):1012-1016. PMID: 33075217
45. Kitano N, Suzuki H, Takeuchi T. Patient Age and the Seasonal Pattern of Onset of Kawasaki's Disease. N Engl J Med. 2018;378(21):2048-2049. PMID: 29791820
46. Kuo HC, Chang WC, Yang KD, et al. Kawasaki disease and subsequent risk of allergic diseases: a population-based matched cohort study. BMC Pediatr. 2013;13:38. PMID: 23522327
47. Kuo HC, Hsu YW, Wu MS, Chien SC, Liu SF, Chang WC. Intravenous immunoglobulin, pharmacogenomics, and Kawasaki disease. J Microbiol Immunol Infect. 2016;49(1):1-7. PMID: 25556045
48. Lee DB, Lee KS, Lee BC, Lee IJ. Epidemiologic and clinical study of mucocutaneous lymph node syndrome in Korea. J Kor Pediatr Soc. 1982;25(10):977-993.
49. Lee JK, Hong YM, Jang GY, et al. Consortium-Based Genetic Studies of Kawasaki Disease in Korea: Korean Kawasaki Disease Genetics Consortium. Korean Circ J. 2015;45(6):443-448. PMID: 26617644
50. Li XH, Li XJ, Li H, Xu M, Zhou M. Epidemiological survey of Kawasaki disease in Sichuan province of China. J Trop Pediatr. 2008;54(2):133-136. PMID: 17965438
51. Liew WK, Lim CW, Tan TH, et al. The effect of Kawasaki disease on childhood allergies - a sibling control study. Pediatr Allergy Immunol. 2011;22(5):488-493. PMID: 21443753
52. Lin MC, Lai MS, Jan SL, Fu YC. Epidemiologic features of Kawasaki disease in acute stages in Taiwan, 1997-2010: effect of different case definitions in claims data analysis. J Chin Med Assoc. 2015;78(2):121-126. PMID: 25636582
53. Lin MT, Wu MH. The global epidemiology of Kawasaki disease: Review and future perspectives. Glob Cardiol Sci Pract. 2017;2017(3):e201720. PMID: 29564341
54. Lin YT, Manlhiot C, Ching JC, et al. Repeated systematic surveillance of Kawasaki disease in Ontario from 1995 to 2006. Pediatr Int. 2010;52(5):699-706. PMID: 20113416
55. Ma XJ, Yu CY, Huang M, et al. Epidemiologic features of Kawasaki disease in Shanghai from 2003 through 2007. Chin Med J (Engl). 2010;123(19):2629-2634. PMID: 21034643
56. Makino N, Nakamura Y, Yashiro M, et al. Descriptive epidemiology of Kawasaki disease in Japan, 2011-2012: from the results of the 22nd nationwide survey. J Epidemiol. 2015;25(3):239-245. PMID: 25716368
57. Makino N, Nakamura Y, Yashiro M, et al. Epidemiological observations of Kawasaki disease in Japan, 2013-2014. Pediatr Int. 2018;60(6):581-587. PMID: 29498791
58. Makino N, Nakamura Y, Yashiro M, et al. Nationwide epidemiologic survey of Kawasaki disease in Japan, 2015-2016. Pediatr Int. 2019;61(4):397-403. PMID: 30786118
59. Manlhiot C, Yeung RS, Clarizia NA, Chahal N, McCrindle BW. Kawasaki disease at the extremes of the age spectrum. Pediatrics. 2009;124(3):e410-e415. PMID: 19706564
60. Manlhiot C, Mueller B, O' Shea S, et al. Environmental epidemiology of Kawasaki disease: Linking disease etiology, pathogenesis and global distribution. PLoS One. 2018;13(2):e0191087. PMID: 29415012
61. Matsuoka S, Tatara K, Nakagawa R, Mori K, Kuroda Y. Tendency toward atopy in Kawasaki disease. Eur J Pediatr. 1997;156(1):30-32. PMID: 9007486
62. McCrindle BW, Rowley AH, Newburger JW, et al. Diagnosis, Treatment, and Long-Term Management of Kawasaki Disease: A Scientific Statement for Health Professionals From the American Heart Association [published correction appears in Circulation. 2019 Jul 30;140(5):e181-e184]. Circulation. 2017;135(17):e927-e999. PMID: 28356445
63. Melish ME, Hicks RM, Larson EJ. Mucocutaneous lymph node syndrome in the United States. Am J Dis Child. 1976;130(6):599-607. PMID: 7134
64. Meyer K, Volkmann A, Hufnagel M, et al. Breastfeeding and vitamin D supplementation reduce the risk of Kawasaki disease in a German population-based case-control study. BMC Pediatr. 2019;19(1):66. PMID: 30808315

65. Muta H, Ishii M, Sakaue T, et al. Older age is a risk factor for the development of cardiovascular sequelae in Kawasaki disease. Pediatrics. 2004;114(3):751-754. PMID: 15342849

66. Nakada T. Clinical Features of Patients With Recurrent Kawasaki Disease. Nihon Rinsho. 2008;66(2):296-300. PMID: 18260328

67. Nakamura Y, Yanagawa I, Kawasaki T. Temporal and geographical clustering of Kawasaki disease in Japan. Prog Clin Biol Res. 1987;250:19-32. PMID: 3423038

68. Nakamura Y, Hirose K, Yanagawa H, Kato H, Kawasaki T. Incidence rate of recurrent Kawasaki disease in Japan. Acta Paediatr. 1994;83:1061-4. PMID: 7841705

69. Nakamura Y, Yanagawa H. A case-control study of recurrent Kawasaki disease using the database of the nationwide surveys in Japan. Eur J Pediatr. 1996;155(4):303-307. PMID: 8777924

70. Nakamura Y, Yanagawa H, Ojima T, Kawasaki T, Kato H. Cardiac sequelae of Kawasaki disease among recurrent cases. Arch Dis Child. 1998a;78(2):163-165. PMID: 9579161

71. Nakamura Y, Oki I, Tanihara S, Ojima T, Yanagawa H. Cardiac sequelae in recurrent cases of Kawasaki disease: a comparison between the initial episode of the disease and a recurrence in the same patients. Pediatrics. 1998b;102(6):E66. PMID: 9832594

72. Nakamura Y, Yashiro M, Uehara R, Oki I, Kayaba K, Yanagawa H. Increasing incidence of Kawasaki disease in Japan: nationwide survey. Pediatr Int. 2008;50(3):287-290. PMID: 18533938

73. Nakamura Y, Yashiro M, Uehara R, Oki I, Watanabe M, Yanagawa H. Epidemiologic features of Kawasaki disease in Japan: results from the nationwide survey in 2005-2006. J Epidemiol. 2008;18(4):167-172. PMID: 18635901

74. Nakamura Y, Yashiro M, Uehara R, et al. Epidemiologic features of Kawasaki disease in Japan: results of the 2007-2008 nationwide survey. J Epidemiol. 2010;20(4):302-307. PMID: 20530917

75. Nakamura Y, Yashiro M, Uehara R, et al. Epidemiologic features of Kawasaki disease in Japan: results of the 2009-2010 nationwide survey. J Epidemiol. 2012;22(3):216-221. PMID: 22447211

76. Nakamura Y. Kawasaki disease: epidemiology and the lessons from it. Int J Rheum Dis. 2018;21(1):16-19. PMID: 29115029

77. Ng YM, Sung RY, So LY, et al. Kawasaki disease in Hong Kong, 1994 to 2000. Hong Kong Med J. 2005;11(5):331-335. PMID: 16219951

78. No SJ, Kim DO, Choi KM, Eun LY. Do predictors of incomplete Kawasaki disease exist for infants?. Pediatr Cardiol. 2013;34(2):286-290. PMID: 23001516

79. Nomura Y, Yoshinaga M, Masuda K, Takei S, Miyata K. Maternal antibody against toxic shock syndrome toxin-1 may protect infants younger than 6 months of age from developing Kawasaki syndrome. J Infect Dis. 2002;185(11):1677-1680. PMID: 12023778

80. Okubo Y, Nochioka K, Sakakibara H, Testa M, Sundel RP. National survey of pediatric hospitalizations due to Kawasaki disease and coronary artery aneurysms in the USA. Clin Rheumatol. 2017;36(2):413-419. PMID: 27987089

81. Ozeki Y, Yamada F, Saito A, et al. Epidemiologic features of Kawasaki disease distinguished by seasonal variation: an age-specific analysis. Ann Epidemiol. 2018;28(11):796-800. PMID: 30181018

82. Pannaraj PS, Turner CL, Bastian JF, Burns JC. Failure to diagnose Kawasaki disease at the extremes of the pediatric age range. Pediatr Infect Dis J. 2004;23(8):789-791. PMID: 15295237

83. Park YW, Park IS, Kim CH, et al. Epidemiologic study of Kawasaki disease in Korea, 1997-1999: comparison with previous studies during 1991-1996. J Korean Med Sci. 2002;17(4):453-456. PMID: 12172037

84. Park YW, Han JW, Park IS, et al. Epidemiologic picture of Kawasaki disease in Korea, 2000-2002. Pediatr Int. 2005;47(4):382-387. PMID: 16091073

85. Park YW, Han JW, Park IS, et al. Kawasaki disease in Korea, 2003-2005. Pediatr Infect Dis J. 2007;26(9):821-823. PMID: 17721378

86. Park YW, Han JW, Park IS, Kim CH, Cha SH, Ma JS, et al. Epidemiologic study of Kawasaki disease in 6 months old and younger infants. Korean J Pediatr 2008;51:1320-3.

87. Park YW, Han JW, Hong YM, et al. Epidemiological features of Kawasaki disease in Korea, 2006-2008. Pediatr Int. 2011;53(1):36-39. PMID: 20534021

88. Peroni DG, Pescollderungg L, Piacentini GL, et al. Immune regulatory cytokines in the milk of lactating women from farming and urban environments. Pediatr Allergy Immunol. 2010;21(6):977-982. PMID: 20718928

89. Rosenfeld EA, Corydon KE, Shulman ST. Kawasaki disease in infants less than one year of age. J Pediatr. 1995;126(4):524-529. PMID: 7699529

90. Rowley AH, Shulman ST. The Epidemiology and Pathogenesis of Kawasaki Disease. Front Pediatr. 2018;6:374. PMID: 30619784

91. Salgado AP, Ashouri N, Berry EK, et al. High Risk of Coronary Artery Aneurysms in Infants Younger than 6 Months of Age with Kawasaki Disease. J Pediatr. 2017;185:112-116. PMID: 28408126

92. Salo E, Griffiths EP, Farstad T, et al. Incidence of Kawasaki disease in northern European countries. Pediatr Int. 2012;54(6):770-772. PMID: 22726311

93. Satoh K, Wakejima Y, Gau M, et al. Risk of coronary artery lesions in young infants with Kawasaki disease: need for a new diagnostic method. Int J Rheum Dis. 2018;21(3):746-754. PMID: 29105337

94. Sève P, Stankovic K, Smail A, Durand DV, Marchand G, Broussolle C. Adult Kawasaki disease: report of two cases and literature review. Semin Arthritis Rheum. 2005;34(6):785-792. PMID: 15942913

95. Sève P, Lega JC. Maladie de Kawasaki de l'adulte [Kawasaki disease in adult patients]. Rev Med Interne. 2011;32(1):17-25. PMID: 20537446

96. Singh S, Agarwal S, Bhattad S, et al. Kawasaki disease in infants below 6 months: a clinical conundrum?. Int J Rheum Dis. 2016;19(9):924-928. PMID: 26990891

97. Song D, Yeo Y, Ha K, et al. Risk factors for Kawasaki disease-associated coronary abnormalities differ depending on age. Eur J Pediatr. 2009;168(11):1315-1321. PMID: 19159953

98. Strachan DP. Hay fever, hygiene, and household size. BMJ. 1989;299(6710):1259-1260. PMID: 2513902

99. Sudo D, Nakamura Y. Nationwide surveys show that the incidence of recurrent Kawasaki disease in Japan has hardly changed over the last 30 years. Acta Paediatr. 2017;106(5):796-800. PMID: 28164356

100. Takahashi M, Mason W, Lewis AB. Regression of coronary aneurysms in patients with Kawasaki syndrome. Circulation. 1987;75(2):387-394. PMID: 3802442

101. Tremoulet AH, Best BM, Song S, et al. Resistance to intravenous immunoglobulin in children with Kawasaki disease. J Pediatr. 2008;153(1):117-121. PMID: 18571548

102. Tsai YJ, Lin CH, Fu LS, Fu YC, Lin MC, Jan SL. The association between Kawasaki disease and allergic diseases, from infancy to school age. Allergy Asthma Proc. 2013;34(5):467-472. PMID: 23998245

103. Uehara R, Nakamura Y, and Yanagawa H. Epidemiology of Kawasaki disease in Japan. JMAJ 2005;48(4):183-193.

104. Uehara R, Belay ED. Epidemiology of Kawasaki disease in Asia, Europe, and the United States. J Epidemiol. 2012;22(2):79-85. PMID: 22307434

105. Uehara R, Belay ED, Maddox RA, et al. Analysis of potential risk factors associated with nonresponse to initial intravenous immunoglobulin treatment among Kawasaki disease patients in Japan. Pediatr Infect Dis J. 2008;27(2):155-160. PMID: 18174868

106. Wang S, Xiang D, Fang C, Yao B. Association between breastfeeding and Kawasaki disease: a case-control study. Eur J Pediatr. 2020;179(3):447-453. PMID: 31797082

107. Webster RJ, Carter KW, Warrington NM, et al. Hospitalisation with infection, asthma and allergy in Kawasaki disease patients and their families: genealogical analysis using linked population data. PLoS One. 2011;6(11):e28004. PMID: 22140498

108. Wei CC, Lin CL, Kao CH, et al. Increased risk of Kawasaki disease in children with common allergic diseases.

Ann Epidemiol. 2014;24(5):340-343. PMID: 24613197

109. Woon PY, Chang WC, Liang CC, et al. Increased risk of atopic dermatitis in preschool children with kawasaki disease: a population-based study in taiwan. Evid Based Complement Alternat Med. 2013;2013:605123. PMID: 24069052

110. Wu MH, Lin MT, Chen HC, Kao FY, Huang SK. Postnatal Risk of Acquiring Kawasaki Disease: A Nationwide Birth Cohort Database Study. J Pediatr. 2017;180:80-86. PMID: 27817879

111. Yanagawa H, Kawasaki T, Shigematsu I. Nationwide survey on Kawasaki disease in Japan. Pediatrics. 1987;80(1):58-62. PMID: 3601519

112. Yanagawa H, Yashiro M, Nakamura Y, Kawasaki T, Kato H. Epidemiologic pictures of Kawasaki disease in Japan: from the nationwide incidence survey in 1991 and 1992. Pediatrics. 1995;95(4):475-479. PMID: 7700743

113. Yanagawa H, Yashiro M, Nakamura Y, Kawasaki T, Kato H. Epidemiologic pictures of Kawasaki disease in Japan: from the nationwide incidence survey in 1991 and 1992. Pediatrics. 1995;95(4):475-479. PMID: 7700743

114. Yanagawa H, Nakamura Y, Yashiro M, Ojima T, Koyanagi H, Kawasaki T. Update of the epidemiology of Kawasaki disease in Japan--from the results of 1993-94 nationwide survey. J Epidemiol. 1996;6(3):148-157. PMID: 8952219

115. Yanagawa H, Nakamura Y, Yashiro M, et al. Results of the nationwide epidemiologic survey of Kawasaki disease in 1995 and 1996 in Japan. Pediatrics. 1998;102(6):E65. PMID: 9832593

116. Yanagawa H, Nakamura Y, Yashiro M, et al. Incidence survey of Kawasaki disease in 1997 and 1998 in Japan. Pediatrics. 2001;107(3):E33. PMID: 11230614

117. Yanagawa H, Nakamura Y, Yashiro M, Uehara R, Oki I, Kayaba K. Incidence of Kawasaki disease in Japan: the nationwide surveys of 1999-2002. Pediatr Int. 2006;48(4):356-361. PMID: 16911079

118. Yang HM, Du ZD, Fu PP. Clinical features of recurrent Kawasaki disease and its risk factors. Eur J Pediatr. 2013;172(12):1641-1647. PMID: 23887608

119. Yeom JS, Woo HO, Park JS, Park ES, Seo JH, Youn HS. Kawasaki disease in infants. Korean J Pediatr. 2013;56(9):377-382. PMID: 24223598

120. Yoon YM, Yun HW, Kim SH. Clinical Characteristics of Kawasaki Disease in Infants Younger than Six Months: A Single-Center Study. Korean Circ J. 2016;46(4):550-555. PMID: 27482265

121. Yorifuji T, Tsukahara H, Doi H. Breastfeeding and Risk of Kawasaki Disease: A Nationwide Longitudinal Survey in Japan. Pediatrics. 2016;137(6):e20153919. PMID: 27244853

Chapter
4

가와사끼병의 원인

지금까지 가와사끼병의 원인으로 다양한 종류의 감염성 원인, 환경적 원인, 면역학적 원인 및 유전적 원인 등에 대한 연구가 활발히 진행되었지만 질병의 원인으로 규명된 것은 없다[Cohen, 2016]. 지금까지 알려진 정보를 바탕으로 가와사끼병은 유전적으로 쉽게 걸리는 어린이에게서 환경적 또는 감염성 자극으로 과도한 면역 반응의 결과로 생기는 질병으로 이해하고 있다[Manlhiot, 2018; Rowley, 2011]. 그리고 가와사끼병의 발병 기전에는 내부적인 전제 조건(preconditioning factors) 및 외부적인 유발 요인(triggering factors)이 포함되는 것으로 보인다.

- **전제 조건(내부 요인):**
  ① **유전적 기여:** 남성, 가족력, 유전적 감수성, 아시아 인구 집단
  ② **면역 생물학:** 6개월령에서 5세 연령, 조산, 계절적 패턴, 산업화/도시화, 생활 환경에서 낮은 면역학적 자극(초기 B 세포 발달 미숙으로 낮은 IgG 수치와 높은 IgE 수치를 유발함).

- **유발 요인(외부 요인):** 병원체, 환경(항균, 식이, 에어로졸, 기후 등)과 같은 다양한 환경 유발 요인이 있다.

이 장에서는 가와사끼병의 원인 규명을 위한 다양한 가능성에 대하여 현재까지 연구된 내용을 정리하고 가장 가능성이 높은 원인 기전에 대하여 설명하고자 한다.

1. 가와사끼병이 감염성 질환일 가능성

지금까지 다양한 종류의 미생물학적 병원균(세균, 바이러스, 진균류)이 가와사끼병의 가능한 원인으로 제안되었다(표 4-1). 가장 먼저, 세균(bacteria)이 만든 슈퍼 항원(superantigens)은 혈액에서 T 세포의 약 20%를 활성화시킬 수 있는 단백질 그룹으로 가와사끼병의 원인으로 제안되었다[Matsubara, 2006; Suenaga, 2009]. 그러나 여러 연구들이 가와사끼병에서 슈퍼 항원이 관련되었다는 증거를 찾지 못했다[Terai, 1995; Morita, 1997; Gupta-Malhotra, 2004]. 또한, 가와사끼병에서 항생제 치료는 전혀 효과가 없어서 세균 감염이 가와사끼병의 원인이 아님을 시

표 4-1. 가와사끼병의 원인으로 제시된 미생물 병원균

병원균의 종류	바이러스/미생물	예상 작용 물질
박테리아	*Staphyrococcus aureus*	TSST-1
	Streptococcus pyrogenes	SPEC
	Yersinia pseudotuberculosis	YPMa
	Bacillus cereus	
	Mycoplasma pneumoniae	
	*Lactobacillus casei**	β-glucan
	Mycobacterium ssp	Lipoarabinomannan
바이러스	Epstein-Barr virus	dUTPase
	Unidentified RNA virus	
	Human corona virus HCoV-NL63	
	Human immunodeficiency virus	
	Adenovirus	
	Human Bocavirus (HBoV)	
	A variant of Torque teno virus 7	
	Human parvovirus B19	
	Herpesvirus 6	
	Parainfluenza virus type 3	
	Measles	
	Rotavirus	
	Dengue	
	Varicella	
	2009 H1N1 pandemic influenza virus	
	Coxsaxkie B3 virus	
진균류	*Candida ssp*	
	*Candida albicans**	α-mannan

출처: [Nakamura, 2019] & [Principi, 2013]. 위의 대부분의 미생물은 임상 시료에서 PCR 또는 혈청학적 검사로 규명되었음.
별표(*)는 임상 시료가 아니고 동물 모델에서 발견된 실험적 증거를 표시한다.

사한다.

다음으로, 가와사끼병을 유발하는 요인으로 여러 종류의 호흡기 바이러스 감염증이 제시되었다[Change, 2014; Rowley, 2008; Rowley, 2011]. 그러나 호흡기 바이러스의 존재와 가와사끼병 발생 사이에는 유의한 연관성이 없는 것으로 보고되었다[Kim, 2012; Turnier, 2015]. 또한 가와사끼병 연구에서 바이러스가 반복적으로 확인되지 않았으며 병의 원인으로 입증된 것이 없다. 따라서 바이러스 감염이 가와사끼병의 원인이라는 결론을 내릴 수 없다.

다양한 종류의 원인들(예, 세균, 리케치아(rickettsia), 코로나 바이러스 및 집먼지 진드기 항원 등)이 가와사끼병의 원인으로 의심되었다[Satou, 2007]. 그러나 현재까지 가와사끼병의 감염성 원인균을 규명하기 위한 광범위한 배양 및 혈청학적 연구는 성공하지 못했으며 제안된 요인 중 어느 것도 확인되지 않았다[Rowley, 2008]. 또한 가와사끼병이 개인 간 전파에 대한 증거가 없고 항생제 치료 후 열이 사라지지 않는 특성[Kawasaki, 1974] 등을 고려하면, 감염은 가와사끼병의 유발 또는 원인으로 작용하기보다는 보조적인 조절 인자로 생각되고 있다[Manlhiot, 2018].

2. 가와사끼병이 자가 면역 질환일 가능성

가와사끼병 환자에서 호산구(eosinophils)가 크게 증가하고[Kuo, 2007a], 면역글로불린 치료 후에 지속적인 단핵구 증식증(persistent monocytosis)이 관찰되고[Kuo, 2007b], 항-내피 세포 항체(anti-endothelial cell antibodies)가 광범위하게 보고되어서[Hara, 2016; Marrani, 2018], 가와사끼병의 원인은 감염성 질병이 아니라 자가 면역질환으로 고려되었다. 그러나 가와사끼병은 자가 면역질환의 특성인 전형적인 만성 재발 과정이 없고, 다른 자가 면역 질환과 연관성을 보이지 않는다. 더군다나 혈청학적 분석에서 질병 특이적인 자가 항체를 찾지 못했다[Hara, 2016; Marrani, 2018]. 그래서 가와사끼병은 자가 면역질환은 아닌 것으로 판단하고 있다.

3. 가와사끼병의 원인으로 위생 가설의 가능성

가와사끼병은 생활 습관의 변화, 계절적 요인 또는 환경의 변화 등에 의해서 유전적으로 감수성이 있는 어린이들에서 발병하는 것으로 생각하고 있다(그림 4-1). 특히 항생제 사용의 증가, 위생 상태의 개선, 모유 수유의 감소 등과 같은 위생 상태의 개선으로 인해 발병 가능성이 높

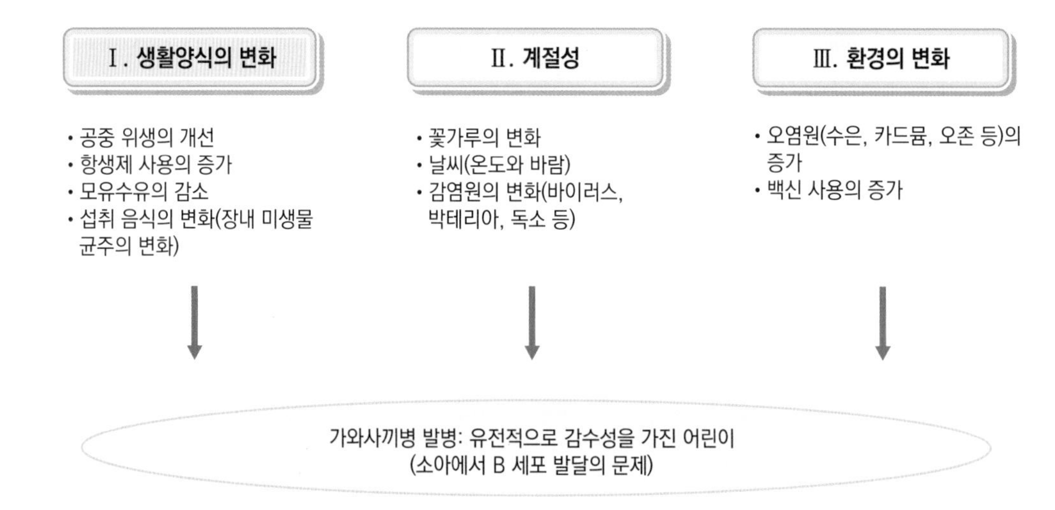

그림 4-1. **가와사끼병 발병의 가능한 원인들**

아진다는 위생 가설로 가와사끼병의 원인이 설명되기도 한다.

위생 가설(hygiene hypothesis)은 다양한 종류의 감염원에 대한 노출이 늦어지거나 또는 노출 감소가 알레르기성 질환(천식, 알레르기)을 유발한다는 가설이다[Strachan, 1989]. 가와사끼병의 위생 가설은 어린 시절에 어디에나 있는 감염성 미생물에 대한 노출 부족으로 인해 유아기의 B 세포 발달이 충분하지 않은 상태에서 감염원(아마도 바이러스) 또는 선천성 면역을 활성화하는 환경에 노출되면 가와사끼병이 발병한다는 이론이다[Burgner, 2011; Lee, 2007; Manlhiot, 2018]. 가와사끼병의 원인으로 위생 가설을 뒷받침하는 다양한 종류의 증거들로 다음과 같은 것들이 있다.

- **증거 1: 어린이의 면역글로불린 수준이 낮은 시기에 가와사끼병이 발병한다.** 출생 후 어린이는 약 6개월령까지 엄마로부터 받은 항체가 거의 소진되고 자신의 항체 생성 능력은 5–6세까지 점진적으로 증가하게 된다(그림 4-2). 따라서 생후 6개월에서 1년 사이에 가장 낮은 항체 수준을 유지하는데, 이때에 가와사끼병의 발생률이 가장 높은 시기이다(peak incidence = 9–12개월령)[Makino, 2015; Holman, 2010]. 또한 모유를 수유한 경우에는 가와사끼병의 발병률이 낮았는데[Yorifuji, 2016], 이것도 모유 내 면역 성분(IgA)이 발병률을 낮추는데 기여할 것으로 생각하고 있다.

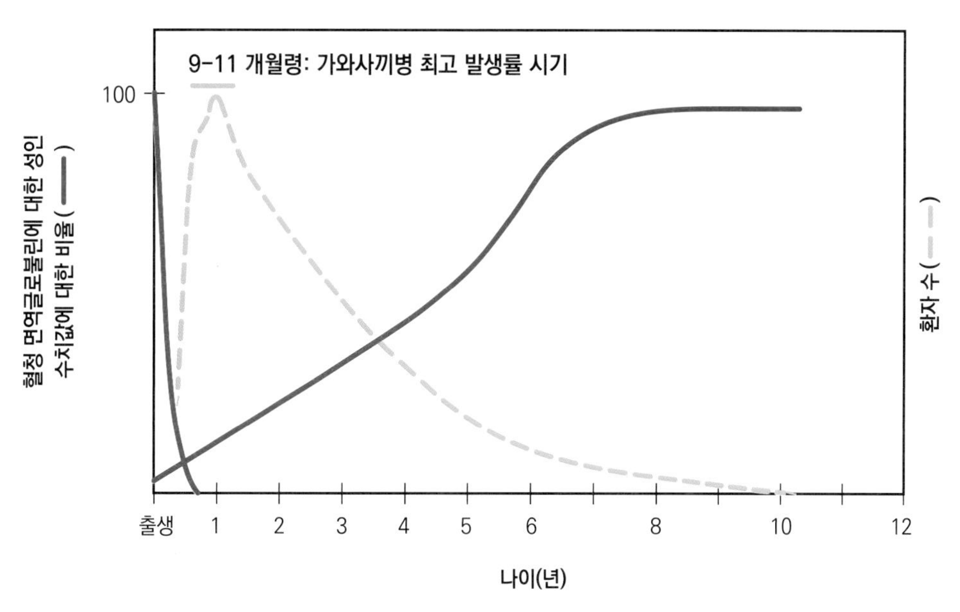

그림 4-2. **어린이의 나이별 면역글로불린 수준과 가와사끼병 발병 간의 관련성.** 붉은 실선은 출생 시 엄마로부터 받은 항체(IgG) 수준과 출생 후 나이에 따른 항체 생성 수준을 나타내고, 점선은 나이별 가와사끼병의 발생률을 표시하고 있다.

- **증거 2: 어린 시기에 노출된 좋은 위생 관련 사회 환경이 가와사끼병의 발병을 촉진한다.** 일본에서 총 41,872명의 신생아를 대상으로 한 조사에서 가계의 수입이 많을수록, 가계 구성원의 수가 적을수록, 도시지역일수록 가와사끼병의 발병 위험도가 유의적으로 증가하였다(표 4-2). 또한 유의성은 없었으나 6개월령에서 1.5세 사이에 감염병에 노출된 이력이 없는 경우가 있는 경우보다 가와사끼병을 가질 확률이 1.22배 증가하였다.

- **증거 3: 면역이 결핍된 경우에 가와사끼병의 임상적 특성을 보인다.** 다양한 종류의 면역 결핍 질환에서 가와사끼병이 면역 결핍 질환에서 나타나는 하나의 합병증으로 설명되고 있다. 지금까지 19건의 연구 논문에서 총 40명의 환자가 보고되었다(표 4-3). 면역 결핍이 가와사끼병 발병을 유발한다는 가장 설득력 있는 증거는 HIV 질병에 걸린 성인을 대상으로 한 연구에서 비롯되었다. 가와사끼병은 성인에서 드물며 성인 가와사끼병의 약 1/3이 HIV 감염과 관련이 있는 것으로 보고되었다[Rivas-Larrauri, 2019]. 면역 결핍이 있는 환자(예를 들면, HIV 및 XLA 등)의 경우에 면역 반응으로 미생물을 효과적으로 제거하지 못해서 지속적인 염증과 가와사끼병의 발병으로 이어질 수 있다.

표 4-2. 어린 시기의 사회 환경 요인이 가와사끼병 진단의 위험도에 미치는 효과

그룹	특성	위험비율(HR)	95% 신뢰구간	*P*
사회 환경적 요인	어머니 교육수준:			0.77
	• 고등학교	Reference	–	
	• 대학 수료	1.01	0.74–1.38	
	• 대학 졸업	1.05	0.80–1.37	
	아버지 교육 수준:			0.71
	• 고등학교	Reference	–	
	• 대학 수료	1.15	0.82–1.61	
	• 대학 졸업	0.94	0.72–1.23	
	총 가구 소득:			**0.036**
	• <JPY 400 million yen	Reference	–	
	• JPY 4–5.9 million	**1.05**	–	
	• JPY 6–7.9 million	**1.13**	0.81–1.57	
	• JPY 8–9.9 million	**1.11**	0.72–1.71	
	• JPY 10+ million	**1.76**	1.15–2.69	
가족 환경	가족 수:			**0.009**
	• 2–3	**1.62**	1.10–2.40	
	• 4	**1.38**	0.93–2.06	
	• 5	**1.23**	0.78–1.94	
	• 6+	Reference	–	
도시화 환경	도시화 정도:			**0.031**
	• 도시	**1.55**	1.06–2.26	
	• 준도시	**1.45**	1.04–2.02	
	• 농촌	Reference	–	
어린이 시기 질병 이력	0.5–1.5세에 감염성 질환을 앓은 이력:			0.25
	• (+)	Reference	–	
	• (–)	1.22	0.92–1.71	

HR, hazard ratio. 출처: [Fujiwara, 2019]

표 4-3. 면역 결핍을 가진 어린이에서 나타나는 가와사끼병의 사례

진단	KD 종류	나이	성	감염	심장 관련 여부	치료	결과
CGD	iKD	1 yr	M	Pneumonia	coronary arteries ectasia	IVIG, ASA, metylprednisolone	Remission
CGD (p47 phox)	iKD	10 yr	F	Hypoechoic foci liver	ventricle systolic dysfunction	IVIG, ASA, enalapril	Remission
	iKD	2 yr	M	No	coronary artery dilation	IVIG and ASA	Remission
CGD (gp91 phox)	cKD	10 mo	M	No	Normal	IVIG and flurbiprofen. IVIG/ASA	Reactivation
CGD	iKD	2 yr	M	No	coronary artery dilation	IVIG, ASA and dipyridamole.	Reactivation
IgA A deficiency	cKD	5 yr	M	No	Normal	ASA+intravenous urinastatin. CsA	Remission
Selective IgA deficiency	cKD	2 yr	M	No	Normal	ASA and urinastatin	Remission
XLA	iKD	3 yr	M	No	Normal	IVIG and ASA	Remission
XLA	iKD	3 yr	M	Gram negative bacilli	Myocarditis	IVIG and metylprednisolone	Reactivation
XLA	iKD	15 mo	M	No	Normal	IVIG	Remission
Transient hypogammaglo bulinemia of infancy	iKD	4 yr	M	No	Normal	IVIG and ASA	Remission
HIES	ND	3 yr	M	ND	ND	IVIG	Remission
		2 yr	F	ND			
WAS	cKD	6 mo	M	ND	ND	IVIG	Remission
Acute myelogenous leukemia	iKD	11 mo	M	No	coronary artery dilation	IVIG	Remission
Monocytic leukemia	cKD	11 yr	M	No	Cardiomegaly and coronary artery dilation	IVIG and methylprednisolone	Remission
Perinatal HIV 1 Infection. Postmortem	cKD	9 mo	F	Parvovirus B19	Normal	Not treated	Dead
HIV Infection perinatal	cKD	3 yr	M	ND	Normal	IVIG and ASA	Remission
Perinatal HIV infection	cKD	14 yr	M	No	No	IVIG	Remission
Down syndrome	iKD in half	16 children	ND	ND	ND	IVIG, or IVIG+prednisolone+ ASA	Remission
HIV	iKD	10 yr	M	No	Normal	IVIG, ASA	Remission
Acute myeloid leukemia	cKD	3 yr	M	Candida	Pericardial effusion and coronary artery aneurysm	IVIG, corticosteroids, CsA, etoposide	Refractory, dead
Down syndrome, leukemia	iKD	2 yr	M	No	Pericardial effusion	IVIG, ASA	Remission of KD
XLA	iKD	8 mo	M	*Pseudomonas aeruginosa*, rhinovirus	Pericardial effusion, LCA ectasia	IVIG, corticosteroids, ASA	Remission

ASA, aspirin; CGD, Chronic granulomatous disease; CsA, cyclosporine; cKD, complete Kawasaki disease; ESR, erythrocyte sedimentation rate; HIES, Hyper-IgE recurrent infection syndrome; iKD, incomplete kawasaki disease; IVIG, intravenous immunoglobulin; MAS, macrophage activation syndrome; ND, no data; PC, Platelet count; WAS, Wiskott - Aldrich syndrome; WBC, white blood cell; XLA, X-linked agammaglobulinemia. 출처: [Rivas-Larrauri, 2019]

- **증거 4: 가와사끼병의 유전연구 결과는 가와사끼병이 초기 B 세포 발달의 문제 때문임을 나타낸다.** 전장유전체연관성연구(GWAS)를 통해서 가와사끼병의 감수성 유전자로 *BLK*, *CD40*, *BCL2L11*, *HLA–B*, *FCGR2A* 등이 발굴되었다[Onouchi, 2012; Lee, 2012; Kwon, 2018; Kim, 2017; Khor, 2011]. 발굴된 감수성 유전자들은 모두 B 세포 발달에 관여하는 유전자로 특히 B cell precursors에서 naive B cells 단계로 발달하는데 중요한 기능을 수행한다(그림 4-3).

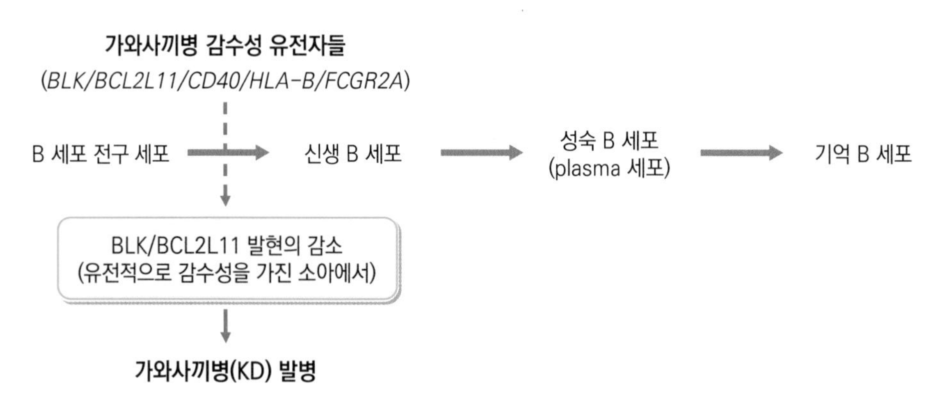

그림 4-3. **가와사끼병 감수성 유전자가 B 세포 발달에 미치는 효과**

- **증거 5: 알레르기성 질환처럼 혈액 내에 IgE 농도가 높고 다른 알레르기 질환을 가질 위험성도 증가한다.** 다른 알레르기성 질환처럼 가와사끼병 환자는 혈액 내에 IgE 농도가 아주 높고[Furukawa, 1991; Kusakawa, 1976; Lin, 1987; Woon, 2013; Liew, 2011; Han, 2017; Koo, 2013], 알레르기성 질환을 가질 위험도 크게 증가한다. 특히 한국의 어린이 집단에서 남자가 여자보다 약 1.5배(모든 나이 그룹 데이터의 경우) 또는 약 2.5배(10세 이하의 나이 그룹에서)의 IgE 농도가 높게 나타났는데[Park, 1982], 이는 5세 이하의 소아에서 주로 나타나는 가와사끼병이 남자에서 약 1.5배 더 많이 발생하는 이유가 될 수 있을 것 같다. 그리고 가와사끼병의 환자는 알레르기 질환을 가질 위험성이 더 높았는데[Kuo, 2013], 이는 두 질병이 동일한 병인–병리 기전을 공유함을 나타낸다. 또한 무균 상태 또는 항생제를 처리 받은 쥐에서 높은 농도의 IgE가 관찰되었고[Cahenzli, 2013; Hill, 2012], 높은 농도의 IgE는 미성숙 B 세포(immature B cells)에서 만들어지는 것으로 보고되었다[Wesemann, 2011]. 이 결과들은 가와사끼병 환자에서 나타나는 높은 IgE 농도는 초기 B 세포 발달 단계에서의 문제에 의해서 발생할 수 있음을 시사한다.

- **증거 6: 가와사끼병에서 B 세포가 중요한 원인이라는 다양한 종류의 증거들이 존재한다.** 가와사끼병에서는 B 세포가 활성화되지만 B cell receptor (BCR) 신호는 감소하는 것으로 관찰되었다[Ikeda, 2010]. 그리고 면역글로불린이 가와사끼병의 표준 치료제로 사용되는데, 이는 B 세포가 가와사끼병의 병인-병리 기전에서 중요한 역할을 수행한다는 것을 의미한다. 한편 가와사끼병에서 재발하는 비율이 매우 낮고 발병 후에 면역 기능에 특별한 문제가 없기 때문에 가와사끼병 발병 과정에 면역 기능을 강화하는 현상(immunizing events)이 생기는 것으로 예상된다.

※ **위생 가설을 기반으로 만들어진 가와사끼병의 병리 기전에 대한 종합 정리:** 가와사끼병에서 B 세포가 중요한 원인이라는 다양한 종류의 증거들이 존재한다. 그리고 가와사끼병에 대한 유전 연구 결과는 가와사끼병의 감수성 유전자는 초기 B 세포 발달과 초기 B 세포 신호전달 경로에 관련된 것으로 소아에서 B 세포 발달 단계의 문제가 가와사끼병의 병인-병리 기전으로 주요한 역할을 할 것으로 생각된다. 지금까지의 증거들을 종합해 보면, 보다 위생적인 환경의 변화가 소아의 B 세포 면역 발달과정을 방해해서 IgG 농도는 낮고 IgE 농도는 높은 면역 결핍상태와 비슷한 환경이 만들어진다. 그리고 정상인에서는 문제가 되지 않지만 B 세포 면역 기능이 떨어진 상태에서는 특정 외부 자극에 자연 면역체계(innate immunity)가 활성화되어 강한 염증성 면역 반응을 유도해서 가와사끼병이 발병할 수 있을 것이다(그림 4-4).

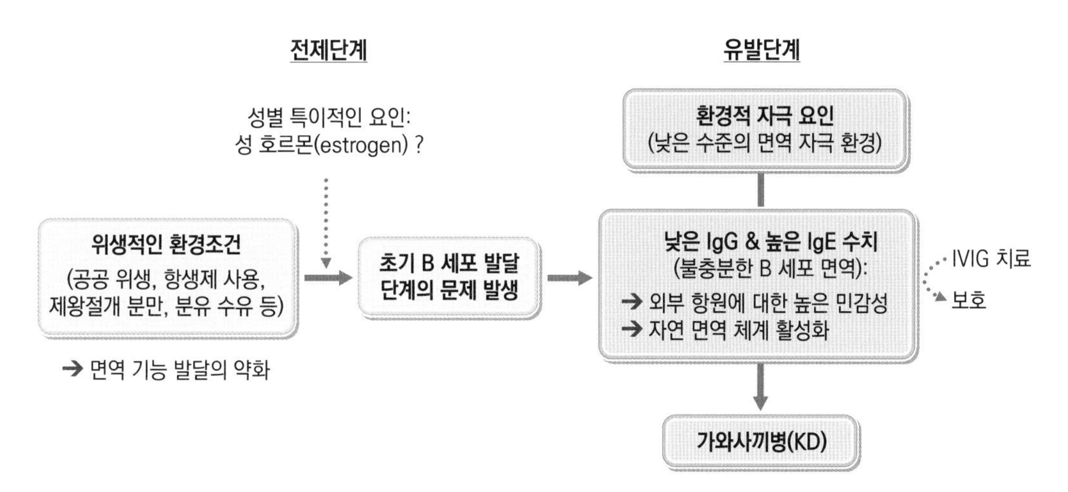

그림 4-4. 위생 가설을 기반으로 만들어진 가와사끼병의 병리 기전

참고 문헌

1. Burgner D, Carter K, Webster R, Kuijpers TW. Kawasaki disease, childhood allergy and the hygiene hypothesis. Pediatr Allergy Immunol. 2011;22(7):751. PMID: 21950681
2. Cahenzli J, Köller Y, Wyss M, Geuking MB, McCoy KD. Intestinal microbial diversity during early-life colonization shapes long-term IgE levels. Cell Host Microbe. 2013;14(5):559-570. PMID: 24237701
3. Chang LY, Lu CY, Shao PL, et al. Viral infections associated with Kawasaki disease. J Formos Med Assoc. 2014;113(3):148-154. PMID: 24495555
4. Cohen E, Sundel R. Kawasaki Disease at 50 Years. JAMA Pediatr. 2016;170(11):1093-1099. PMID: 27668809
5. Fujiwara T, Shobugawa Y, Matsumoto K, Kawachi I. Association of early social environment with the onset of pediatric Kawasaki disease. Ann Epidemiol. 2019;29:74-80. PMID: 30459020
6. Furukawa S, Matsubara T, Motohashi T, et al. Increased expression of Fc epsilon R2/CD23 on peripheral blood B lymphocytes and serum IgE levels in Kawasaki disease. Int Arch Allergy Appl Immunol. 1991;95(1):7-12. PMID: 1833342
7. Gupta-Malhotra M, Viteri-Jackson A, Thomas W, Zabriskie JB. Antibodies to highly conserved peptide sequence of staphylococcal and streptococcal superantigens in Kawasaki disease. Exp Mol Pathol. 2004;76(2):117-121. PMID: 15010289
8. Han JW, Oh JH, Rhim JW, Lee KY. Correlation between elevated platelet count and immunoglobulin levels in the early convalescent stage of Kawasaki disease. Medicine (Baltimore). 2017;96(29):e7583. PMID: 28723797
9. Hara T, Nakashima Y, Sakai Y, Nishio H, Motomura Y, Yamasaki S. Kawasaki disease: a matter of innate immunity. Clin Exp Immunol. 2016;186(2):134-143. PMID: 27342882
10. Hill DA, Siracusa MC, Abt MC, et al. Commensal bacteria-derived signals regulate basophil hematopoiesis and allergic inflammation. Nat Med. 2012;18(4):538-546. PMID: 22447074
11. Holman RC, Belay ED, Christensen KY, Folkema AM, Steiner CA, Schonberger LB. Hospitalizations for Kawasaki syndrome among children in the United States, 1997-2007. Pediatr Infect Dis J. 2010;29(6):483-488. PMID: 20104198
12. Ikeda K, Yamaguchi K, Tanaka T, et al. Unique activation status of peripheral blood mononuclear cells at acute phase of Kawasaki disease. Clin Exp Immunol. 2010;160(2):246-255. PMID: 20015095
13. Kawasaki T, Kosaki F, Okawa S, Shigematsu I, Yanagawa H. A new infantile acute febrile mucocutaneous lymph node syndrome (MLNS) prevailing in Japan. Pediatrics. 1974;54(3):271-276. PMID: 4153258
14. Khor CC, Davila S, Breunis WB, et al. Genome-wide association study identifies FCGR2A as a susceptibility locus for Kawasaki disease. Nat Genet. 2011;43(12):1241-1246. PMID: 22081228
15. Kim JH, Yu JJ, Lee J, et al. Detection rate and clinical impact of respiratory viruses in children with Kawasaki disease. Korean J Pediatr. 2012;55(12):470-473. PMID: 23300502
16. Kim JJ, Yun SW, Yu JJ, et al. A genome-wide association analysis identifies NMNAT2 and HCP5 as susceptibility loci for Kawasaki disease. J Hum Genet. 2017;62(12):1023-1029. PMID: 28855716
17. Koo CM, Choi SY, Kim DS and Kim KH. Relation between Kawasaki Disease and Immunoglobulin E. J Rheum Dis. 2013;20(1):4-8.
18. Kuo HC, Chang WC, Yang KD, et al. Kawasaki disease and subsequent risk of allergic diseases: a population-based matched cohort study. BMC Pediatr. 2013;13:38. PMID: 23522327
19. Kuo HC, Wang CL, Liang CD, et al. Persistent monocytosis after intravenous immunoglobulin therapy correlated with the development of coronary artery lesions in patients with Kawasaki disease. J Microbiol Immunol Infect. 2007b;40(5):395-400. PMID: 17932598
20. Kuo HC, Yang KD, Liang CD, et al. The relationship of eosinophilia to intravenous immunoglobulin treatment failure in Kawasaki disease. Pediatr Allergy Immunol. 2007a;18(4):354-359. PMID: 17584314
21. Kusakawa S, Heiner DC. Elevated levels of immunoglobulin E in the acute febrile mucocutaneous lymph

node syndrome. Pediatr Res. 1976;10(2):108-111. PMID: 1705

22. Kwon YC, Kim JJ, Yun SW, et al. BCL2L11 Is Associated With Kawasaki Disease in Intravenous Immunoglobulin Responder Patients. Circ Genom Precis Med. 2018;11(2):e002020. PMID: 29453247
23. Lee KY, Han JW, Lee JS. Kawasaki disease may be a hyperimmune reaction of genetically susceptible children to variants of normal environmental flora. Med Hypotheses. 2007;69(3):642-651. PMID: 17337130
24. Lee YC, Kuo HC, Chang JS, et al. Two new susceptibility loci for Kawasaki disease identified through genome-wide association analysis. Nat Genet. 2012;44(5):522-525. PMID: 22446961
25. Liew WK, Lim CW, Tan TH, et al. The effect of Kawasaki disease on childhood allergies - a sibling control study. Pediatr Allergy Immunol. 2011;22(5):488-493. PMID: 21443753
26. Lin CY, Hwang B. Serial immunologic studies in patients with mucocutaneous lymph node syndrome (Kawasaki disease). Ann Allergy. 1987;59(4):291-297. PMID: 3662131
27. Makino N, Nakamura Y, Yashiro M, et al. Descriptive epidemiology of Kawasaki disease in Japan, 2011-2012: from the results of the 22nd nationwide survey. J Epidemiol. 2015;25(3):239-245. PMID: 25716368
28. Manlhiot C, Mueller B, O'Shea S, et al. Environmental epidemiology of Kawasaki disease: Linking disease etiology, pathogenesis and global distribution. PLoS One. 2018;13(2):e0191087. PMID: 29415012
29. Marrani E, Burns JC, Cimaz R. How Should We Classify Kawasaki Disease?. Front Immunol. 2018;9:2974. PMID: 30619331
30. Matsubara K, Fukaya T, Miwa K, et al. Development of serum IgM antibodies against superantigens of Staphylococcus aureus and Streptococcus pyogenes in Kawasaki disease. Clin Exp Immunol. 2006;143(3):427-434. PMID: 16487241
31. Morita A, Imada Y, Igarashi H, Yutsudo T. Serologic evidence that streptococcal superantigens are not involved in the pathogenesis of Kawasaki disease. Microbiol Immunol. 1997;41(11):895-900. PMID: 9444333
32. Nakamura A, Ikeda K, Hamaoka K. Aetiological Significance of Infectious Stimuli in Kawasaki Disease. Front Pediatr. 2019;7:244. PMID: 31316950
33. Onouchi Y, Ozaki K, Burns JC, et al. A genome-wide association study identifies three new risk loci for Kawasaki disease. Nat Genet. 2012;44(5):517-521. PMID: 22446962
34. Park KS, Lee KS, and Kim CW. Study on Serum IgE Levels in Healthy Korean. Korean J Clin Pathol 1982; 2(1): 65-71. No PMID.
35. Principi N, Rigante D, Esposito S. The role of infection in Kawasaki syndrome. J Infect. 2013;67(1):1-10. PMID: 23603251
36. Rivas-Larrauri F, Aguilar-Zanela L, Castro-Oteo P, et al. Kawasaki disease and immunodeficiencies in children: case reports and literature review. Rheumatol Int. 2019;39(10):1829-1838. PMID: 31312887
37. Rowley AH. Kawasaki disease: novel insights into etiology and genetic susceptibility. Annu Rev Med. 2011;62:69-77. PMID: 20690826
38. Rowley AH, Baker SC, Orenstein JM, Shulman ST. Searching for the cause of Kawasaki disease--cytoplasmic inclusion bodies provide new insight. Nat Rev Microbiol. 2008;6(5):394-401. PMID: 18364728
39. Rowley AH, Baker SC, Shulman ST, et al. Ultrastructural, immunofluorescence, and RNA evidence support the hypothesis of a "new" virus associated with Kawasaki disease. J Infect Dis. 2011;203(7):1021-1030. PMID: 21402552
40. Satou GM, Giamelli J, Gewitz MH. Kawasaki disease: diagnosis, management, and long-term implications. Cardiol Rev. 2007;15(4):163-169. PMID: 17575479
41. Strachan DP. Hay fever, hygiene, and household size. BMJ. 1989;299(6710):1259-1260. PMID: 2513902
42. Suenaga T, Suzuki H, Shibuta S, Takeuchi T, Yoshikawa N. Detection of multiple superantigen genes in stools of patients with Kawasaki disease. J Pediatr. 2009;155(2):266-270. PMID: 19446844
43. Terai M, Miwa K, Williams T, et al. The absence of evidence of staphylococcal toxin involvement in the pathogenesis of Kawasaki disease. J Infect Dis. 1995;172(2):558-561. PMID: 7622905

44. Turnier JL, Anderson MS, Heizer HR, Jone PN, Glodé MP, Dominguez SR. Concurrent Respiratory Viruses and Kawasaki Disease. Pediatrics. 2015;136(3):e609-e614. PMID: 26304824

45. Wesemann DR, Magee JM, Boboila C, et al. Immature B cells preferentially switch to IgE with increased direct Sμ to Sε recombination. J Exp Med. 2011;208(13):2733-2746. PMID: 22143888

46. Woon PY, Chang WC, Liang CC, et al. Increased risk of atopic dermatitis in preschool children with kawasaki disease: a population-based study in taiwan. Evid Based Complement Alternat Med. 2013;2013:605123. PMID: 24069052

47. Yorifuji T, Tsukahara H, Doi H. Breastfeeding and Risk of Kawasaki Disease: A Nationwide Longitudinal Survey in Japan. Pediatrics. 2016;137(6):e20153919. PMID: 27244853

Chapter

5

가와사끼병의 유전학

1. 가와사끼병의 감수성에 대한 유전적 영향

(1) 가와사끼병 발생의 인종적 차이

전 세계에서 가와사끼병의 발생률은 아시아 인구 집단에서 매우 높으며, 특히 일본인에서 발생률이 가장 높다. 그 다음으로 발생률이 높은 국가로는 한국, 대만, 중국, 홍콩이 그 뒤를 잇고 있다. 일본의 경우에는 서양 국가보다 발생률이 10–20배 더 높고[Cook, 1989], 인종별 비교에서는 일본인이 백인보다 10–15배 높은 발생률이 보고되었다[Uehara, 2012]. 그리고 하와이에서 다양한 인종 간 가와사끼병의 발생률을 비교한 연구에서, 하와이에 거주하는 일본계 어린이는 일본에 거주하는 어린이와 비슷한 발병률을 보였다[Holman, 2010; 표 5–1]. 이는 하와이 인

표 5-1. **미국 내 인종 간 가와사끼병 발생률의 차이**

<table>
<tr><th rowspan="2">인종</th><th colspan="3">발생률 (5세 이하 100,000명당)</th></tr>
<tr><th>하와이: 1996-2001</th><th>하와이: 1996-2006</th><th>미국 캘리포니아</th></tr>
<tr><td>일본인</td><td>197.7</td><td>210.5</td><td rowspan="7">아시아인 = 35.3
아프리카인 = 24.6
백인 = 14.7
히스패닉인 = 9.6</td></tr>
<tr><td>하와이 원주민</td><td>99.1</td><td>86.9</td></tr>
<tr><td>중국인</td><td>81.3</td><td>83.2</td></tr>
<tr><td>필리핀인</td><td>64.8</td><td>64.5</td></tr>
<tr><td>다른 아시아인</td><td>83.0</td><td>84.9</td></tr>
<tr><td>다른 태평양 섬 주민</td><td>9.8</td><td>8.6</td></tr>
<tr><td>백인</td><td>35.3</td><td>13.7</td></tr>
<tr><td>[참고문헌]</td><td>[Holman, 2005]</td><td>[Holman, 2010]</td><td>[Chang, 2002]</td></tr>
</table>

구 집단에서 가와사끼병 발생은 환경적 요인보다는 유전적 요인이 더 중요한 역할을 한다는 것을 의미한다. 다인종 집단으로 구성된 미국의 조사 결과도 아시아인에서 가장 높은 가와사끼병 발생률이 관찰되었고 다음으로 아프리카인과 백인의 순서로 발생률이 낮아졌다[Holman, 2000; Chang, 2002]. 따라서 가와사끼병의 인종적 차이는 동아시아 인구집단의 높은 가와사끼병 발생률의 중요한 요인으로 유전적 감수성이 작용할 수 있음을 시사한다.

(2) 가와사끼병 발생의 가족력

① 형제자매 사례(sibling cases): 형제자매의 상대적 위험도(λs) = 10.

가와사끼병을 앓은 어린이의 형제자매에서 가와사끼병 위험도가 일반 인구보다 10배 더 높다(형제자매의 경우 2.1% 발생률 vs. 일반 인구의 경우 0.19% 발생률) [Fujita, 1989]. 전체 환자에서 형제자매의 사례는 0.17–1.6%이다[Dergun, 2005; Nakamura, 2012; Park, 2011]. 그리고 일란성 쌍생아의 일치 위험(risk of concordance)은 약 13%이다[Fujita, 1989; Harada, 1986; Kottek, 2011].

② 부모 중 적어도 한 사람이 과거에 가와사끼병을 가진 사례(parental history of KD)

부모–자식 간에 가와사끼병 발병이 동시에 일어나는 사례는 전체 가와사끼병 환자의 약 1% 정도가 된다[Yanagawa, 1998; Hirata, 2001; Uehara, 2011]. 그리고 가와사끼병 병력이 있는 부모에게서 태어난 자녀의 가와사끼병 발생률은 일반 인구 집단보다 약 2배 더 높고, 재발률과 형제자매의 가와사끼병 발생률은 보고된 모든 환자보다 5–6배 더 높았다[Uehara, 2003]. 그리고 부모가 가와사끼병 병력을 가진 환자는 형제자매 사례가 6.9배(OR = 6.94, 95 % CI = 2.77–17.38), 재발률이 2.9배(OR = 2.88, 95% CI = 1.24–6.67), 면역글로불린 추가 투여 비율이 2.8배(OR = 2.83, 95% CI = 1.52–5.26), 그리고 관상 동맥 이상이 2.5배(OR = 2.52, 95% CI = 1.20–5.30) 더 높게 나타났다[Uehara, 2004]. 위의 모든 연구 결과는 유전적 요인이 가와사끼병 발생에 중요한 역할을 한다는 것을 강력히 시사한다. 그러나 가와사끼병 환자의 유전적 특성에 대한 연구는 어떤 유전적 마커가 가와사끼병 발병을 촉진하거나 억제하는지, 그리고 임상적 중증도를 어떻게 조절하는지 확실하게 규명하지는 못했다.

③ 쌍둥이 연구(twin studies)

일본에서 108쌍의 쌍둥이 연구에 의하면, 일란성 쌍둥이의 가와사끼병 일치도는 14.1%이고 이란성 쌍둥이의 가와사끼병 일치도는 13.1%로 가와사끼병의 발병 과정에 유전적 요인이 거의 작동하지 않고 대부분 쌍둥이들이 공유하는 환경적 요인에 의해서 가와사끼병이 발생함을 나타내고 있다(표 5-2).

표 5-2. 가와사끼병에 대한 쌍둥이 일치도

쌍둥이의 종류	일치하는 비율 (%)	불일치하는 비율 (%)	쌍둥이 합계
일란성	11 (14.1%)	67 (85.9%)	78
이란성	4 (13.3%)	26 (86.7%)	30
합계	15 (13.9%)	93 (86.1%)	108

P = 0.594 (Fisher's test). 출처: [Harada, 1986]

2. 가와사끼병의 유전 연구

(1) 가계 시료를 이용한 유전 연구

전통적인 유전연구 방법의 하나인 질병 가계 시료를 수집하여 질병 원인 유전자를 찾아내는 linkage study가 가와사끼병에서도 시행되었다. 일본에서 affected sib pairs를 이용한 연구에서 총 10개의 후보 유전좌위(12q24, 4q35, 5q34, 6q27, 7p15, 8q24, 18q23, 19q13, Xp22, Xq27; lod>1)를 발굴하였다[Onouchi, 2007]. 이 중에서 3개의 유전좌위(4q35, 12q24, 19q13.2)에서 각각 가와사끼병 후보 원인 유전자인 *CASP3* [Onouchi, 2010], *ORAI1* [Onouchi, 2016], *ITPKC* [Onouchi, 2008]를 발굴하여 보고하였다. 그리고 서양인의 가와사끼병 가계를 이용한 연구에서는 총 5개의 후보 유전좌위(3q, 4q, 10p, 13q, 21q)를 찾았다[Khor, 2011]. 이 중에서 13q 유전좌위에서 *ABCC4* 가와사끼병 후보 원인 유전자를 찾아내어 보고하였다[Khor, 2011]. 그러나 가계 시료를 이용한 유전 연구로 발굴된 가와사끼병 후보 원인 유전자는 한국 또는 다른 나라의 전장유전체연관성연구에서 전혀 유의성을 발견할 수 없어서 가와사끼병의 원인 유전자로 인정하기 어렵다(표 5-3).

표 5-3. **가계 시료를 이용한 유전 연구로 발굴된 가와사끼병 후보 원인 유전자**

유전자	유전변이형	집단	시료 수 (환자 vs. 대조군)	효과 및 유의성	문헌	한국인에서 반복성(GWAS)
ITPKC	rs28493229	일본	637 vs. 1598	OR = 1.89; $P = 1.2\times10^{-8}$	[1]	No
CASP3	rs72689236	일본	920 vs. 1409	OR = 1.40; $P = 4.2\times10^{-8}$	[2]	No
ORAI1	rs3741596	일본	2542 vs. 2412	OR = 1.21; $P = 0.00041$	[3]	No
ABCC4	rs7320375	서양인	191 vs. 225 (+715 trios)	OR = 2.00; $P = 8.82\times10^{-5}$	[4]	No

OR, odds ratio. [1] Onouchi, 2008; [2] Onouchi, 2010; [3] Onouchi, 2016; [4] Khor, 2011.

(2) 집단 시료를 이용한 유전연구

많은 유전변이형을 동시에 검사할 수 있는 SNP chip 기술의 개발로 전장유전체연관성연구(genome-wide association study; GWAS) 방법이 개발되어 다양한 유전자가 관여하는 복합질병의 원인 유전자 발굴에 활용되고 있다. 가와사끼병에서도 전장유전체연관성연구가 여러 연구팀에서 수행되어 가와사끼병의 감수성 원인 유전자로 *FCGR2A*, *BLK*, *CD40*, *BCL2L11* 등의 유전자가 보고되었다(표 5-4). 가계 시료를 이용한 유전연구에서 발굴된 유전자들은 한국인 전장유전체연관성연구에서 유의성이 없었으나, 다른 나라의 전장유전체연관성연구에서 유의적인 감수성 유전자들은 모두 한국인 전장유전체연관성연구에서도 매우 유의적으로 감수성 유전자로 연관됨을 확인하였다(표 5-4).

한편 전장유전체연관성연구로 발굴된 가와사끼병의 감수성 원인 유전자들은 모두 면역글로불린 생성에 관여하는 B 세포의 발달과 기능에 연관된 유전자들로 가와사끼병의 발생에 B 세포가 매우 중요한 역할을 수행함을 의미한다. 그리고 발굴된 가와사끼병 감수성 유전자의 위험대립유전자(risk allele)의 경우에 early B cell development에 관련된 *BLK* 유전자의 발현을 감소시키고 B cell apoptosis에 관련된 *BCL2L11* (bim) 유전자의 발현을 낮추는 역할을 수행하였다. 그리고 *CD40*과 *FCGR2A* 유전자의 기능을 증진하는 방향으로 위험 대립유전자가 작동함을 확인하였다(표 5-5). 이를 종합해보면, 가와사끼병의 병리 기전은 B 세포의 B cell receptor (BCR)의 아래 부위에 존재하는 B 세포 발달 신호 유전자(*BLK*)의 변화와 B 세포 사멸의 감소

표 5-4. 집단 시료를 이용한 전장유전체연관성연구로 발굴된 가와사끼병 원인 유전자

유전자	유전변이형	집단	시료 수 (환자 vs. 대조군)	효과 및 유의성	문헌	한국인에서 반복성(GWAS)
BLK	rs2254546	Japan	1182 vs. 4326	OR = 1.85 $P = 8.2 \times 10^{-21}$	[1]	Yes
	rs2736340	Taiwan	883 vs. 1657	OR = 1.54 $P = 9.01 \times 10^{-10}$	[2]	Yes
	rs6993775	Korea	915 vs. 4553	OR = 1.52 $P = 2.52 \times 10^{-11}$	[4]	Yes
CD40	rs4813003	Japan	1182 vs. 4326	OR = 1.41 $P = 4.8 \times 10^{-8}$	[1]	Yes
	rs1569723	Taiwan	883 vs. 1657	OR = 1.42 $P = 5.67 \times 10^{-9}$	[2]	Yes
	rs1883834	Korea	915 vs. 4553	OR = 1.18 $P = 0.003912$	*	Yes
FCGR2A	rs1801274	Multi-ethnic	1433 vs. 7764	OR = 1.32 $P = 7.35 \times 10^{-11}$	[3]	Yes
		Korea	915 vs. 4553	OR = 1.30 $P = 5.65 \times 10^{-5}$	[4]	Yes
BCL2L11	rs3789065	Korea	846 vs. 4553	OR = 1.42 $P = 4.37 \times 10^{-11}$	[5]	Yes

*unpublished data. [1] Onouchi, 2012; [2] Lee, 2012; [3] Khor, 2011; [4] Kim, 2017; [5] Kwon, 2018.

표 5-5. 전장유전체연관성연구(GWAS)로 발굴된 가와사끼병 원인 유전자에서 risk allele의 생물학적 영향

유전자	유전변이형*	집단	위험 대립 유전자 빈도				위험 대립유전자의 기능	참고 문헌
			일본	한국	대만	유럽		
BLK	rs2254546 (A/G)	일본	0.71	0.76	0.81	0.88	*BLK* mRNA 발현 감소	[3]
CD40	rs4813003 (C/T)	일본	0.67	0.66	0.68	0.87	*CD40* 기능 증대	[2]
FCGR2A	rs1801274 (A/G; H/R)	다국가	0.79	0.76	0.63	0.54	높은 결합력=면역 활성화	[1,2]
BCL2L11	rs3789065 (C/G)	한국	na	0.54	na	0.51	*BCL2L11* mRNA 발현 감소	[4]

*risk allele was underlined. na: not available. modified from [2]. [1] Khor, 2011; [2] Onouchi, 2012; [3] Chang, 2013; [4] Zeller, 2010.

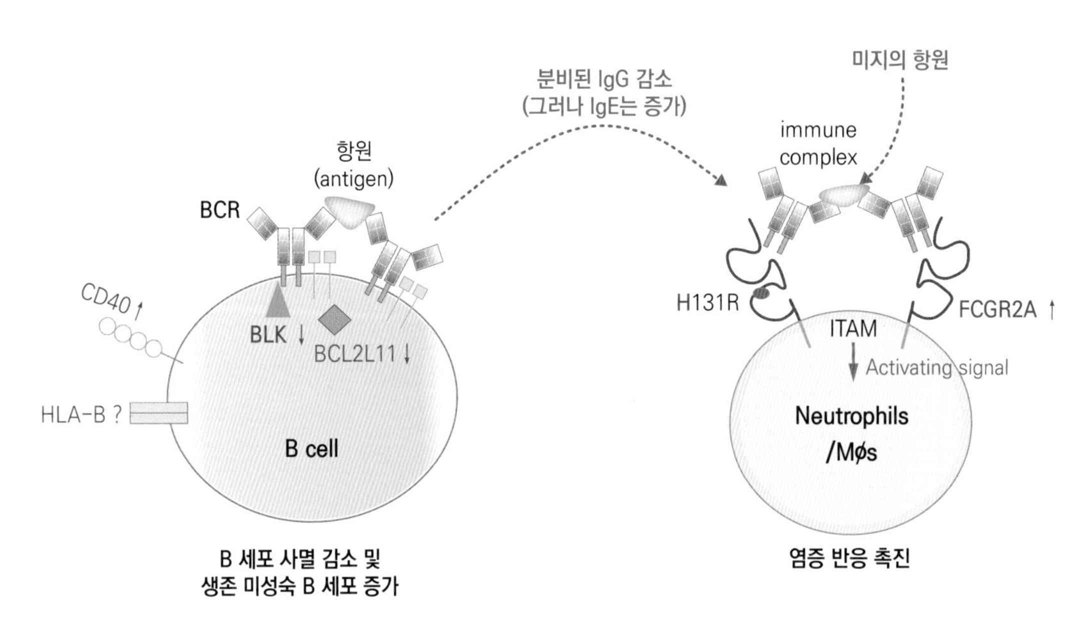

그림 5-1. **유전연구로 확인된 초기 B 세포 발달 이상에 의한 가와사끼병 발병 기전**

를 통해 B 세포의 활성화 촉진 유전자(*CD40*)를 자극하여 아마도 분비된 면역글로불린에 변화를 미치는 것으로 예상된다(그림 5-1). 그리고 변화된 분비 면역글로불린은 호중구(neutrophils), 단핵구(monocytes)와 대식세포(macrophages)에서 발현되는 면역글로불린과 결합하는 수용체(*FCGR2A*)의 활성화를 높이는 작용으로 염증 반응을 촉진할 것으로 생각된다. 한편 가와사끼병을 포함한 다양한 종류의 자가 면역질환들의 유전연구에서 발굴된 유전 변이형(causal variants)의 특성을 비교한 연구에 따르면 가와사끼병은 류마티스 관절염과 다발성 경화증과 같이 주로 B 세포가 중요한 역할을 수행하는 질병과 유사성을 보였다[Farh, 2015]. 이러한 결과는 가와사끼병의 병리 기전에서 B 세포가 핵심적인 역할을 수행함을 의미한다.

3. 가와사끼병의 질병 감수성 유전자들

(1) *BLK* (B lymphoid tyrosine kinase)

BLK 유전자는 B 세포에서 주로 발현하는 Src family kinases (Lyn, Fyn, BLK)로 B cell receptor (BCR) 신호 전달과 B 세포 발달에 관여한다[Dymecki, 1992; Bewarder, 1996; Reth,

1997]. 구체적으로 살펴보면, *BLK*를 통한 신호전달은 B 세포 표면에 발현된 면역글로불린(BCR)의 신호 전달에 중요한 역할을 수행하고, Pro-B에서 Pre-B 세포로 분화를 촉진하며, BCR 아래에 있는 세포 성장 억제 및 사멸을 위한 신호 전달에도 중요한 역할을 수행한다(그림 5-2). *BLK*의 kinase 기능은 *CD79A* (Igα)의 Tyr-188과 Tyr-199, 그리고 *CD79B* (Igβ)의 Tyr-196과 Tyr-207에 결합하여 인산화시킨다. 그리고 *BLK* 유전자는 면역글로불린 G (IgG) 수용체인 *FCGR2A*, *FCGR2B*와 *FCGR2C*를 인산화시킨다[Bewarder, 1996]. 특히 *BLK* 유전자는 사람의 초기 B 세포 발달 단계에서 발현되고, plasma cell 단계에서는 발현이 줄어들고[Simpfendorfer, 2012; Wasserman, 1995], 나이 특이적으로 어린 나이에는 발현이 증가하지만 나이가 들수록 발현량이 감소한다[Zeller, 2010]. 그리고 췌장 베타 세포도 *BLK* 유전자를 발현하고 있으며, *BLK* 유전자의 돌연변이는 베타 세포 기능 이상을 초래해서 제1형 당뇨병(autosomal dominant MODY11)을 유발하는 것으로 보고되어 있다[Borowiec, 2009]. 한편 *BLK* 유전좌위는 가와사끼병을 포함한 다양한 종류의 자가면역 질환들(류마티스 관절염, 전신 홍반 루푸스, 전신 경화증 등)에 연관되어 있다. 그리고 루푸스와 가와사끼병에 연관된 *BLK* 유전자의 위험 대립유전자(risk allele)는 *BLK* 유전자 발현을 감소하는 것과 연관되어 있다[Hom, 2008; Chang, 2013]. 위

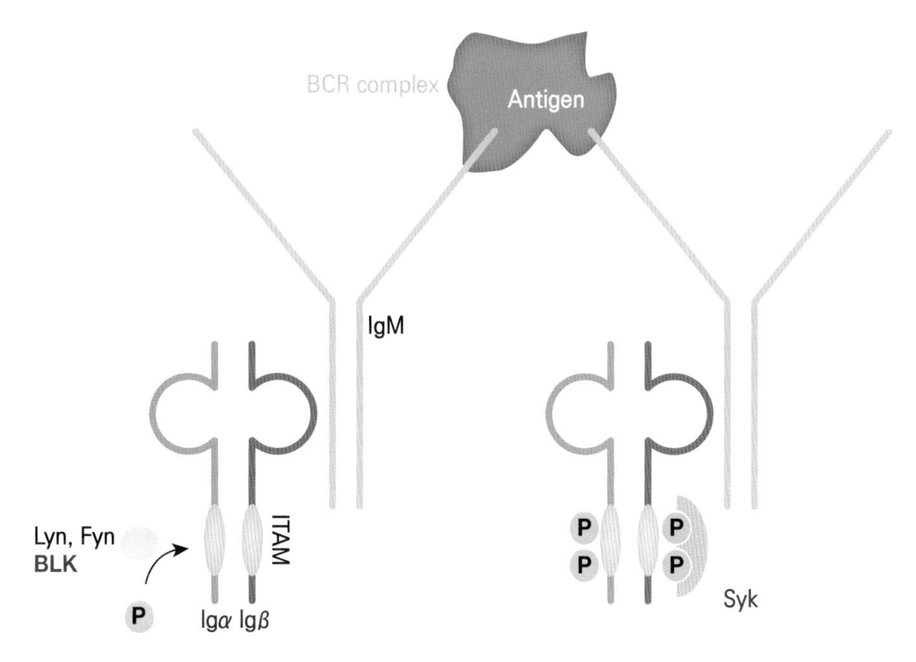

그림 5-2. BLK 유전자의 인산화 작용 모식도.

BCR, B cell receptor; ITAM, immunoreceptpr tyrosine-based activation motif.

의 내용을 종합해보면, 가와사끼병의 감수성 유전자인 *BLK*의 위험 대립유전자(risk allele of *BLK*)는 *BLK* 유전자 발현을 감소시켜서 아마도 B 세포 사멸을 줄여 IgE를 많이 생성하는 미성숙 B 세포는 증가하고 IgG를 많이 생성하는 성숙한 B 세포는 감소할 것으로 기대된다. 감소한 IgG는 아직 규명되지 않은 외부의 항원에 적응 면역(adaptive immunity) 기능을 제대로 수행하지 못하고 선천성 면역(innate immunity)을 활성화하는 염증 반응을 초래하여 가와사끼병을 일으키는 데 기여할 것으로 예상된다.

(2) *CD40*

*CD40*은 TNF receptor superfamily 유전자로 T cell–dependent Ig class switching, memory B cell 발달, germinal center 형성, 상피세포 활성화 등의 역할을 한다. *CD40*은 정상 B 세포, monocyte/macrophages, endothelial cells, epithelial cells, smooth muscle cells, dendritic cells, fibroblasts, adipocytes 등에서 지속적으로 발현된다. 그리고 *CD40* 유전자의 돌연변이는 과잉 IgM 면역결핍 증후군(immunodeficiency hyper IgM syndrome)을 유발하며, 전장유전체 연관성연구에 따르면 *CD40* 유전좌위는 다양한 종류의 면역질환들(예, 류마티스 관절염, 전신 홍반성 루푸스, 다발성 경화증, 염증성 장 질환, 크론 병, 그레이브 병, 가와사끼병 등)에 연관되어 있다. 가와사끼병 환자의 급성기에 CD4+ T 세포와 혈소판에서 *CD40L*의 발현이 증가하고 관상 동맥 병변이 있는 환자에서 상당히 높은 발현이 보고되었다[Wang, 2003]. 그러나 가와사끼병 환자에서 *CD40* 유전자 발현에 대한 정보는 아직 보고된 것이 없고 한국인 집단에서 *CD40* 유전자와 가와사끼병 간의 유전적 연관성에 대한 유의성이 상대적으로 낮고, 또한 일본–한국–대만의 GWAS 메타 분석의 반복성 검정에서 유의성이 확인되지 않아서 *CD40* 유전자와 가와사끼병 간의 연관성은 아직도 추가적인 검정이 필요하다.

(3) *BCL2L11* (Bcl-2-like protein 11)

BCL2L11 (Bcl–2–like protein 11) 유전자는 Bcl–2 family에서 세포사멸을 유도하는(pro-apoptotic) BH3–only protein으로 골수와 림프절과 같은 면역계에 많이 발현되고 있다. *BCL2L11* 유전자의 발현이 높아지면 BCR 아래의 세포 사멸 신호전달을 촉진하여 림프구의 세포 사멸을 유도한다[Snow, 2008; Enders, 2003]. 마우스 모델에서 *BCL2L11* 유전자가 소실된

경우에는 자가 반응성(autoreactive) B 세포와 T 세포의 생존을 유도하여 자가 면역 질환의 발병에 기여하는 것으로 알려져 있다[Bouillet, 1999]. 이러한 사실은 *BCL2L11* 유전자가 림프구의 항상성을 조절하는 중요한 역할을 한다는 것을 의미한다. 전장유전체연관성연구에 의하면 *BCL2L11* 유전좌위는 다양한 종류의 백혈구 세포들(eosinophils, monocytes, basophil, neutrophil)의 수, chronic lymphocytic leukemia, Ig isotype switching, 알레르기, 천식, 류마티스 관절염, 전신 홍반성 루푸스, 전신 경화증, 가와사끼병 등에 연관된 것으로 보고되었다.

BCL2L11 유전좌위는 전장유전체연관성연구를 통해 가와사끼병에서 면역글로불린 치료 반응성 환자군에서 높은 유의성을 보였다[Kwon, 2018]. 흥미롭게도 가와사끼병에 연관된 *BCL2L11* 유전자의 인트론에 위치한 SNP (rs3789065)는 염증에 관련된 complement component 3 peptide (HWESASXX)의 혈청 농도에 연관되어 있다[Suhre, 2011]. 그리고 가와사끼병에 연관된 SNP의 위험 대립유전자(risk allele: C)는 혈액 내 단핵구(monocytes)에서 *BCL2L11* 유전자 발현을 현저하게 감소시키는 것으로 나타났다(P = 4.23 $\times 10^{-20}$)[Zeller, 2010]. 이 결과는 *BCL2L11*의 위험 대립유전자(risk allele of *BCL2L11*)에 의한 *BCL2L11* 유전자의 발현 감소는 가와사끼병의 면역글로불린 치료 반응성 환자에서 가와사끼병 발생의 위험성을 증가시키는 것으로 생각된다.

(4) *FCGR2A*

FCGR2A 유전자는 IgG의 Fc 부분에 결합하는 결합력이 낮은 Fc 감마 수용체(low-affinity Fc gamma receptor)를 인코딩한다. 이 단백질은 대식세포(macrophages)와 호중구(neutrophils)와 같은 식세포(phagocytic cells)에서 발현되는 세포 표면 수용체이며 식균 과정(phagocytosis)과 면역 복합체(immune complex)를 제거하는데 관여한다. *FCGR2A*는 면역 복합체와 결합되면 세포질 도메인(cytoplasmic domain)에 있는 ITAM 부위를 통해 활성화 신호를 세포로 전달한다. 가와사끼병에 연관된 유전변이형은 단백질 코딩 변이형으로(rs1801274-A/G; p.His167Arg, 이전에 p.His131Arg로 보고됨) 전신 홍반성 루푸스(SLE), 궤양 대장염(UC), 염증성 장 질환(IBD), 크론병과 같은 다양한 자가 면역 질환의 감수성에 연관되어 있다. 이 유전변이형은 면역글로불린인 IgG2에 대한 결합의 강도에 영향을 미치는 것으로 보고되어 있다[Warmerdam, 1991]. 특히, Histidine을 코딩하는 *FCGR2A*의 위험 대립유전자(risk allele: A)는 강하게 IgG2와 결합하지만 비위험 대립유전자(non-risk allele: G coding Arginine)는 결합

이 거의 되지 않거나 전혀 결합하지 않는 것으로 알려져 있다. 흥미로운 사실은 주로 남성에서 많이 발생하는 질환들(예를 들면, 가와사끼병, 염증성 장 질환, 궤양성 대장염, 강직성 척추염)은 *FCGR2A*의 A 대립유전자형이 위험 대립유전자(risk allele)로 작동하는데 여성에서 많이 발생하는 전신 홍반성 루푸스(SLE)와 크론병에서는 반대의 대립유전자형인 G 유전자형이 위험 대립유전자(risk allele)로 작용하는 것으로 보고되어 있다(표 5-6). 이러한 결과는 *FCGR2A* 유전자는 성별 특이적인 효과를 가지고 있음을 나타낸다.

FCGR2A 유전자의 rs1801274 (A/G; His167Arg) 유전변이형과 가와사끼병 간의 연관성 분석 결과에서도 성별 특이성이 관찰되었다. 한국과 일본의 데이터를 종합한 유전분석에서 *FCGR2A* 유전자의 rs1801274 유전변이형은 남자에서만 가와사끼병 감수성 유전자로 연관성을 보이고 여자 환자에서는 가와사끼병에 대한 연관성이 없었다(표 5-7). 그리고 성별 특이적으로 연관성을

표 5-6. 성별 특이적인 *FCGR2A* 발현과 질병 연관성

그룹	질병의 예	FCGR2A 유전자의 위험 대립유전자 (rs1801274: A/G=H167R)	IgG2 binding에 미치는 위험 대립유전자의 효과	성 특이적인 FCGR2A 발현 [Zeller, 2010]
남성에서 많이 발생하는 질병	KD, IBD, UC, AS	"A" allele = His (H)	높은 IgG2 결합력	남성에서 더 낮은 유전자 발현
여성에서 많이 발생하는 질병	SLE, Crohn's disease	"G" allele = Arg (R)	작거나 없는 IgG2 결합력	여성에서 더 높은 유전자 발현

AS, Ankylosing spondylitis; IBD, inflammatory bowel disease; KD, Kawasaki disease; SLE, Systemic lupus erythematosus; UC, Ulcerative colitis.

표 5-7. 남자 특이적으로 가와사끼병 연관성을 보이는 *FCGR2A* 유전자의 rs1801274 유전변이형

구분	남성				여성			
	No.*	RAF*	OR	*P*	No.*	RAF*	OR	*P*
한국-GWAS	165/783	0.84/0.75	1.67	**1.21×10^{-3}**	84/217	0.80/0.77	1.21	0.39
한국-반복성 검정	385/1,079	0.81/0.76	1.29	**1.36×10^{-2}**	281/2,474	0.78/0.76	1.14	0.24
한국-전체	550/1,862	0.81/0.76	1.40	**9.31×10^{-5}**	365/2,791	0.79/0.76	1.16	0.12
일본-반복성 검정	320/405	0.86/0.79	1.74	**1.04×10^{-4}**	226/344	0.82/0.79	1.22	0.19
메타 분석	870/2,267		1.48	**1.43×10^{-7}**	591/3,035		1.17	0.06

*case/control; OR, odds ratio; RAF, risk allele frequency. 출처: [Kwon, 2017]

보인 *FCGR2A* 유전자의 rs1801274 유전변이형은 나이 특이적으로 주로 1세 미만의 남자에서 가와사끼병과 연관성을 보여 성별과 나이 특이적으로 가와사끼병의 감수성 유전자로 작용하고 있다[Sim, 2019; 표 5-8].

표 5-8. 성별 및 나이 특이적으로 가와사끼병 연관성을 보이는 *FCGR2A* 유전자의 rs1801274 유전변이형

그룹	세부 그룹	시료 숫자	FCGR2A (rs1801274)		
			RAF (risk = A)†	OR	*P*
전체		1,011	0.799	1.26	**1.42×10^{-4}**
성별	남자	611	0.808	1.34	**3.21×10^{-4}**
	여자	400	0.786	1.16	0.116
나이 (년)	0 to <1	198	0.849	1.77	**4.68×10^{-5}**
	1 to <2	192	0.784	1.15	0.277
	2 to <3	196	0.804	1.29	**0.0458**
	3 to <4	170	0.791	1.20	0.181
	4 to <5	107	0.808	1.33	0.0985
	≥5	144	0.747	0.93	0.608

†The RAF (risk allele: A; non-risk allele: G) of the control was 0.760 for FCGR2A. OR, odds ratio; RAF, risk allele frequency. 출처: [Sim, 2019]

참고 문헌

1. Bewarder N, Weinrich V, Budde P, et al. In vivo and in vitro specificity of protein tyrosine kinases for immunoglobulin G receptor (FcgammaRII) phosphorylation. Mol Cell Biol. 1996;16(9):4735-4743. PMID: 8756631
2. Borowiec M, Liew CW, Thompson R, et al. Mutations at the BLK locus linked to maturity onset diabetes of the young and beta-cell dysfunction. Proc Natl Acad Sci U S A. 2009;106(34):14460-14465. PMID: 19667185
3. Bouillet P, Metcalf D, Huang DC, et al. Proapoptotic Bcl-2 relative Bim required for certain apoptotic responses, leukocyte homeostasis, and to preclude autoimmunity. Science. 1999;286(5445):1735-1738. PMID: 10576740
4. Chang CJ, Kuo HC, Chang JS, et al. Replication and meta-analysis of GWAS identified susceptibility loci in Kawasaki disease confirm the importance of B lymphoid tyrosine kinase (BLK) in disease susceptibility. PLoS One. 2013;8(8):e72037. PMID: 24023612
5. Chang RK. Epidemiologic characteristics of children hospitalized for Kawasaki disease in California. Pediatr Infect Dis J. 2002;21(12):1150-1155. PMID: 12488667
6. Cook DH, Antia A, Attie F, et al. Results from an international survey of Kawasaki disease in 1979-82. Can J Cardiol. 1989;5(8):389-394. PMID: 2605549
7. Dergun M, Kao A, Hauger SB, Newburger JW, Burns JC. Familial occurrence of Kawasaki syndrome in North America. Arch Pediatr Adolesc Med. 2005;159(9):876-881. PMID: 16143748
8. Dymecki SM, Zwollo P, Zeller K, Kuhajda FP, Desiderio SV. Structure and developmental regulation of the B-lymphoid tyrosine kinase gene blk. J Biol Chem. 1992;267(7):4815-4823. PMID: 1537861
9. Enders A, Bouillet P, Puthalakath H, Xu Y, Tarlinton DM, Strasser A. Loss of the pro-apoptotic BH3-only Bcl-2 family member Bim inhibits BCR stimulation-induced apoptosis and deletion of autoreactive B cells. J Exp Med. 2003;198(7):1119-1126. PMID: 14517273
10. Farh KK, Marson A, Zhu J, et al. Genetic and epigenetic fine mapping of causal autoimmune disease variants. Nature. 2015;518(7539):337-343. PMID: 25363779
11. Fujita Y, Nakamura Y, Sakata K, et al. Kawasaki disease in families. Pediatrics. 1989;84(4):666-669. PMID: 2780128
12. Harada F, Sada M, Kamiya T, Yanase Y, Kawasaki T, Sasazuki T. Genetic analysis of Kawasaki syndrome. Am J Hum Genet. 1986;39(4):537-539. PMID: 3766546
13. Hata A, Onouchi Y. Susceptibility genes for Kawasaki disease: toward implementation of personalized medicine. J Hum Genet. 2009;54(2):67-73. PMID: 19158812
14. Hirata S, Nakamura Y, Yanagawa H. Incidence rate of recurrent Kawasaki disease and related risk factors: from the results of nationwide surveys of Kawasaki disease in Japan. Acta Paediatr. 2001;90(1):40-44. PMID: 11227331
15. Holman RC, Christensen KY, Belay ED, et al. Racial/ethnic differences in the incidence of Kawasaki syndrome among children in Hawaii. Hawaii Med J. 2010;69(8):194-197. PMID: 20845285
16. Holman RC, Curns AT, Belay ED, et al. Kawasaki syndrome in Hawaii. Pediatr Infect Dis J. 2005;24(5):429-433. PMID: 15876942
17. Holman RC, Shahriari A, Effler PV, Belay ED, Schonberger LB. Kawasaki syndrome hospitalizations among children in Hawaii and Connecticut. Arch Pediatr Adolesc Med. 2000;154(8):804-808. PMID: 10922277
18. Hom G, Graham RR, Modrek B, et al. Association of systemic lupus erythematosus with C8orf13-BLK and ITGAM-ITGAX. N Engl J Med. 2008;358(9):900-909. PMID: 18204098
19. Khor CC, Davila S, Breunis WB, et al. Genome-wide association study identifies FCGR2A as a susceptibility locus for Kawasaki disease. Nat Genet. 2011;43(12):1241-1246. PMID: 22081228
20. Khor CC, Davila S, Shimizu C, et al. Genome-wide linkage and association mapping identify susceptibility alleles in ABCC4 for Kawasaki disease. J Med Genet. 2011;48(7):467-472. PMID: 21571869

21. Kim JJ, Yun SW, Yu JJ, et al. A genome-wide association analysis identifies NMNAT2 and HCP5 as susceptibility loci for Kawasaki disease. J Hum Genet. 2017;62(12):1023-1029. PMID: 28855716
22. Kottek A, Shimizu C, Burns JC. Kawasaki disease in monozygotic twins. Pediatr Infect Dis J. 2011;30(12):1114-1116. PMID: 21796015
23. Kwon YC, Kim JJ, Yun SW, et al. Male-specific association of the FCGR2A His167Arg polymorphism with Kawasaki disease. PLoS One. 2017;12(9):e0184248. PMID: 28886140
24. Kwon YC, Kim JJ, Yun SW, et al. BCL2L11 Is Associated With Kawasaki Disease in Intravenous Immunoglobulin Responder Patients. Circ Genom Precis Med. 2018;11(2):e002020. PMID: 29453247
25. Lee YC, Kuo HC, Chang JS, et al. Two new susceptibility loci for Kawasaki disease identified through genome-wide association analysis. Nat Genet. 2012;44(5):522-525. PMID: 22446961
26. Nakamura Y, Yashiro M, Uehara R, et al. Epidemiologic features of Kawasaki disease in Japan: results of the 2009-2010 nationwide survey. J Epidemiol. 2012;22(3):216-221. PMID: 22447211
27. Onouchi Y, Tamari M, Takahashi A, et al. A genomewide linkage analysis of Kawasaki disease: evidence for linkage to chromosome 12. J Hum Genet. 2007;52(2):179-190. PMID: 17160344
28. Onouchi Y, Gunji T, Burns JC, et al. ITPKC functional polymorphism associated with Kawasaki disease susceptibility and formation of coronary artery aneurysms. Nat Genet. 2008;40(1):35-42. PMID: 18084290
29. Onouchi Y, Ozaki K, Buns JC, et al. Common variants in CASP3 confer susceptibility to Kawasaki disease. Hum Mol Genet. 2010;19(14):2898-2906. PMID: 20423928
30. Onouchi Y, Ozaki K, Burns JC, et al. A genome-wide association study identifies three new risk loci for Kawasaki disease. Nat Genet. 2012;44(5):517-521. PMID: 22446962
31. Onouchi Y. Genetics of Kawasaki disease: what we know and don't know. Circ J. 2012;76(7):1581-1586. PMID: 22789975
32. Onouchi Y, Fukazawa R, Yamamura K, et al. Variations in ORAI1 Gene Associated with Kawasaki Disease. PLoS One. 2016;11(1):e0145486. PMID: 26789410
33. Park YW, Han JW, Hong YM, et al. Epidemiological features of Kawasaki disease in Korea, 2006-2008. Pediatr Int. 2011;53(1):36-39. PMID: 20534021
34. Reth M, Wienands J. Initiation and processing of signals from the B cell antigen receptor. Annu Rev Immunol. 1997;15:453-479. PMID: 9143696
35. Sim BK, Park H, Kim JJ, et al. Assessment of the Clinical Heterogeneity of Kawasaki Disease Using Genetic Variants of BLK and FCGR2A. Korean Circ J. 2019;49(1):99-108. PMID: 30468029
36. Simpfendorfer KR, Olsson LM, Manjarrez Orduño N, et al. The autoimmunity-associated BLK haplotype exhibits cis-regulatory effects on mRNA and protein expression that are prominently observed in B cells early in development. Hum Mol Genet. 2012;21(17):3918-3925. PMID: 22678060
37. Snow AL, Oliveira JB, Zheng L, Dale JK, Fleisher TA, Lenardo MJ. Critical role for BIM in T cell receptor restimulation-induced death. Biol Direct. 2008;3:34. PMID: 18715501
38. Suhre K, Shin SY, Petersen AK, et al. Human metabolic individuality in biomedical and pharmaceutical research. Nature. 2011;477(7362):54-60. PMID: 21886157
39. Uehara R, Belay ED. Epidemiology of Kawasaki disease in Asia, Europe, and the United States. J Epidemiol. 2012;22(2):79-85. PMID: 22307434
40. Uehara R, Yashiro M, Nakamura Y, Yanagawa H. Parents with a history of Kawasaki disease whose child also had the same disease. Pediatr Int. 2011;53(4):511-514. PMID: 21040190
41. Uehara R, Yashiro M, Nakamura Y, Yanagawa H. Kawasaki disease in parents and children. Acta Paediatr. 2003;92(6):694-697. PMID: 12856980
42. Uehara R, Yashiro M, Nakamura Y, Yanagawa H. Clinical features of patients with Kawasaki disease whose parents had the same disease. Arch Pediatr Adolesc Med. 2004;158(12):1166-1169. PMID: 15583102
43. Wang CL, Wu YT, Liu CA, et al. Expression of CD40 ligand on CD4+ T-cells and platelets correlated to the

coronary artery lesion and disease progress in Kawasaki disease. Pediatrics. 2003;111(2):E140-E147. PMID: 12563087

44. Warmerdam PA, van de Winkel JG, Vlug A, Westerdaal NA, Capel PJ. A single amino acid in the second Ig-like domain of the human Fc gamma receptor II is critical for human IgG2 binding. J Immunol. 1991;147(4):1338-1343. PMID: 1831223

45. Wasserman R, Li YS, Hardy RR. Differential expression of the blk and ret tyrosine kinases during B lineage development is dependent on Ig rearrangement. J Immunol. 1995;155(2):644-651. PMID: 7608542

46. Yanagawa H, Nakamura Y, Yashiro M, et al. Results of the nationwide epidemiologic survey of Kawasaki disease in 1995 and 1996 in Japan. Pediatrics. 1998;102(6):E65. PMID: 9832593

47. Zeller T, Wild P, Szymczak S, et al. Genetics and beyond--the transcriptome of human monocytes and disease susceptibility. PLoS One. 2010;5(5):e10693. PMID: 20502693

Chapter

6

가와사끼병의 병리 기전

1. 가와사끼병에서 혈액 세포의 변화 양상

(1) 백혈구의 변화

가와사끼병은 주로 5세 미만의 소아에서 생기는 전신성 혈관염으로 급성기에는 정상 대조군에 비해서 백혈구(white blood cells; WBC) 수치가 약 1.8배 정도 증가한다(표 6-1). 특히 미성숙 호중구(immature neutrophil)의 숫자가 37배 급증하여 전체 호중구의 숫자가 2.5배 증가한다. 단핵구(monocyte) 숫자도 1.6–2.9배 증가하지만 림프구(lymphocytes)는 상대적으로 정상 대조군에 비해서 통계적으로 유의하지는 않지만 감소한다(약 0.87배). 흥미로운 사실은 림프구 중에서 T 세포와 NK 세포는 유의적으로 감소하지만 B 세포는 유의적으로 증가한다(약 1.3배). 가와사끼병의 급성기에 T 세포는 유의적으로 감소하고 B 세포는 유의적으로 증가한다는 사실은 다른 연구(Lee, 2009)에서도 관찰되었다. 그리고 가와사끼병의 진행 과정에서 호중구 숫자는 급성기에 가장 높고 아급성기와 회복기를 거치면서 염증이 사라지면서 점차 감소한다. 림프구는 반대로 급성기에 가장 낮았다가 아급성기와 회복기를 거치면서 점차 높아지는 경향을 보이고 있다(Ha, 2018). 그리고 가와사끼병 환자의 혈액 시료를 이용한 유전자 발현 연구에서도 림프구 관련 유전자들의 발현이 감소하는 것이 관찰되었는데[Ling, 2011], 이는 가와사끼병 발병 과정에서 급격히 증가한 호중구 때문에 상대적 또는 절대적 림프구 비율이 감소한 결과에 기인한 것으로 생각된다.

그리고 혈액 단백질의 경우에는, 염증 수치를 반영하는 CRP 수치는 39배 증가하고 면역글로

표 6-1. **급성기 가와사끼병에서 백혈구 세포의 변화**

세포의 종류	증감 배수: 정상 대조군에 비교해서			*P*	참고 문헌
	급성기 환자	회복기 환자	정상 대조군		
WBC (#)	**1.75****	1.05	1	<0.01	[1]
	1.85**	1.02	1	<0.01	[2]
PBMC (#)	0.94	1.08	1	ns	[2]
Neutrophils (#)	**2.54****	0.92	1	<0.01	[1]
Immature neutrophils (#)	**37**** (26% of neutrophils)	2.55	1 (5% of neutrophils)	<0.01	[1]
Monocytes (#)	1.58	1.06	1	ns	[1]
	2.89**	1.39	1	<0.01	[2]
Lymphocytes (#):	0.87	1.04	1	ns	[2]
• CD3+ T cells	0.80	1.06	1	ns	[2]
• CD4+ T cells	**0.78***	0.97	1	<0.05	[2]
• CD8+ T cells	**0.83***	1.21	1	<0.05	[2]
• CD57+ NK cells	**0.69***	1.66	1	<0.05	[2]
• CD19+ B cells	**1.31***	1.06	1	<0.05	[2]
IgG (mg/dL)	0.95	**1.50****	1	ns	[1]
CRP (mg/dL)	**39****	1	1	<0.01	[1]

No. of samples for acute KD-convalescent KD-healthy control (HC): [1] 33-33-25 and [2] 106-68-22. PBMC: peripheral blood mononuclear cells, ns: not significant.
** $P<0.01$ vs HC (healthy control). [1] Tsujimoto, 2002; [2] Furukawa, 1992.

불린 G (IgG)의 농도는 급성기에 약간 낮은 수치(0.95배)를 보이다가 회복기에는 1.5배로 증가하는데, 이 변화는 치료제로 사용된 면역글로불린의 효과인지 아니면 자체적으로 새롭게 생성된 면역글로불린의 효과인지는 명확하지 않다.

- **완전형 가와사끼병과 불완전형 가와사끼병의 림프구 세포의 차이:** 완전형 가와사끼병은 T 세포와 NK 세포의 숫자가 약 0.7배 감소하고, B 세포의 비율(%)은 유의적으로 증가하는 것으로 나타났다(표 6-2). 이 결과는 완전형 가와사끼병에는 B 세포 면역이 관련되고 불완전형 가와사끼병에는 T 세포 면역이 중요한 역할을 할 것을 시사한다. 한편 IgG, IgA, IgM 및 complements (C3 & C4)는 가와사끼병의 종류(완전형 또는 불완전형)에 따라 차이가 없었다[Ding, 2015].

표 6-2. **완전형 가와사끼병(cKD)과 불완전형 가와사끼병(iKD)에서 림프구 세포의 비교**

세포의 종류	세포 수 (배수)			세포 비율(%)		
	cKD (n=373)	iKD (n=15)	*P*	cKD (n=373)	iKD (n=15)	*P*
CD3+ T cells	**0.71***	1	<0.05	**56%****	64%	<0.01
CD4+ T cells	**0.73***	1	<0.05	35%	39%	ns
CD8+ T cells	**0.69***	1	<0.05	18%	21%	ns
CD16+ CD56+ NK cells	0.69	1	ns	8.2%	9.3%	ns
CD19+ B cells	1.03	1	ns	**33%****	23%	<0.01

cKD, complete KD; iKD, incomplete KD; ns, not significant.
**P*<0.05 cKD vs. iKD; ***P*<0.01 cKD vs. iKD. 출처: [Ding, 2015]

- **면역글로불린 치료 반응성과 치료 저항성 가와사끼병의 백혈구 세포의 차이:** 면역글로불린 치료 반응성 그룹과 치료 저항성 그룹 간의 비교에서는 백혈구의 숫자에는 차이가 없었지만 백혈구의 구성 비율에서는 큰 차이가 관찰되었다. 즉, 면역글로불린 치료 저항성 그룹에서는 호중구의 숫자와 호중구-림프구 비율(NLR)이 증가하고 림프구의 숫자가 매우 유의적으로 감소하였다(표 6-3). 따라서 가와사끼병 환자에서 림프구 비율(%)의 감소는 면역글로불린 치료 반응성을 결정하는 주요한 변수가 된다. 그리고 치료 저항성 그룹에서 림프구의 감소는 T 세포, B 세포, NK 세포 등 모든 림프구 subsets의 숫자가 감소했는데, 특히 T 세포의 감소율(0.58배 감소)이 B 세포(0.71배 감소)에 비해서 상대적으로 더 높게 나타났

표 6-3. **면역글로불린 치료 반응성과 치료 저항성 가와사끼병의 백혈구 세포의 차이**

	IVIG 치료 반응 그룹 (n=191)	IVIG 치료 저항 그룹 (n=26)	*P*
나이 (개월)	17 (2-168)	17 (2-50)	0.73
남성, n(%)	119 (62%)	22 (**85%**)	**0.01**
림프절 병변, n(%)	66 (35%)	14 (54%)	0.06
백혈구 ($x10^9$/L)	15.9 (8.0-46)	14.9 (8.2-33.1)	0.42
호중구 %	62 (17-96)	**74** (31-98)	0.06
림프구 %	27 (3-70)	**18** (1-59)	**0.01**
호중구-림프구 비율(NLR)	2.2 (0.2-8.2)	**3.9** (0.5-9.8)	**0.01**
혈소판 ($x10^9$/L)	463 (75-1,494)	**304** (89-916)	**0.01**

IVIG, intravenous immunoglobulin; NLR, neutrophil-to-lymphocyte ratio. 출처: [Chantasiriwan, 2018]

다[Ding, 2015]. 면역글로불린 치료 저항성 그룹에서 모든 림프구 subsets가 감소했는데 이는 아마도 치료 저항성 그룹에서는 지속적인 호중구 숫자가 증가함에 따라 림프구의 숫자가 감소한 효과에 기인할 것으로 생각된다. 그리고 면역글로불린 치료 반응성 그룹에서 complement C3이 증가한 것을 제외하고는 IgG, IgA, IgM 및 complement C4의 변화는 치료 반응성 그룹과 저항성 그룹 간에 차이가 관찰되지 않았다[Ding, 2015].

- **가와사끼병에서 관상 동맥 이상을 가진 그룹과 없는 그룹의 백혈구 세포의 차이:** 가와사끼병 환자에서 관상 동맥 이상(coronary artery lesions; CAL)을 가진 그룹과 없는 그룹 간에 백혈구 세포의 차이는 관상 동맥 이상을 가진 경우에는 없는 그룹에 비해서 단핵구의 숫자가 2.27배 높은 것으로 관찰되었다(표 6-4). 그러나 백혈구 숫자, PBMC 숫자, 림프구 숫자 및 림프구 subsets (T, B, NK 등)의 숫자에는 두 그룹 간 유의적인 차이가 관찰되지 않았다[Furukawa, 1992; Ding, 2015]. 이 결과로부터 관상 동맥 이상을 유발하는데는 단핵구가 중요한 역할을 할 것으로 추론할 수 있다.

표 6-4. 가와사끼병에서 심장관상동맥 이상을 가진 그룹과 없는 그룹간의 백혈구 세포의 차이

세포의 종류	증감 배수		*P*
	CAL (n = 14)	Non-CAL (n = 92)	
단핵구	**2.27****	1	<0.01
림프구	0.94	1	ns

ns, not significant. CAL, coronary artery lesion; ns, not significant. **$P<0.01$. 출처: [Furukawa, 1992]

(2) 호산구(eosinophils)의 변화

호산구는 일반적으로 혈액 내 백혈구의 약 1–3%만을 차지하며, 정상 범위의 상한은 혈액 1 mm^3당 350개의 호산구 세포이다[Rothernberg, 1998]. 말초 혈액 호산구 증가증(peripheral blood eosinophilia, PBE)은 WBC의 3% 이상으로 정의되며, 정상 범위의 상한은 350 cells/mm^3이다[Rothenberg ME, 1998]. 이 기준을 적용하면, 호산구 증가증은 경증(mild; 351–1,500 세포/mm^3), 중등도(moderate; >1,500–5,000 세포/mm^3), 중증(severe; >5,000 세포/mm^3)의 세 그룹으로 분류된다[Yilmazer, 2010].

가와사끼 박사가 가와사끼병 사례를 처음 보고할 때에 총 50명의 환자 중에서 11명(22%)에서 호산구 증식증을 관찰하였다[Kawasaki, 1974]. 그리고 나중 연구에서 95명의 일본인 가와사끼병 환자에서 치료 전에는 발열 대조군에서는 4%의 호산구 증식증이 관찰되었지만 가와사끼병 환자에서는 36%에서 호산구 증식증이 관찰되었다[Terai, 2002]. 그리고 발병 2주 이내에 가와사끼병 환자의 69%까지 호산구 증식증이 증가하였다(표 6-5). 터키에서도 대조군에서는 13%의 호산구 증식증이 관찰되었지만 가와사끼병 환자는 63%에서 호산구 증식증이 관찰되었다[Öner, 2012]. 가와사끼병 환자에서 호산구 증식증은 완전형 가와사끼병과 불완전형 가와사끼병 간에 유의적인 차이는 없었다. 위의 결과는 가와사끼병 환자의 약 60% 이상에서 호산구 증식증이 있음을 확인할 수 있다. 그리고 한국과 대만의 가와사끼병 환자에서도 동일하게 호산구 증식증이 관찰되었다[Ha, 2018; Kuo, 2007].

표 6-5. 가와사끼병에서 관찰되는 호산구 증가증(치료 전 급성기)

변수	가와사끼병 환자 (n = 95)	발열 대조군 (n = 95)	*P*
나이 (개월)	27.7	27.3	ns
백혈구 수/mm^3 (평균)	14,754	14,836	ns
호산구 수/mm^3 (평균)	**361 (백혈구의 2.4%)**	**65 (백혈구의 0.4%)**	**<0.0001**
치료 전 호산구 증가증 (>350 cells/mm^3)을 가진 환자 수	**34 (36%)**	**4 (4%)**	**<0.0001**
질병 2주 이내에 호산구 증가증 (>350 cells/mm^3)을 가진 환자의 수	66 (69%)		

ns, not significant. 출처: [Terai, 2002]

2. 가와사끼병에서 면역글로불린의 변화 양상

(1) IgG

가와사끼병 환자에서 혈액 내 IgG 수준이 면역글로불린 치료 전에 같은 나이 그룹의 아이들에 비해서 매우 유의적으로 낮은 상태임이 미국[Newburger, 1991], 중국[Ding, 2015], 대만[Kuo, 2018] 및 일본[Yamazaki–Nakashimada, 2019]에서 보고되었다. 특히 일본 그룹 연구자에 따르면 환자의 모든 나이 구간에서 면역글로불린 치료 전 IgG 수준이 해당 나이 구간의 아이들보다 매우 낮았다(mean z–socre of IgG levels = −0.60; n = 418). 그러나 면역글로불린 치료 후에는 혈액 내 IgG 수치가 매우 높아졌다(mean z–score of IgG levels = 9.60; n = 418; 표 6–6). 그리고 치료 전에 낮은 수준을 보였던 면역글로불린(IgG, IgM, IgA)은 가와사끼병이 진행되는 과정 또는 치료 후에는 증가하는 양상을 보였다[Kawamor, 1989; Han, 2017]. 한편 가와사끼병 환자에서 치료 전 또는 치료 후 낮은 수준의 IgG 수치가 관상 동맥 이상의 위험요인이라는 보고[Sawaji, 1998; Morikawa, 2000]도 있지만, 관련성이 없다는 보고[Newburger, 1991; our data]도 동시에 존재해서 가와사끼병 환자의 혈액 내 면역글로불린(IgG)이 관상 동맥 이상에 미치는 효과는 아직 명확하지 않다. 그리고 추가적으로 가와사끼병 환자에서 면역글로불린 치료 전 낮은 IgG 수치가 면역글로불린(IVIG) 불응성(nonresponders)에 유의적으로 연관되어 있다는 보고[Yamazaki–Nakashimada, 2019]도 있으나 한국인 데이터에서는 유의성이 없어서 낮은 IgG 수치가 치료 반응성에 어떤 영향을 미치는지는 확실하지 않다.

표 6–6. 가와사끼병 환자에서 나이 구간별 면역글로불린 치료 전과 치료 후의 IgG 수준(mg/dL & Z–score)

나이 그룹 [개월]	치료 전 IgG [mg/dL]	치료 후* IgG [mg/dL]	치료 전 IgG [Z score]	치료 후* IgG [Z score]
≥72 (n=21)	870 (266)	3150 (525)	−0.21 (1.04)	8.70 (2.05)
36 – 71 (n=123)	812 (222)	2952 (486)	−0.52 (0.97)	8.87 (2.13)
24 – 35 (n=90)	729 (177)	2814 (319)	−0.89 (0.97)	10.50 (1.74)
12 – 23 (n=99)	640 (175)	2645 (369)	−0.58 (0.84)	9.01 (1.77)
7 – 11 (n=41)	475 (132)	2504 (398)	−0.85 (0.60)	8.41 (1.82)
4 – 6 (n=22)	375 (122)	2581 (474)	−0.28 (0.65)	11.58 (2.55)
1 – 3 (n=14)	416 (98)	2265 (243)	−0.12 (0.82)	16.26 (2.04)
Global (n=418)	–	–	**−0.60** (0.91)	**9.60** (2.44)

*치료 후 IgG 수치는 IVIG 치료 후 48시간에 측정된 값(평균과 표준편차). 출처: [Yamazaki–Nakashimada, 2019]

(2) IgE

가와사끼병 환자에서 혈액 내 높은 농도의 IgE 수치는 전형적인 가와사끼병의 특징으로 일본 환자에서 오래 전부터 관찰되었다[Kusakawa, 1976; Furukawa, 1991]. 대만 가와사끼병 환자에서도 진드기 항원과는 상관없는 높은 농도의 IgE가 관찰되었다[Lin, 1987; Woon, 2013].

그리고 한국 가와사끼병 환자에서도 높은 농도의 IgE가 관찰되었다[Han, 2017; Koo, 2013; Kim, 2021]. 특히 해당 나이 구간의 정상인 수치와 비교해서 가와사끼병 환자의 62%에서 높은 IgE 농도가 보고되었으며, 높은 IgE 농도는 환자의 나이가 어릴수록 더 높은 비율을 보였다(예, 1세 이하 환자 = 80%, 1–3세 환자 = 69%, 3세 이상 환자 = 44%) [Koo, 2013]. 그리고 본 연구자도 가와사끼병 환자의 73.9%에서 높은 수준의 IgE 농도를 관찰하였다[Kim, 2021]. 한편 가와사끼병 환자에서 관찰된 높은 IgE 농도는 가와사끼병 특이적으로 모든 임상 단계에서 관찰되었으나 특정한 염증 지표 또는 가와사끼병의 임상 표현형과는 직접적인 연관성은 관찰되지 않았다. 이러한 결과는 높은 농도의 IgE가 가와사끼병의 특징으로 나타나지만 실제 가와사끼병의 병리 기전에 직접적으로 IgE가 관여하지는 않을 것으로 생각된다.

(3) IgA

가와사끼병 환자의 급성기에 높은 농도의 IgA와 IgA 분비 B 세포가 증가하는 것이 관찰되었다[Ohshio, 1987; Giordani, 2011]. 그러나 다른 연구는 반대로 가와사끼병 환자의 급성기에 IgA 분비 B 세포가 감소함을 보고하였다[Shingadia, 2001]. 그리고 혈액 내에는 IgA plasma 세포가 존재하지 않지만 가와사끼병 환자의 염증 조직에서는 상당한 양의 IgA plasma cells가 침투해 들어가 있음을 확인하였다[Rowley, 1997; Rowley, 2000]. 따라서 가와사끼병 환자의 급성기에 혈액 내 IgA 농도가 높아지는지 아니면 낮아지는지 추가적인 확인이 필요하다. 한편 가와사끼병 환자의 급성기에 증가된 IgA 분비 B 세포 숫자가 임상의 중증도에는 연관성이 없고 [Giordani, 2011], IgA 결핍 환자에서도 가와사끼병이 발병한 사례가 보고되어 있고[Anzai, 2016; Nishikawa, 2006], IgA receptors 유전자가 가와사끼병의 감수성에 연관성을 보이지 않아서(미발표 결과) IgA가 가와사끼병의 발병에 영향을 미치지는 않을 것 같다. 그러나 비록 IgA가 가와사끼병 발병에는 직접적으로 영향을 미치지는 않을지라도 본 연구자의 연구에 의하면 높은 IgA 농도를 가진 가와사끼병 환자의 경우에는 관상 동맥 이상을 초래할 위험도가 유의적으로 높았다[Kim, 2021]. 따라서 IgA 농도가 가와사끼병의 예후 예측 인자로는 활용이 가능할 것으로 생각된다.

3. 가와사끼병에서 면역글로불린 수용체 유전자의 발현 양상

가와사끼병 환자의 급성기 혈액에서 IgG 수준이 정상인에 비해서 낮아져 있고[Yamazaki-Nakashimada, 2019], 병이 진행되거나 면역글로불린 치료 후에는 면역글로불린(IgG, IgA, IgM)의 수준이 증가한다[Han, 2017]. 그리고 면역글로불린 치료 후에 높은 IgG 수치는 더 좋은 임상적 예후를 나타내는 바이오마커이다[Yamazaki-Nakashimada, 2019]. 또한 가와사끼병 환자에서 높은 농도의 IL-5와 IgE가 관찰되고[Kuo, 2009], 가와사끼병 환자는 다양한 종류의 알레르기 질환에 높은 감수성을 보이고 있다[Woon, 2013]. 또한 가와사끼병 유전연구에 의하면 *FCGR2A* 유전자의 기능적 유전변이형(H131R 변이형)이 가와사끼병 감수성 위험 요인으로 작용함이 밝혀졌다[Khor, 2011; Shrestha, 2012]. 위의 모든 결과는 면역글로불린 수용체(Fc receptors) 유전자가 가와사끼병의 발병에 중요한 역할을 수행할 수 있음을 의미한다.

가와사끼병 환자의 혈액에서 측정된 다양한 종류의 면역글로불린 수용체 유전자들에 대한 mRNA 발현 정도를 보면, 대부분의 면역글로불린 수용체 유전자들(*FCER1G*, *FCAR*, *FCGR1C*, *FCGR2A* 등)의 발현이 급성기에 올라가고 일부의 유전자(*FCER1A*, *FCER2*, *FCMR* 등)는 감소하는 경향을 나타내었다(표 6-7). 그리고 *FCAMR*, *FCGRT* 및 *FCRL5* 유전자는 가와사끼병 환자의 급성기에 대조군에 비해서 유전자 발현의 차이가 관찰되지 않았다. 면역글로불린 수용체 유전자 중에서 *FCGR2A* 유전자는 가와사끼병 급성기에 유전자 발현이 증가하고 이 유전자의 IgG 결합에 차이를 보이는 유전변이형(H131R)이 가와사끼병의 감수성에 연관됨이 보고되었다[Khor, 2011]. 또한 *FCGR2A* 유전자는 성별 특이적으로 여성에서 발현량이 더 높다[Zeller, 2010; https://www.gtexportal.org/home/gene/*FCGR2A*]. 그리고 *FCGR2A* 유전자의 기능적 변화를 초래하는 유전변이형(H131R)도 남성 가와사끼병 환자에서만 감수성 유전변이형으로 작용하는 것으로 밝혀졌다[Kwon, 2018]. 따라서 *FCGR2A* 유전자의 성별 특이적인 유전자 발현의 차이와 *FCGR2A* 유전변이형(H131R)의 성별 특이적인 감수성은 이 유전자의 성별 특이적인 유전자 발현이 가와사끼병 발병 기전에 중요한 역할을 할 것으로 예상된다. 본 연구자가 수행한 연구에 따르면 다른 면역글로불린 수용체 유전자들의 coding variants들은 가와사끼병 감수성에 유의적인 연관성을 찾을 수 없었다(미발표 결과). 그래서 *FCGR2A* 유전자를 제외한 다른 면역글로불린 수용체 유전자가 가와사끼병 발병에 기여할 가능성은 매우 낮을 것 같다.

표 6-7. **가와사끼병 환자에서 관찰된 면역글로불린 수용체 유전자 정보**

면역 글로불린의 종류	수용체	연구(참고문헌)	집단	방법	결과
IgE	*FCER2 (CD23)*	Furukaw, 1990	일본	FACS	Fc epsilon R2/CD23 발현 증가
		Furukaw, 1991	일본	FACS	CD23+ B 세포 숫자의 증가
		Matsubar, 1995	일본		KD에서 분비된 CD23 수치 증가
		Chang, 2019	대만	Genechip	KD에서 FCER2 mRNA 감소
	FCER1A	Chang, 2019	대만	Genechip	KD에서 FCER1A mRNA 감소
	FCER1G	Chang, 2019	대만	Genechip	KD에서 FCER1G mRNA 증가
IgG	*FCGR1*	Nakatani, 1999	일본	FACS	KD에서 FcγRI 증가
		Hokibara, 2016	일본	FACS	KD에서 FcγRI 증가
	FCGR1A	Chang, 2019	대만	Genechip	KD에서 FCGR1A mRNA 증가
		Nagelkerke, 2019	유럽	Genechip	KD에서 FCGR1A mRNA 증가
	FCGR1B	Chang, 2019	대만	Genechip	KD에서 FCGR1B mRNA 증가
	FCGR1C	Chang, 2019	대만	Genechip	KD에서 FCGR1C mRNA 증가
	FCGR2A	Nakatani, 1999	일본	FACS	KD에서 FcγRII 증가
		Khor, 2011	다국가	SNP	KD에서 FCGR2A-131H 연관됨
		Shrestha, 2012	미국	SNP	KD에서 FCGR2A-131H 연관됨
		Kuo, 2015&2017	대만	RT-PCR, pyroseq. Luciferase	저메틸화에 의한 FCGR2A mRNA 발현 증가
		Kwon, 2017	한국	SNP	남성 특이적으로 FCGR2A H167R (H131)와 가와사끼병 간의 연관성
		Chang, 2019	대만	Genechip	KD에서 FCGR2A mRNA 증가
		Nagelkerke, 2019	유럽	Genechip	KD에서 FCGR2A mRNA 증가
	FCGR2B	Shrestha, 2011	미국	SNP	IVIG 치료 반응성과 기능적인 FCGR2B 연관성
		Chang, 2017	대만	RT-PCR	관상 동맥 병변을 가진 가와사끼병 환자에서 FCGR2A/2B 발현 증가
		Xia, 2017	중국	FACS	관상 동맥 병변을 가진 가와사끼병 환자에서 FcγRIIB 발현 감소
		Chang, 2019	대만	Genechip	KD에서 FCGR2B mRNA 증가
		Nagelkerke, 2019	유럽	Genechip	KD에서 FCGR2B mRNA 증가
	FCGR2C	Makowsky, 2013	미국	GCN	FCGR2C GCN과 가와사끼병의 연관
		Chang, 2019	대만	Genechip	KD에서 FCGR2C mRNA 증가
	FCGR3A	Nakatani,1999	일본	FACS	KD에서 호중구의 FcγRIII 감소; KD에서 단핵구의 FcγRIII의 증가
		Katayama, 2000	일본	FACS	급성 KD에서 CD14+CD16+ 단핵구 증가
		Chang, 2019	대만	Genechip	KD에서 FCGR3A mRNA 증가
		Nagelkerke, 2019	유럽	Genechip	KD에서 FCGR3A mRNA 증가
	FCGR3B	Shrestha, 2012	미국	SNP	FCGR3B NA1 변이형과 IVIG 저항성 연관
		Makowsky, 2013	미국	GCN	FCGR3B GCN가 KD와 연관됨
		Chang, 2019	대만	Genechip	KD에서 FCGR3B mRNA 증가
		Nagelkerke, 2019	유럽	Genechip	KD에서 FCGR3BA mRNA 증가
IgA	*FCAR*	Chang, 2019	대만	Genechip	KD에서 FCAR mRNA 증가
IgM	*FCMR*	Chang, 2019	대만	Genechip	KD에서 FCMR mRNA 감소
IgA&IgM	*FCAMR*	Chang, 2019	대만	Genechip	KD에서 FCAMR mRNA의 발현 변화 없음
IgG&IgM	*TRIM21*	Chang, 2019	대만	Genechip	KD에서 TRIM21 mRNA 증가
IgG	*FCGRT*	Chang, 2019	대만	Genechip	KD에서 FCGRT mRNA의 발현 변화 없음
IgG	*FCRL5*	Chang, 2019	대만	Genechip	KD에서 FCRL5 mRNA의 발현 변화 없음

CAL, coronary artery lesions; FACS, fluorescence-activated cell sorting; GCN, gene copy number; IVIG, intravenous immunoglobulin; KD, Kawasaki disease; RT-PCR, reverse transcription-polymerase chain reaction; SNP single-nucleotide polymorphism. 출처: modified from [Chang, 2019]

4. 가와사끼병에서 사이토카인의 변화 양상

가와사끼병 환자의 급성기 혈액 내에는 다양한 종류의 염증성 사이토카인(cytokines)이 많이 분비되고 있다(표 6-8). 가와사끼병 급성기에 증가한 사이토카인 중에서 IL-6은 가와사끼병 환자와 발열 질환군에서 동시에 증가하며[Yoshioka, 1999], 건강한 대조군에 비교해서 급성기 가와사끼병 환자에서는 약 5.7배 증가하고, 면역글로불린 치료 후 높은 IL-6 농도는 관상 동맥

표 6-8. 가와사끼병 급성기에 증가한 혈액 내 사이토카인들

사이토카인	연구 [참고문헌]	급성기 가와사끼병 환장에서 사이토카인의 수치
IL-1β	Yoshioka, 1999	급성기 KD에서 증가
IL-2	Yoshioka, 1999	급성기 KD에서 증가
IL-2R	Matsubara, 1990	급성기 KD에서 증가
IL-6	Wang, 2013; Yoshioka, 1999; Igarashi, 1999	급성기 KD에서 증가(정상 대조군에 비해 5.7배). 그리고 높은 IL-6는 관상 동맥 병변(CAL)과 IVIG 치료 저항성의 위험 요인임. IL-6는 급성기 KD와 발열 대조군에서 모두 증가함
IL-8	Yoshioka, 1999	급성기 KD와 발열 대조군에서 모두 증가함
IL-10	Wang, 2013; Yoshioka, 1999	급성기 KD에서 증가
IL-17	Sohn, 2003; Jia, 2010	급성기 KD에서 증가
IFN-γ	Wang, 2013; Yoshioka, 1999; Matsubara, 1990	급성기 KD에서 증가
TNF-α	Wang, 2013; Yoshioka, 1999; Matsubara, 1990	급성기 KD에서 증가
M-CSF	Igarashi, 1999	급성기 KD에서 증가
G-CSF	Yoshioka, 1999; Igarashi, 1999; Samada, 2002	I 급성기 KD에서 증가; 급성기 KD에서 증가하지만 혈청 G-CSF 수준은 호중구 숫자와는 상관 관계가 없다; 증가된 G-CSF는 관상 동맥 병변(CAL)과 연관됨
C3	Ohshio, 1987	급성기 KD에서 증가
CD40L	Wang, 2003	급성기 KD에서 발현이 증가하고 CD4+ T 세포에서 CD40L 과발현은 관상 동맥 병변(P<0.001) 및 질병 진행과 상관 관계를 가짐
CXCL10 (IP10)	Ko, 2015	급성기 KD에서 증가

CAL, coronary artery lesions; KD, Kawasaki disease.

이상과 면역글로불린 치료 저항성의 위험 요인으로 작용한다[Wang, 2013]. G-CSF의 경우에는 혈액 내 granulocyte growth factor로 호중구 생성을 촉진하는 사이토카인으로 알려져 있고, 가와사끼병 환자의 급성기에 증가한다[Yoshioka, 1999]. 그러나 급성기에 증가한 G-CSF 수준과 호중구 숫자는 상관관계가 없는 것으로 밝혀져[Igarashi, 1999; Suzuki, 2001], 가와사끼병 환자에서 급증한 호중구 숫자는 G-CSF의 효과는 아닐 것으로 생각된다. 한편 가와사끼병 환자의 G-CSF 수준은 관상 동맥 이상의 발생과 연관성이 있어서 높은 농도의 G-CSF를 가지는 경우는 관상 동맥류 발생이 높아질 수 있다[Samada, 2002].

5. 가와사끼병의 조직 병리학적 진행 과정

(1) 가와사끼병의 병리학적 진행 과정

가와사끼병은 모든 혈관에 심각한 혈관염을 일으키지만 주로 중간 크기의 동맥에 영향을 미치며 관상 동맥에 가장 많이 발생한다(표 6-9). 혈관 벽은 3개의 층(내피 세로로 구성된 intima, 평활근 세포로 구성된 media와 섬유아 세포로 구성된 adventitia)으로 구성되어 있다(그림 6-1). 급성기 또는 아급성기의 치명적 사례에 대한 병리학적 검사에 따르면 내피 세포와 평활근 세포의 부종이 보이는데, 이는 처음에는 호산구와 같은 다형핵 세포(polymorphonuclear cells, PMN)에 의하지만 그 뒤를 이어 대식세포, 림프구(주로 CD8+ T 세포)와 plasma cells(주로 IgA plasma cells)가 혈관 벽으로 침투하여 만들어진다. 이 염증 반응은 혈관 벽의 내부 탄성층

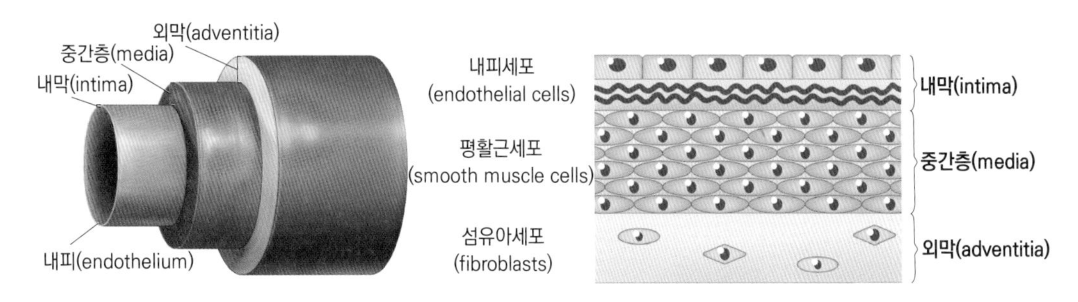

그림 6-1. **혈관의 구조**

(internal elastic lamina)을 파괴하여 혈관이 늘어지거나(dilatation) 동맥류(aneurysm)를 형성한다. 그리고 나중 치유 단계에서는 혈관 벽에 있는 섬유아 세포의 내막 증식(intimal proliferation)에 의한 섬유화로 혈관의 협착 폐색(stenotic occlusion)으로 이어질 수 있다.

표 6-9. 가와사끼병에서 인체의 다양한 기관에서 발생하는 동맥염(arteritis)의 발생률

	Naoe, 1987	Amano, 1979/1980	Hamashima,1977	Landing, 1987
Aorta	+	100%	82%	41%
Carotid a	+	75%		23%
Subclavian a	+	71%	67%	
Celiac a	+	79%	63%	
Iliac a	+	100%	93%	
Pulmonary a	59%	71%	50%	32%
Coronary a	95%	100%	95%	100%
Renal a	73%	80%	64%	55%
Mesenteric a	+	79%	86%	27%
Hepatic a	+	76%	44%	23%
Intercostal a	+	58%	60%	
Splenic a	11%	50%		50%
GI tract	10%			18%
Paratrachea	+			36%
Pancreas/peripancreas	31%			36%
Adrenal/periadrenal	+			32%
Spermatic cord	+			41%
Testis	15%		67%	18%
Vagina	+			9%
Uterus	+			5%
Skeletal muscle				27%
Meninges	1%		36%	5%

출처: [Takahashi, 2010]

(2) 가와사끼병에서 면역 세포의 혈관벽 침투 과정

가와사끼병은 전신성 혈관염을 일으키는 질병으로 혈액 내에서는 호중구의 숫자가 매우 높아지고, 일부의 B 세포와 단핵구의 숫자도 증가하지만 T 세포는 증가하지 않고 약간 감소하는 경향을 띤다. 그리고 혈액 내 면역글로불린은 정상인에 비교해 IgE의 농도가 매우 높고, IgA의 농도는 약간 높지만 IgG의 농도는 약간 낮은 수준을 보인다. 그리고 혈관벽 조직을 침투하는 면역 세포는 주로 호중구, 대식세포, IgA plasma cells 및 CD8+ T 세포 등이 관여한다(그림 6-2). 그리고 혈관벽으로 침투하는 면역 세포의 순서는 발병 후 약 10–17일 사이에 B 세포가 가장 먼저 이동하고 다음으로 호산구와 대식 세포 및 T 세포가 이동한다[Takahashi, 2005; Brown, 2001; 그림 6–2]. 가와사끼병의 혈관염에서 가장 많이 침투한 면역 세포는 대식세포(monocyte/macrophages)이다[Takahashi, 2013]. 한편 가와사끼병 환자의 혈액에서 호산구의 숫자도 증가하는 것으로 알려져 있는데, 흥미롭게도 호산구는 관상 동맥(coronary artery)에는 거의 침투하지 않고(3%), 주로 심장외막 미세혈관(epicardial microvessel)에 침투한다(16%) [Terai, 2002; 표 6–10].

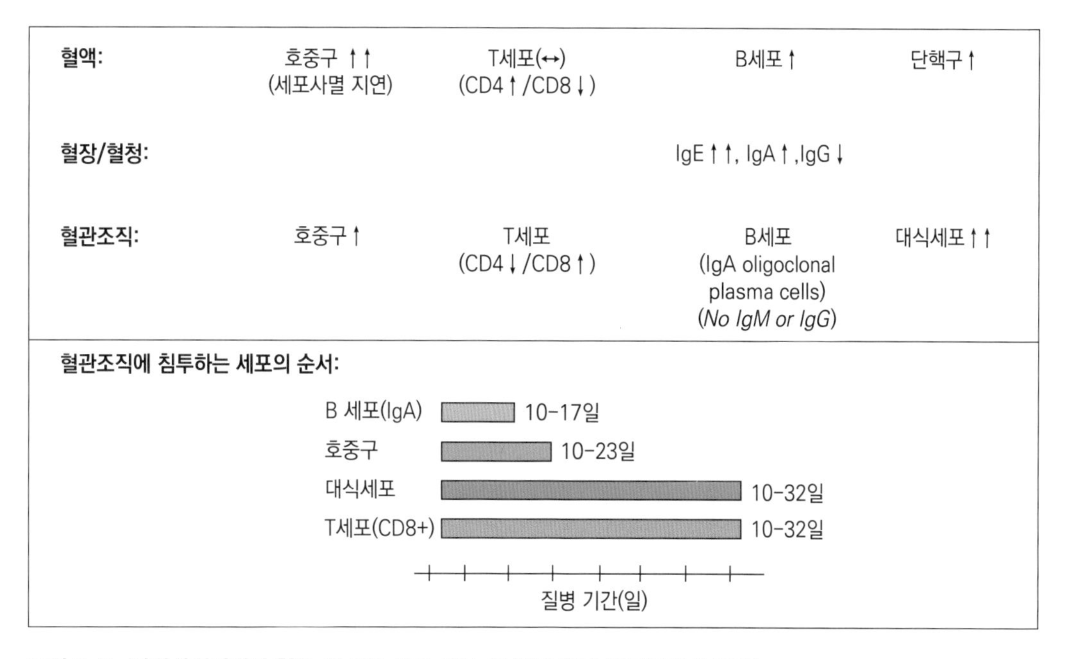

그림 6–2. **가와사끼병에서 혈액 내 염증 반응 세포 및 혈관 침투 세포의 반응 과정.**
출처: modified from [Takahashi, 2005].

표 6-10. 관상 동맥과 심장외막 미세혈관에 침투하는 세포의 차이

세포의 종류	침투하는 세포의 비율(%)	
	관상 동맥	심장외막 미세혈관
호산구	3%	16%
대식세포	30%	42%
T 세포	9%	20%
평활근 세포	19%	3%
플라즈마 세포(plasma cells)	?	+

출처: [Terai, 2002]

(3) 가와사끼병에서 관련된 조직(혈관, 심근, 림프절)의 병리학적 진행 과정

일본 가와사끼병 환자 37명의 부검 시료에서 혈관의 병리학적 변화를 관찰한 결과에 의하면 동맥염 형태 형성의 관점에서 다음과 같은 6개 단계(또는 유형)로 분류할 수 있다[Amano, 1979]:

① 내피세포의 변성과 혈관 투과성 증가(endothelial degeneration and increased vascular permeability)

② 혈관벽 중간막 층의 부종 및 퇴행(edema and degeneration of the media)

③ 괴사성 다부위 동맥염(necrotizing panarteritis)

④ 과립 형성(granulation formation)

⑤ 흉터 형성(scar formation)

⑥ 동맥류 형성(aneurysm formation)

참고로 ④와⑤는 치유 과정이다. 혈전을 동반한 동맥류는 대부분의 환자에서 주로 관상 동맥에서 관찰된다. 초기 변화는 혈관 투과성이 증가한 내피 세포에서 시작되는 것으로 생각한다. 손상된 내피 세포의 혈소판 응집은 동맥 변화의 추가 발달에 중요한 역할을 하는 것으로 보인다. 혈관 병변은 동맥뿐만 아니라 정맥에서도 관찰되므로 가와사끼병은 전신성 동맥염(systemic arteritis)이 아니라 전신성 혈관염(systemic vasculitis)으로 불리는 것이 타당하다. 그리고 모든 가와사끼병 환자에서 사망하는 것은 대부분 심장 병변(cardiac lesions)으로 인한 것이다[Amano, 1979].

미국에서 발생한 가와사끼병 환자 41명의 동맥 조직을 세밀히 조사하여, 가와사끼병에서 특히 중간 크기의 동맥(대부분 관상 동맥)에서 발생하는 동맥 병증(arteriopathy)은 3개의 연결된 혈관 병증 과정으로 진행됨을 설명하였다[Orenstein, 2012; 그림 6-3]:

i) **급성 괴사성 동맥염(acute necrotizing arteritis)**: 호중구 과정으로, 가장 심한 경우에는 내막(intima)과 중간막(media)이 괴사되어 동맥을 지지하는 얇은 외막층(adventitia)만 남기고 큰 동맥류(giant aneurysms)로 이어져 이따금 터져 사망하기도 한다.

ii) **아급성 및 만성 동맥염(subacute/chronic arteritis)**: 림프구, plasma cells, 호산구 및 대식세포의 침투가 진행된다.

iii) **내강 근섬유 모세포 증식(luminal myofibroblastic proliferation)**: 변형된 중간막 평활근 세포가 증식하여 점진적으로 동맥 공간을 막을 수 있는 과정이다.

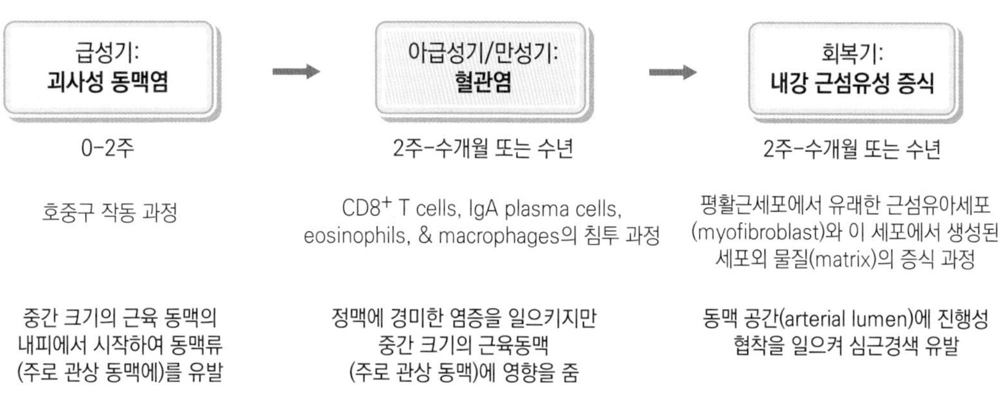

그림 6-3. 가와사끼병의 혈관 병증의 3개의 연결된 병리학적 진행 과정.
출처: [Orenstein, 2012]

가와사끼병의 염증 반응은 혈관에만 영향을 미치는 것이 아니고 다른 조직들도 염증 반응을 유발한다. 예를 들면, 임상적으로 경미하지만 급성기 가와사끼병에서는 심근염(myocarditis)의 발생률도 높다[Newburger, 2004; Takahashi, 1989]. 일본 가와사끼병 환자 29명의 부검 시료에서 심근염의 주요 세포 유형은 호중구, 단핵구/대식세포인 것으로 나타났다[Harada, 2012]. 그러나 질병 20일 이전에 사망한 환자에서는 호중구가 단핵구/대식세포보다 우세한 반면, 20일 이후에 사망한 환자에서는 반대 패턴(즉, 호중구보다 단핵구/대식세포가 더 우세함)이 나타났다. T 세포(CD3+) 및 B 세포(CD20+)의 수는 사망 시기에 관계없이 모든 사례에서 적었다. 가와사끼병 환자에서 심근염에 관여하는 염증 세포는 단핵구, 호중구, 림프구, 호산구 등 다양하다. 그러나 모든 조사한 사례에서 단핵구/대식세포 및 호중구가 심근염에서 주요한 역할을 했다. 이러한 염증 세포의 구성은 가와사끼병 진행 과정 동안 바뀌었다. 예를 들면, 호중구는 발병 후 20일까지 단핵구/대식세포보다 우세했지만 20일 후에는 단핵구/대식세포가 호중구보다 더 우세했다. 이러한 사실은 관상 동맥염(coronary arteritis)에서도 동일하였다[Takahashi, 2005]. 그러나 림프구는 반대로 심장근염에서 T 세포가 B 세포보다 우세했지만, 조직으로 침투하는 이 두 세포의 수는 적어서 T 세포의 경우에 CD4+와 CD8+ T 세포를 면역조직학적으로 염색해서 분석하려고 했으나 평가할 수준의 결과를 못 얻었다고 한다[Harada, 2012].

가와사끼병 급성기에 경부 림프절 병증(cervical lymphadenopathy)이 발생하는데, 이 증상은 가와사끼병 진단의 중요한 임상 증상 중의 하나이다(급성기 가와사끼병 환자의 약 70%에서 관찰됨). 특히, 림프절 병증은 나이가 많은 소아의 가와사끼병 환자에서 가장 먼저 일어나는 증상이다. 림프절 병증에 관여하는 염증 세포는 주로 림프구, plasma cells, 그리고 많은 단핵구/대식세포가 혼합되어 있지만 호중구는 없다. 그리고 흥미로운 사실은 경부 림프절과 기관 주위 림프절에서만 괴사가 일어나, 괴사가 일어난 경우에서는 대부분 가장 큰 림프절을 형성한다[Harada, 2012]. 이 두 부위의 림프절에서만 이 현상이 관찰되는 것으로 봐서는 호흡기 유발 인자(아마도 감염)가 가와사끼병 발병의 중요한 창구가 될 것으로 생각된다.

6. 가와사끼병의 동물 모델

가와사끼병의 동물 모델로는 *Candida albicans*의 세포 추출물[Murata, 1979], 또는 *Lactobacillus casei* 세포 추출물[Lehman, 1985]을 마우스에 주입하여 유도한 관상 동맥염(coronary arteritis) 모델이 가장 많이 사용된다(표 6-11). 그 외에도 거의 사용되지는 않지만 합성 NOD1 ligands (γ–D–glutamyl–mesodiaminopimelic acid, FK156, FK565) [Nishio, 2011], *Streptococcus pyrogenes*의 세포막에서 분리한 polysaccharide–peptidoglycan [Ohkuni, 1987], 또는 BCG를 접종한 후에 *Mycobacterium intracellulare*의 세포 추출물[Nakamura, 2007]을 마우스에 주입하여 유도한 혈관염 모델이 사람의 가와사끼병 연구를 위한 동물 모델로 사용될 수 있다. 여기에서는 가장 많이 사용되는 *Candida albicans* water–soluble fraction (CAWS) 모델과 *Lactobacillus casei* cell wall extract (LCWE) 모델에 대해서 상세히 소개한다.

표 6-11. 가와사끼병의 2가지 대표적인 동물 모델

모델 (연구하는 국가)	촉발 인자(원인): 촉발 방법	주 작용 기전	선천 면역	발병에 관여하는 주 면역 세포	침투 세포	동맥류	반응성을 보이는 치료의 종류
Candida albicans (Japan)	*C. albicans* alkaline extract or *C. albicans* water-soluble fraction (CAWS): repeated IP injection in certain inbred strains of mice (DBA) [1]	• No B cell response ($BTK^{-/-}$) is sensitive to CAWS-induced vasculitis[3] • GM-CSF is required for pathogenesis & disease development[4]	Dectin -2	B cells & myeloid cells	Neutrophils	Yes	• IVIG (not effective as much as in human KD)[5] • anti-TNF-α[6] • anti-GM-CSF
Lactobacillus casei (USA/ Canada)	Superantigen present in LCWE (*L. casei* cell wall extract): single IP injection in all mouse strain except C3H/ HeJ (lacking macrophages)[2]	• Macrophages[2] and T cells[7] are required • B cells[2,7] and Treg & NK T cells[8] are not required • IFNG[9,10] is not required	TLR2/ MyD88	Macrophages & T cells	T cells	Yes (CD8+ T cell-mediated vasculitis) [8]	• IVIG • a-TNF-α [7,11] • a-IL-1R [7,11]

IP, intraperitoneal. [1] Murata, 1979; [2] Lehman, 1985; [3] Miura, 2009; [4] Stock, 2016; [5] Takahashi, 2010; [6] Oharaseki, 2014; [7] Schulte, 2009; [8] Noval Rivas, 2017; [9] Lee, 2012; [10] Chan, 2004; [11] Lau, 2009.

(1) *Candida albicans*를 이용한 마우스 모델

1979년에 일본에서 *Candida albicans* water-soluble fraction (CAWS)에 의해 유도된 DD와 DDY 마우스 계통에서 처음으로 가와사끼병 동물 모델이 개발되었다[Murata, 1979]. 그리고 실제 가와사끼병 환자의 대변 샘플에서 추출한 *Candida albicans* cell extract (CADS)가 가와사끼병 관상 동맥염과 유사한 마우스 혈관염(murine vasculitis)을 유도한다는 것이 확인되었다[Murata, 1979; Murata and Naoe, 1987]. 추가 연구를 통해서 *Candida albicans*의 수용성 분획(CAWS)이 세포 추출물(CADS)보다 더 많은 마우스 계통에서 더 높은 발생률로 심각한 혈관염을 유발했으며, 전신 면역 반응과 염증성 혈관 질환의 좋은 동물 모델임을 보고하였다[Obaraseki, 2005; Nagi-Miura, 2004; Takahashi, 2010]. *Candida albicans*의 수용성 분획(CAWS)에는 *C. albicans* NBRC 1385 균주의 배양액에서 얻은 세포벽에 있는 α-mannans와 β glucans가 포함되어 있다[Uchiyama, 1999; Saijo, 2010]. 그리고 CAWS는 C-type lectin receptor인 Dectin-2에 의해 인식되고 Fcγ-Syk-CARD9 경로를 통해 세포에 신호를 보낸다[Saijo, 2010; Kerscher, 2013]. CAWS를 사용한 관상 동맥염 모델은 마우스의 종류에 따라 발생률이 다르다. C57BL/6, C3H/HeN과 DBA/2 계통 마우스에서는 동맥염 발생률이 100%였지만 저항성 계통인 CBA/J 마우스는 단지 10%에 불과하다[Nagi-Miura, 2006]. 특히 DBA/2 마우스는 가장 민감하고 심각한 동맥염을 유발하고 몇 주 이내에 죽는다[Shinohara, 2006; Hirata, 2006]. C57BL/6과 C3H/HeN 마우스는 약간 민감하고 보통 정도의 심한 동맥염을 유발한다. 그러나 저항성 계통인 CBA/J 마우스는 동맥염 징후가 거의 없다(단지 10% 발생). CAWS를 이용한 혈관염 유도 예시는 CAWS (4 mg/mouse)를 0.2 mL PBS 용액에 녹여서 5일 동안 연속으로 복강에 주입하여 혈관염을 유도한다[Oharaseki, 2014; 그림 6-4]. 그리고 마우스는 최종 주사 후 28일에 안락사하여 시료 채취 및 조직 검사를 시행한다. CAWS로 유도된 관상 동맥염은 가와사끼병의 조직학적 관찰을 위한 좋은 모델이다.

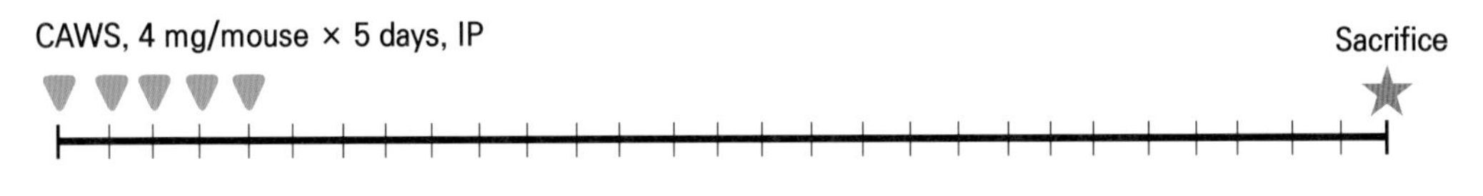

그림 6-4. CAWS를 이용한 혈관염 유도 방법의 예시.
출처: [Oharaseki, 2014]

*Candida albicans*를 이용한 관상 동맥염 모델은 마우스 계통 간에 민감도에 차이를 보인다. 그래서 저항성을 보이는 CBA/J 마우스와 *BTK* 유전자가 제거되어 민감성을 보이는 CBA/N 마우스를 사용해서 CAWS로 유도한 관상 동맥염 비교 실험에서 저항성 계통은 IL-10과 TIMP1의 생성이 매우 높으면서 동맥염이 유발되지 않았다. 그러나 반대로 민감성 계통에서는 IL-6과 IFN-γ의 생성이 높아지면서 관상 동맥염이 유발되었다. 이 결과로부터 IL-10이 CAWS 유도 관상 동맥염에 저항성을 보이는 매개 물질로 중요한 역할을 수행하고 IL-6과 IFN-γ가 민감성을 보이는데 중요한 역할을 한다는 것을 확인하였다[Miura, 2009; 그림 6-5]. CAWS로 유도된 관상 동맥염 모델에 대한 또 다른 연구에 의하면, CAWS가 주입되면 심장 섬유 세포(cardiac

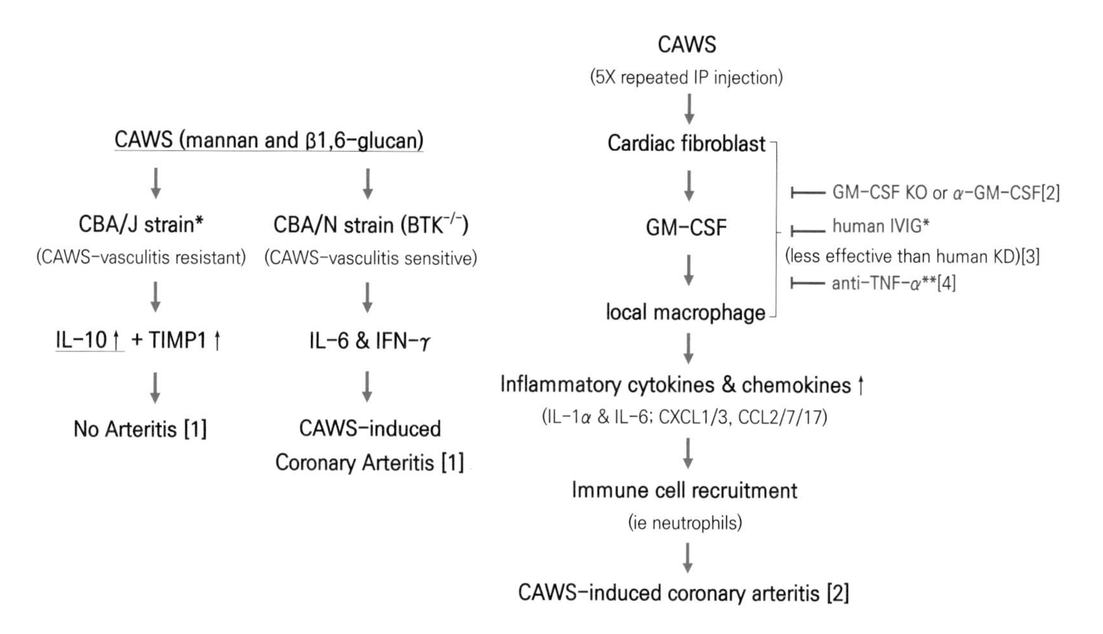

그림 6-5. ***Candida albicans*를 이용한 마우스 모델의 작용 기전.**
[1] Miura, 2009; Lehman, 1985; [2] Stock, 2016; [3] Takahashi, 2010; [4] Oharaseki, 2014.

fibroblast)가 GM-CSF를 분비하고 주변에 있는 대식 세포를 자극하여 다양한 염증성 사이토카인과 키모카인을 분비하여 호중구를 끌어들여 관상 동맥염을 유발한다. 이 모델에서 GM-CSF의 역할이 매우 중요하며, GM-CSF를 차단하면 관상 동맥염 유발을 억제할 수 있고[Stock, 2016], 사람의 가와사끼병 치료 효과보다는 덜 효과적이지만 human IVIG(사람과 달리 고용량 1일 치료보다는 저용량 5일 치료가 더 효과적임)도 치료 효과를 보인다[Takahashi, 2010]. 그리고 TNF-α를 차단하더라도(mouse anti-human TNF-α 단일클론 항체인 Infliximab은 효과가 없고 TNFR2-Fc fusion protein인 Etanercept가 효과를 보임) 동맥염 유발을 제어하는 효과를 보였다[Oharaseki, 2014]. 따라서 *Candida albicans*를 이용한 마우스 관상 동맥염 모델은 인간의 가와사끼병에 대한 병리학적 기전 규명 및 치료 반응성 기전 연구에 활용될 수 있다.

(2) *Lactobacillus casei*를 이용한 마우스 모델

Group B *Lactobacillus casei*는 인간과 설치류에서 정상적인 장내 세균총을 구성한다[Lehman, 1985]. 마우스에서 관상 동맥염은 *Lactobacillus casei* cell wall extract (LCWE)에 존재하는 superantigen에 의해서 유도된다. 유도하는 방법은 대식 세포가 결여된 C3H/HeJ 마우스 계통을 제외한 모든 종류의 마우스 계통에서 1회 복강 주사를 하면 된다[Lehman, 1985]. 이 모델은 사람의 가와사끼병 환자에서 관찰되는 다양한 종류의 염증 증상보다 더 강한 표현형을 보인다[Lin, 2012; 표 6-12].

표 6-12. 가와사끼병 환자와 LCWE 처리된 마우스에서 생성된 심혈관 이상의 비교

그룹	변수	병변의 종류			
		Arteritis	Myocarditis	Pericarditis	Valvulitis
인간 가와사끼병 환자	No. (N=334)	118	7	2	70
	%	**35.33%**	**2.10%**	**0.60%**	**20.96%**
LCWE 처리한 마우스	No. (N=23)	20	12	7	5
	%	**86.96%**	**52.17%**	**30.43%**	**21.74%**

출처: [Lin, 2012]

*Lactobacillus casei*는 gram-positive bacteria로 이 박테리아의 세포막 추출물을 마우스에 1회 복강 주사하면 단핵 면역세포를 끌어들이고[Lehman, 1985], 이 세포에서 gram-positive 특이적으로 TLR2 발현이 증가한다[Lin, 2012]. 그리고 대식세포가 LCWE로 유도된 관상 동맥염 모델에서 핵심적인 역할을 수행한다[Lehman, 1985; 그림 6-5]. 이 모델은 항체, 보체(complement) 및 T 세포가 매개된 면역 반응은 관여하지 않는 것으로 알려져 있다[Lehman, 1985]. 한 연구에 의하면 LCWE로 유도된 관상 동맥염 모델의 상세한 작용 기전으로 LCWE 1회 복강 주사를 하면 대식세포에서 ITPKC 발현이 감소하여(KO 마우스 또는 가와사끼병 환자의 risk allele을 가진 경우에도) 세포 내 칼슘 이온이 증가해서 *NLRP3* 발현이 증가한다. 이에 따라 IL-1β, IL-18 및 TNF-α의 생성이 촉진되어 유도된 염증반응으로 관상 동맥염이 만들어진다[Alphone, 2016; Lee, 2012]. 이 모델에서 anti-IL1 receptor를 처리하게 되면 강한 염증 반응을 줄일 수 있어서(89% 감소 효과), IL-1이 매우 중요한 매개 물질임을 밝히고 있다[Lee, 2012; 그림 6-5]. 또 다른 연구는 LCWE를 복강 주사하면 CD8+ T 세포가 중요한 역할을 수행해서 염증 매개 물질인 TNF-α 생성을 올리고 MMP9 분비를 촉진해 관상 동맥염이 생성된다고 한다. 특히 면역글로불린(IVIG)을 투여하면 CD8+ T 세포에서 TNF-α 분비를 억제해서 치료 효과를 보인다[Lau, 2009]. 이 모델은 B 세포, CD4+ T 세포, NKT 세포, Treg 세포는 관여하지 않는

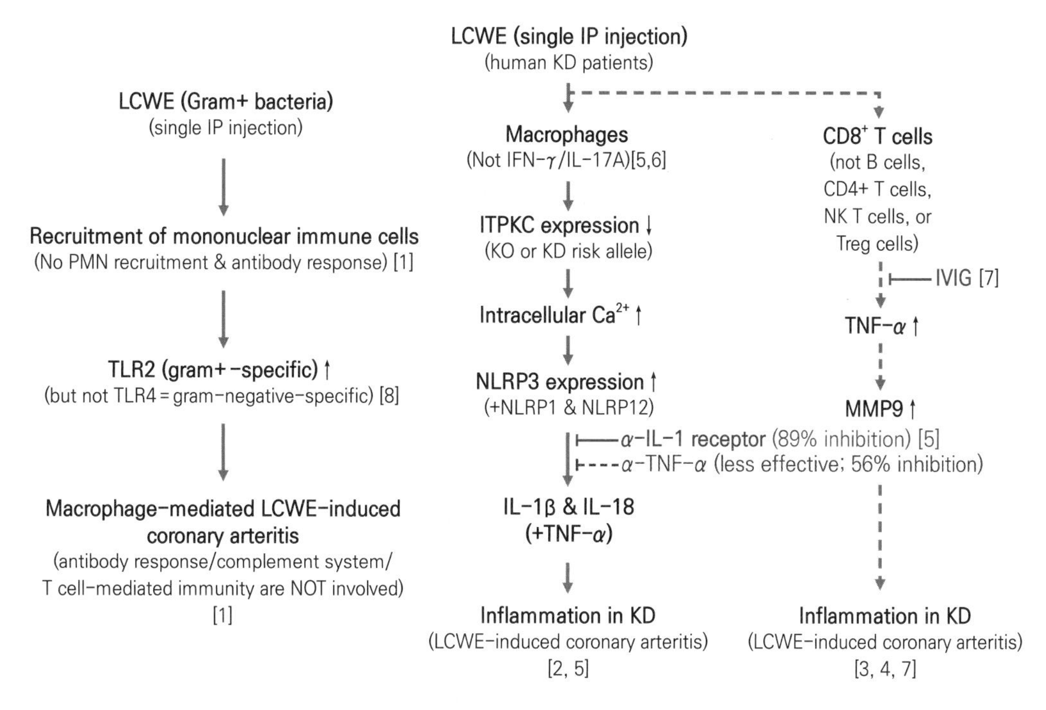

그림 6-6. Lactobacillus casei을 이용한 마우스 모델의 작용 기전.

[1] Lehman, 1985; [2] Alphonse, 2016; [3] Schulte, 2009; [4] Noval Rivas, 2017; [5] Lee, 2012; [6] Chan, 2004; [7] Lau, 2009; [8] Lin, 2012.

다고 한다(표 6-5).

(3) 가와사끼병 연구를 위한 동물 모델의 한계

지금까지 알려진 모든 동물 모델은 사람에서 일어나는 가와사끼병의 병리학적 특징을 재현하지 못한다. 따라서 병인이 확인될 때까지 가와사끼병의 고유하고 복잡한 혈관 병증의 유효한 동물 모델을 개발하는 것은 어려울 것이다[Orenstein, 2014].

참고 문헌

1. Alphonse MP, Duong TT, Shumitzu C, et al. Inositol-Triphosphate 3-Kinase C Mediates Inflammasome Activation and Treatment Response in Kawasaki Disease. J Immunol. 2016;197(9):3481-3489. PMID: 27694492
2. Amano S, Hazama F, Hamashima Y. Pathology of Kawasaki disease: I. Pathology and morphogenesis of the vascular changes. Jpn Circ J. 1979;43(7):633-643. PMID: 41111
3. Anzai T, Minami T, Sato T, Furui S, Yamagata T. Treatment of a patient with Kawasaki disease associated with selective IgA deficiency by continuous infusion of cyclosporine A without intravenous immunoglobulin. Turk J Pediatr. 2016;58(6):666-668. PMID: 29090883
4. Brown TJ, Crawford SE, Cornwall ML, Garcia F, Shulman ST, Rowley AH. CD8 T lymphocytes and macrophages infiltrate coronary artery aneurysms in acute Kawasaki disease. J Infect Dis. 2001;184(7):940-943. PMID: 11528596
5. Chan WC, Duong TT, Yeung RS. Presence of IFN-gamma does not indicate its necessity for induction of coronary arteritis in an animal model of Kawasaki disease. J Immunol. 2004;173(5):3492-3503. PMID: 15322214
6. Chang LS, Lo MH, Li SC, Yang MY, Hsieh KS, Kuo HC. The effect of FcγRIIA and FcγRIIB on coronary artery lesion formation and intravenous immunoglobulin treatment responses in children with Kawasaki disease. Oncotarget. 2017;8(2):2044-2052. PMID: 27893416
7. Chang LS, Ming-Huey Guo M, Lo MH, Kuo HC. Identification of increased expression of activating Fc receptors and novel findings regarding distinct IgE and IgM receptors in Kawasaki disease [published online ahead of print, 2019 Dec 9]. Pediatr Res. 2019;10.1038/s41390-019-0707-y. PMID: 31816620
8. Chantasiriwan N, Silvilairat S, Makonkawkeyoon K, Pongprot Y, Sittiwangkul R. Predictors of intravenous immunoglobulin resistance and coronary artery aneurysm in patients with Kawasaki disease. Paediatr Int Child Health. 2018;38(3):209-212. PMID: 29768976
9. Chung Mo Koo, Seong Yeol Choi, Dong Soo Kim and Ki Hwan Kim. Relation between Kawasaki Disease and Immunoglobulin E. J Rheum Dis. 2013;20(1):4-8.
10. Ding Y, Li G, Xiong LJ, et al. Profiles of responses of immunological factors to different subtypes of Kawasaki disease. BMC Musculoskelet Disord. 2015;16:315. PMID: 26497060
11. Furukawa S, Matsubara T, Motohashi T, Nakachi S, Sasai K, Yabuta K. Expression of Fc epsilon R2/CD23 on peripheral blood macrophages/monocytes in Kawasaki disease. Clin Immunol Immunopathol. 1990;56(2):280-286. PMID: 1696189
12. Furukawa S, Matsubara T, Motohashi T, et al. Increased expression of Fc epsilon R2/CD23 on peripheral blood B lymphocytes and serum IgE levels in Kawasaki disease. Int Arch Allergy Appl Immunol. 1991;95(1):7-12. PMID: 1833342
13. Furukawa S, Matsubara T, Yabuta K. Mononuclear cell subsets and coronary artery lesions in Kawasaki disease. Arch Dis Child. 1992;67(6):706-708. PMID: 1378258
14. Giordani L, Quaranta MG, Marchesi A, et al. Increased frequency of immunoglobulin (Ig)A-secreting cells following Toll-like receptor (TLR)-9 engagement in patients with Kawasaki disease. Clin Exp Immunol. 2011;163(3):346-353. PMID: 21175593
15. Ha KS, Jang GY, Lee J, Lee KC, Son CS. Laboratory Markers in Incomplete Kawasaki Disease according to Coronary Artery Outcome. Korean Circ J. 2018;48(4):287-295. PMID: 29625511
16. Han JW, Oh JH, Rhim JW, Lee KY. Correlation between elevated platelet count and immunoglobulin levels in the early convalescent stage of Kawasaki disease. Medicine (Baltimore). 2017;96(29):e7583. PMID: 28723797
17. Harada M, Yokouchi Y, Oharaseki T, et al. Histopathological characteristics of myocarditis in acute-phase Kawasaki disease. Histopathology. 2012;61(6):1156-1167. PMID: 23134515
18. Hirata N, Ishibashi K, Ohta S, et al. Histopathological examination and analysis of mortality in DBA/2 mouse vasculitis induced with CAWS, a water-soluble extracellular polysaccharide fraction obtained from Candida

albicans. Yakugaku Zasshi. 2006;126(8):643-650.

19. Hokibara S, Kobayashi N, Kobayashi K, et al. Markedly elevated CD64 expression on neutrophils and monocytes as a biomarker for diagnosis and therapy assessment in Kawasaki disease. Inflamm Res. 2016;65(7):579-585. PMID: 27020279

20. Igarashi H, Hatake K, Tomizuka H, Yamada M, Gunji Y, Momoi MY. High serum levels of M-CSF and G-CSF in Kawasaki disease. Br J Haematol. 1999;105(3):613-615. PMID: 10354120

21. Jia S, Li C, Wang G, Yang J, Zu Y. The T helper type 17/regulatory T cell imbalance in patients with acute Kawasaki disease. Clin Exp Immunol. 2010;162(1):131-137. PMID: 20718783

22. Katayama K, Matsubara T, Fujiwara M, Koga M, Furukawa S. CD14+CD16+ monocyte subpopulation in Kawasaki disease. Clin Exp Immunol. 2000;121(3):566-570. PMID: 10971526

23. Kawamori J, Miyake T, Yoshida T. B-cell function in Kawasaki disease and the effect of high-dose gammaglobulin therapy. Acta Paediatr Jpn. 1989;31(5):537-543. PMID: 2515730

24. Kawasaki T, Kosaki F, Okawa S, Shigematsu I, Yanagawa H. A new infantile acute febrile mucocutaneous lymph node syndrome (MLNS) prevailing in Japan. Pediatrics. 1974;54(3):271-276. PMID: 4153258

25. Kerscher B, Willment JA, Brown GD. The Dectin-2 family of C-type lectin-like receptors: an update. Int Immunol. 2013;25(5):271-277. PMID: 23606632

26. Khor CC, Davila S, Breunis WB, et al. Genome-wide association study identifies FCGR2A as a susceptibility locus for Kawasaki disease. Nat Genet. 2011;43(12):1241-1246. PMID: 22081228

27. Kim JJ, Kim HJ, Yu JJ, et al. IgA levels are associated with coronary artery lesions in Kawasaki diseas. Korean Circ. 2021;51(3):e16.

28. Ko TM, Kuo HC, Chang JS, et al. CXCL10/IP-10 is a biomarker and mediator for Kawasaki disease. Circ Res. 2015;116(5):876-883. PMID: 25605650

29. Kuo HC, Yang KD, Liang CD, et al. The relationship of eosinophilia to intravenous immunoglobulin treatment failure in Kawasaki disease. Pediatr Allergy Immunol. 2007;18(4):354-359. PMID: 17584314.

30. Kuo HC, Wang CL, Liang CD, et al. Association of lower eosinophil-related T helper 2 (Th2) cytokines with coronary artery lesions in Kawasaki disease. Pediatr Allergy Immunol. 2009;20(3):266-272. PMID: 19438983

31. Kuo HC, Chang JC, Kuo HC, et al. Identification of an association between genomic hypomethylation of FCGR2A and susceptibility to Kawasaki disease and intravenous immunoglobulin resistance by DNA methylation array. Arthritis Rheumatol. 2015;67(3):828-836. PMID: 25470559

32. Kuo HC, Li SC, Huang LH, Huang YH. Epigenetic hypomethylation and upregulation of matrix metalloproteinase 9 in Kawasaki disease. Oncotarget. 2017;8(37):60875-60891. PMID: 28977831

33. Kuo HC, Huang YH, Chung FH, et al. Antibody Profiling of Kawasaki Disease Using Escherichia coli Proteome Microarrays. Mol Cell Proteomics. 2018;17(3):472-481. PMID: 29246958

34. Kusakawa S, Heiner DC. Elevated levels of immunoglobulin E in the acute febrile mucocutaneous lymph node syndrome. Pediatr Res. 1976;10(2):108-111. PMID: 1705

35. Kwon YC, Kim JJ, Yun SW, et al. Male-specific association of the FCGR2A His167Arg polymorphism with Kawasaki disease. PLoS One. 2017;12(9):e0184248. PMID: 28886140

36. Lau AC, Duong TT, Ito S, Yeung RS. Intravenous immunoglobulin and salicylate differentially modulate pathogenic processes leading to vascular damage in a model of Kawasaki disease. Arthritis Rheum. 2009;60(7):2131-2141. PMID: 19565485

37. Lee HH, Park IH, Shin JS, Kim DS. Immunoglobulin V(H) chain gene analysis of peripheral blood IgM-producing B cells in patients with Kawasaki disease. Yonsei Med J. 2009;50(4):493-504. PMID: 19718396

38. Lee Y, Schulte DJ, Shimada K, et al. Interleukin-1β is crucial for the induction of coronary artery inflammation in a mouse model of Kawasaki disease. Circulation. 2012;125(12):1542-1550. PMID: 22361326

39. Lehman TJ, Walker SM, Mahnovski V, McCurdy D. Coronary arteritis in mice following the systemic injection of group B Lactobacillus casei cell walls in aqueous suspension. Arthritis Rheum. 1985;28(6):652-659. PMID:

3924060

40. Lin CY, Hwang B. Serial immunologic studies in patients with mucocutaneous lymph node syndrome (Kawasaki disease). Ann Allergy. 1987;59(4):291-297. PMID: 3662131

41. Lin IC, Kuo HC, Lin YJ, et al. Augmented TLR2 expression on monocytes in both human Kawasaki disease and a mouse model of coronary arteritis. PLoS One. 2012;7(6):e38635. PMID: 22737215

42. Ling XB, Lau K, Kanegaye JT, et al. A diagnostic algorithm combining clinical and molecular data distinguishes Kawasaki disease from other febrile illnesses. BMC Med. 2011;9:130. PMID: 22145762

43. Makowsky R, Wiener HW, Ptacek TS, et al. FcγR gene copy number in Kawasaki disease and intravenous immunoglobulin treatment response. Pharmacogenet Genomics. 2013;23(9):455-462. PMID: 23778324

44. Matsubara T, Furukawa S, Yabuta K. Serum levels of tumor necrosis factor, interleukin 2 receptor, and interferon-gamma in Kawasaki disease involved coronary-artery lesions. Clin Immunol Immunopathol. 1990;56(1):29-36. PMID: 2113446

45. Matsubara T, Furukawa S, Motohashi T, Okumura K, Yabuta K. Soluble CD23 antigen in Kawasaki disease and other acute febrile illnesses. Eur J Pediatr. 1995;154(10):826-829. PMID: 8529682

46. Miura NN, Komai M, Adachi Y, et al. IL-10 is a negative regulatory factor of CAWS-vasculitis in CBA/J mice as assessed by comparison with Bruton's tyrosine kinase-deficient CBA/N mice. J Immunol. 2009;183(5):3417-3424. PMID: 19675170

47. Morikawa Y, Ohashi Y, Harada K, et al. Coronary risks after high-dose gamma-globulin in children with Kawasaki disease. Pediatr Int. 2000;42(5):464-469. PMID: 11059532

48. Murata H. Experimental candida-induced arteritis in mice. Relation to arteritis in the mucocutaneous lymph node syndrome. Microbiol Immunol. 1979;23(9):825-831. PMID: 395420

49. Murata H, Naoe S. Experimental Candida-induced arteritis in mice--relation to arteritis in Kawasaki disease. Prog Clin Biol Res. 1987;250:523. PMID: 3423061

50. Nagelkerke SQ, Tacke CE, Breunis WB, et al. Extensive Ethnic Variation and Linkage Disequilibrium at the FCGR2/3 Locus: Different Genetic Associations Revealed in Kawasaki Disease. Front Immunol. 2019;10:185. PMID: 30949161

51. Nagi-Miura N, Shingo Y, Adachi Y, et al. Induction of coronary arteritis with administration of CAWS (Candida albicans water-soluble fraction) depending on mouse strains. Immunopharmacol Immunotoxicol. 2004;26(4):527-543. PMID: 15658603

52. Nagi-Miura N, Harada T, Shinohara H, et al. Lethal and severe coronary arteritis in DBA/2 mice induced by fungal pathogen, CAWS, Candida albicans water-soluble fraction. Atherosclerosis. 2006;186(2):310-320. PMID: 16157343

53. Nakatani K, Takeshita S, Tsujimoto H, Kawamura Y, Kawase H, Sekine I. Regulation of the expression of Fc gamma receptor on circulating neutrophils and monocytes in Kawasaki disease. Clin Exp Immunol. 1999;117(2):418-422. PMID: 10444279

54. Newburger JW, Takahashi M, Beiser AS, et al. A single intravenous infusion of gamma globulin as compared with four infusions in the treatment of acute Kawasaki syndrome. N Engl J Med. 1991;324(23):1633-1639. PMID: 1709446

55. Newburger JW, Takahashi M, Gerber MA, et al. Diagnosis, treatment, and long-term management of Kawasaki disease: a statement for health professionals from the Committee on Rheumatic Fever, Endocarditis, and Kawasaki Disease, Council on Cardiovascular Disease in the Young, American Heart Association [published correction appears in Pediatrics. 2005 Apr;115(4):1118]. Pediatrics. 2004;114(6):1708-1733. PMID: 15574639

56. Nishikawa T, Nomura Y, Kono Y, Kawano Y. Selective IgA deficiency complicated by Kawasaki syndrome. Pediatr Int. 2008;50(6):816-818. PMID: 19067898

57. Noval Rivas M, Lee Y, Wakita D, et al. CD8+ T Cells Contribute to the Development of Coronary Arteritis in the Lactobacillus casei Cell Wall Extract-Induced Murine Model of Kawasaki Disease. Arthritis Rheumatol. 2017;69(2):410-421. PMID: 27696768

58. Oharaseki T, Yokouchi Y, Yamada H, et al. The role of TNF-α in a murine model of Kawasaki disease arteritis induced with a Candida albicans cell wall polysaccharide. Mod Rheumatol. 2014;24(1):120-128. PMID: 24261768
59. Oharaseki T, Kameoka Y, Kura F, Persad AS, Suzuki K, Naoe S. Susceptibility loci to coronary arteritis in animal model of Kawasaki disease induced with Candida albicans -derived substances. Microbiol Immunol. 2005;49(2):181-189. PMID: 15722603
60. Ohshio G, Furukawa F, Khine M, Yoshioka H, Kudo H, Hamashima Y. High levels of IgA-containing circulating immune complex and secretory IgA in Kawasaki disease. Microbiol Immunol. 1987;31(9):891-898. PMID: 3696008
61. Öner T, Y i lmazer MM, Güven B, et al. An observational study on peripheral blood eosinophilia in incomplete Kawasaki disease. Anadolu Kardiyol Derg. 2012;12(2):160-164. PMID: 22306569
62. Orenstein JM, Shulman ST, Fox LM, et al. Three linked vasculopathic processes characterize Kawasaki disease: a light and transmission electron microscopic study. PLoS One. 2012;7(6):e38998. PMID: 22723916
63. Orenstein JM, Rowley AH. An evaluation of the validity of the animal models of Kawasaki disease vasculopathy. Ultrastruct Pathol. 2014;38(4):245-247. PMID: 25054804
64. Rothenberg ME. Eosinophilia. N Engl J Med. 1998;338(22):1592-1600. PMID: 9603798
65. Rowley AH, Eckerley CA, Jäck HM, Shulman ST, Baker SC. IgA plasma cells in vascular tissue of patients with Kawasaki syndrome. J Immunol. 1997;159(12):5946-5955. PMID: 9550392
66. Rowley AH, Shulman ST, Mask CA, et al. IgA plasma cell infiltration of proximal respiratory tract, pancreas, kidney, and coronary artery in acute Kawasaki disease. J Infect Dis. 2000;182(4):1183-1191. PMID: 10979916
67. Saijo S, Ikeda S, Yamabe K, et al. Dectin-2 recognition of alpha-mannans and induction of Th17 cell differentiation is essential for host defense against Candida albicans. Immunity. 2010;32(5):681-691. PMID: 20493731
68. Samada K, Igarashi H, Shiraishi H, Hatake K, Momoi MY. Increased serum granulocyte colony-stimulating factor correlates with coronary artery dilatation in Kawasaki disease. Eur J Pediatr. 2002;161(10):538-541. PMID: 12297900
69. Sawaji Y, Haneda N, Yamaguchi S, et al. Coronary risk factors in acute Kawasaki disease: correlation of serum immunoglobulin levels with coronary complications. Acta Paediatr Jpn. 1998;40(3):218-225. PMID: 9695293
70. Schulte DJ, Yilmaz A, Shimada K, et al. Involvement of innate and adaptive immunity in a murine model of coronary arteritis mimicking Kawasaki disease. J Immunol. 2009;183(8):5311-5318. PMID: 19786535
71. Shinohara H, Nagi-Miura N, Ishibashi K, et al. Beta-mannosyl linkages negatively regulate anaphylaxis and vasculitis in mice, induced by CAWS, fungal PAMPS composed of mannoprotein-beta-glucan complex secreted by Candida albicans. Biol Pharm Bull. 2006;29(9):1854-1861. PMID: 16946498
72. Shingadia D, O'Gorman M, Rowley AH, Shulman ST. Surface and cytoplasmic immunoglobulin expression in circulating B-lymphocytes in acute Kawasaki disease. Pediatr Res. 2001;50(4):538-543. PMID: 11568300
73. Shrestha S, Wiener HW, Olson AK, et al. Functional FCGR2B gene variants influence intravenous immunoglobulin response in patients with Kawasaki disease. J Allergy Clin Immunol. 2011;128(3):677-680. PMID: 21601260
74. Shrestha S, Wiener H, Shendre A, et al. Role of activating Fc γ R gene polymorphisms in Kawasaki disease susceptibility and intravenous immunoglobulin response. Circ Cardiovasc Genet. 2012;5(3):309-316. PMID: 22565545
75. Sohn MH, Noh SY, Chang W, Shin KM, Kim DS. Circulating interleukin 17 is increased in the acute stage of Kawasaki disease. Scand J Rheumatol. 2003;32(6):364-366. PMID: 15080268
76. Stock AT, Hansen JA, Sleeman MA, McKenzie BS, Wicks IP. GM-CSF primes cardiac inflammation in a mouse model of Kawasaki disease. J Exp Med. 2016;213(10):1983-1998. PMID: 27595596
77. Suzuki H, Noda E, Miyawaki M, Takeuchi T, Uemura S, Koike M. Serum levels of neutrophil activation cyto-

kines in Kawasaki disease. Pediatr Int. 2001;43(2):115-119. PMID: 11285059

78. Takahashi M. Myocarditis in Kawasaki syndrome. A minor villain?. Circulation. 1989;79(6):1398-1400. PMID: 2720935

79. Takahashi K, Oharaseki T, Naoe S, Wakayama M, Yokouchi Y. Neutrophilic involvement in the damage to coronary arteries in acute stage of Kawasaki disease. Pediatr Int. 2005;47(3):305-310. PMID: 15910456

80. Takahashi K, Oharaseki T, Yokouchi Y, Hiruta N, Naoe S. Kawasaki disease as a systemic vasculitis in childhood. Ann Vasc Dis. 2010;3(3):173-181. PMID: 23555407

81. Takahashi K, Oharaseki T, Yokouchi Y, et al. Administration of human immunoglobulin suppresses development of murine systemic vasculitis induced with Candida albicans water-soluble fraction: an animal model of Kawasaki disease. Mod Rheumatol. 2010;20(2):160-167. PMID: 19943075

82. Takahashi K, Oharaseki T, Yokouchi Y, Naoe S, Saji T. Kawasaki disease: basic and pathological findings. Clin Exp Nephrol. 2013;17(5):690-693. PMID: 23188196

83. Terai M, Yasukawa K, Honda T, et al. Peripheral blood eosinophilia and eosinophil accumulation in coronary microvessels in acute Kawasaki disease. Pediatr Infect Dis J. 2002;21(8):777-781. PMID: 12192168

84. Terai M, Yasukawa K, Honda T, et al. Peripheral blood eosinophilia and eosinophil accumulation in coronary microvessels in acute Kawasaki disease. Pediatr Infect Dis J. 2002;21(8):777-781. PMID: 12192168

85. Tsujimoto H, Takeshita S, Nakatani K, Kawamura Y, Tokutomi T, Sekine I. Intravenous immunoglobulin therapy induces neutrophil apoptosis in Kawasaki disease. Clin Immunol. 2002;103(2):161-168. PMID: 12027421

86. Uchiyama M, Ohno N, Miura NN, et al. Chemical and immunochemical characterization of limulus factor G-activating substance of Candida spp. FEMS Immunol Med Microbiol. 1999;24(4):411-420. PMID: 10435760

87. Wang CL, Wu YT, Liu CA, et al. Expression of CD40 ligand on CD4+ T-cells and platelets correlated to the coronary artery lesion and disease progress in Kawasaki disease. Pediatrics. 2003;111(2):E140-E147. PMID: 12563087

88. Wang Y, Wang W, Gong F, et al. Evaluation of intravenous immunoglobulin resistance and coronary artery lesions in relation to Th1/Th2 cytokine profiles in patients with Kawasaki disease. Arthritis Rheum. 2013;65(3):805-814. PMID: 23440694

89. Woon PY, Chang WC, Liang CC, et al. Increased risk of atopic dermatitis in preschool children with kawasaki disease: a population-based study in taiwan. Evid Based Complement Alternat Med. 2013;2013:605123. PMID: 24069052

90. Xia Y, Tian X, Li Q, Wang G, Li C, Yang J. Expression of FcRs on monocytes among Kawasaki disease patients with coronary artery lesions. Int Immunopharmacol. 2017;45:1-5. PMID: 28147297

91. Yamazaki-Nakashimada MA, Gámez-González LB, Murata C, Honda T, Yasukawa K, Hamada H. IgG levels in Kawasaki disease and its association with clinical outcomes. Clin Rheumatol. 2019;38(3):749-754. PMID: 30343342

92. Yilmazer MM, Mese T, Demirpençe S, et al. Incomplete (atypical) Kawasaki disease in a young infant with remarkable paucity of signs. Rheumatol Int. 2010;30(7):991-992. PMID: 19690862

93. Yoshioka T, Matsutani T, Iwagami S, et al. Polyclonal expansion of TCRBV2- and TCRBV6-bearing T cells in patients with Kawasaki disease. Immunology. 1999;96(3):465-472. PMID: 10233729

94. Zeller T, Wild P, Szymczak S, et al. Genetics and beyond--the transcriptome of human monocytes and disease susceptibility. PLoS One. 2010;5(5):e10693. PMID: 20502693

Chapter

7

가와사끼병의 치료와 관리

1. 가와사끼병의 자연 치유 과정

가와사끼병의 자연 치유 과정을 보면, 발병 후에 특별한 치료 없이도 대부분의 환자는 2–3주 후에 열이 사라진다[McCrindle, 2017]. 그러나 만약 적절한 치료를 하지 않으면 약 20–25%의 소아에서 혈관염의 후유증으로 관상 동맥류(coronary artery aneurysm; CAA)가 발생하여 심근경색 및 사망으로 이어질 수 있다[Kato, 1996; Newburger, 1986]. 또한 관상 동맥류 환자의 50–67%는 면역글로불린 치료 없이 시간이 지나면서 점진적으로 개선되기도 한다[Takahashi, 1987; Kato, 1996]. 그러나 관상 동맥 혈관염과 관상 동맥류로 인한 최대 사망률은 열이 발생한 후 15일에서 45일 사이에 발생하고, 심한 염증과 과도한 혈액 응고 상태에 의한 결과이다[Patel, 2015]. 그래서 급성기 가와사끼병에서 치료의 주요 목적은 전신 염증 반응을 억제하고 관상 동맥류 발생 위험을 최소화하는 것이다.

2. 가와사끼병에서 면역글로불린 치료 시대 이전의 치료 방법

가와사끼병이 발견되고 나서 처음에는 염증 반응을 억제하기 위해 주로 항생제와 스테로이드 약물이 사용되었다. 이 치료 방법은 효과가 거의 없어서 가와사끼병 환자의 약 2% 정도가 관상 동맥류와 같은 심장 이상으로 사망했다. 1975년–1980년 사이에는 항혈소판 치료 용량인 30–50 mg/kg/day의 아스피린이 가와사끼병의 치료제로 사용되면서 가와사끼병 사망률이 2%에서 0.5% 미만으로 급격히 감소했다[Ishii, 2020]. 아스피린 사용으로 사망률은 감소했지만 관

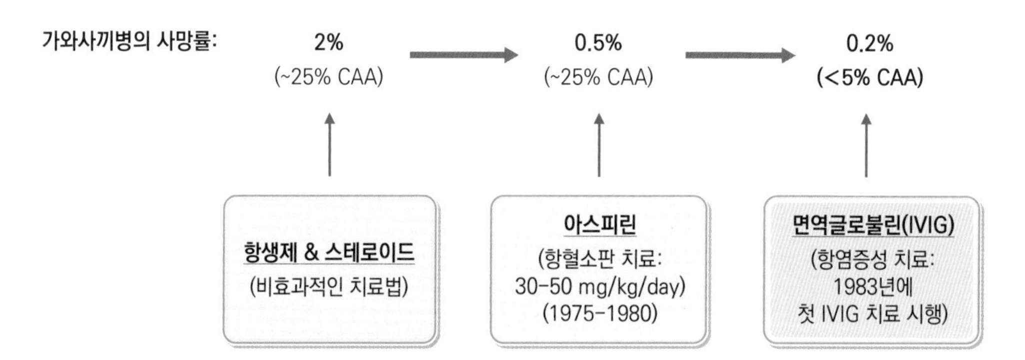

그림 7-1. **가와사끼병 치료제 사용의 역사 및 사망률의 변화.**
CAA, coronary artery aneurysm(관상 동맥류).

상 동맥류의 발생은 감소하지 않았다. 그리고 1983년에 가와사끼병 환자에서 면역글로불린이 치료제로 처음 시도된 이후에 가와사끼병의 치료제로 광범위하게 사용되면서 관상 동맥류(coronary artery aneurysm, CAA)의 발생도 치료받은 전체 환자의 약 5% 이하로 줄었고 사망률도 0.2%로 더욱 감소했다(그림 7-1).

(1) 항생제 치료

가와사끼병 환자의 열은 항생제에 반응하지 않는다[Kawasaki, 1974]. 그래서 현재 가와사끼병의 표준 치료에는 항생제가 포함되어 있지 않다[McCrindle, 2017]. 그러나 항생제는 처음 가와사끼병이 알려진 이후로 지속적으로 가와사끼병 환자에게 사용되었다. 항생제는 1974년에 92%의 환자에서 사용되었고, 1990년대에는 점차 70% 수준으로 감소하였다[Uehara, 2005]. 그러나 현재에도 높은 비율의 환자(54%)에서 실제 임상 진료 현장에서는 가와사끼병 진단 전에 항생제(ampicillin/sulbactam or cefotaxime 100–200 mg/kg/day)가 정맥 주사로 사용되고 있다[Han, 2018]. 가와사끼병 환자의 항생제 치료는 특히 나이가 아주 어린 소아[Han, 2018] 또는 8세 이상의 나이가 많은 소아[Stockheim, 2000]에서 더 많이 사용된다. 한편 항생제를 투여받은 가와사끼병 환자 그룹은 투여 받지 않은 환자 그룹에 비해서 나이가 더 어리고($P<0.001$), 입원 기간이 더 길며($P<0.045$), 백혈구 수($P = 0.005$)와 CRP 수치($P = 0.005$)가 더 높았다[Han, 2018; 표 7–1]. 이러한 결과는 항생제 치료 때문인지 아니면 더 어린 소아에서(나이의 효과 때문에) 더 심각한 염증 현상을 보여서 항생제가 사용되었는지는 추가적으로 확인이 필요하다.

가와사끼병 환자에서 항생제의 효과는 무엇인지 살펴보도록 하자. 가와사끼병을 처음 발견

표 7-1. 가와사끼병에서 항생제 치료받은 환자군과 치료받지 않은 환자군의 임상적 차이

변수	항생제 치료받은 환자 (n = 76)	항생제 치료받지 않은 환자 (n = 64)	*P*
나이 (개월)	17.5	27.5	<0.001
입원 기간 (일)	6.0	5.0	0.045
백혈구 수 ($\times 10^9$/L)	15.1	13.0	0.005
CRP (mg/L, 정상: <5 mg/L)	84	55	0.005
농뇨(pyuria), n(%)	32 (42.1)	16 (25.0)	0.034

*data are median. 출처: [Han, 2018]

한 가와사끼 박사의 원래 보고서[Kawasaki, 1967]는 가와사끼병의 발생이 테트라사이클린(tetracycline) 사용 증가와 동시에 발생했기 때문에 인과 관계에 대한 추측이 있었다. 그러나 마우스 모델 연구에서 동맥염을 유발하는 *Candida* 추출물 대신에 테트라사이클린을 투여했을 때 동맥염이 발생하지 않았다[Murata, 1979]. 이 결과는 항생제 자체는 가와사끼병을 유발하는 원인이 되지 않는다는 것을 알 수 있다. 그러나 항생제 자체가 가와사끼병을 유발하지는 않지만 항생제 과다 사용으로 무균 상태와 같은 조건하에서 소아의 면역 발달을 저해하여 가와사끼병 발생의 감수성을 더 높일 수 있는 가능성은 배제할 수 없다. 한편, 가와사끼병 환자에서 항생제 치료 무반응성은 가와사끼병의 원인이 박테리아 감염보다는 바이러스 감염이 병의 원인으로 작동할 수 있음을 시사 하지만, 가와사끼병의 특성 중에 전염성이 없다는 것은 가와사끼병의 원인이 병원성 박테리아 또는 바이러스와 같은 감염원에 의해 유발되지 않음을 시사한다.

(2) 스테로이드 치료

스테로이드(corticosteroids)는 면역글로불린의 효능이 확립되기 전 1960년대와 1970년대에 일본에서 가와사끼병의 1차 치료제로 사용되었다. 스테로이드 제제는 1975년에 53%의 환자에 사용되었지만, 1983년에는 6.3%로 급격히 떨어졌다가 1990년대에는 거의 폐기되었다[Uehara, 2005].

스테로이드의 생물학적 반감기는 12–36시간이고, 혈액 내 반감기는 약 3시간이다[Meyers, 1980; Conn, 1976]. 스테로이드에는 강력한 항염증 작용(anti-inflammatory action)과 해열 작용(anti-pyretic action)이 있다. 그래서 염증이 완전히 가라앉지 않더라도 스테로이드의 해열

작용에 의해 가와사끼병의 혈관염이 개선될 수도 있다[Miura, 2018]. 글루코코르티코이드(glucocorticoids)는 천식, IgA 혈관염, 신 증후군(nephrotic syndrome), 백혈병 및 콜라겐 질환과 같은 여러 소아 질환에 널리 사용되는 전형적인 항염증제이다. 일반적으로 사용되는 글루코코르티코이드에는 프레드니솔론(**prednisolone, PSL**; 일반적으로 경구 투여)과 메틸 프레드니솔론(**methylprednisolone, MP**)(강한 항염증 효과가 있음)이 있다. 정맥 내 메틸 프레드니솔론 펄스(**intravenous methylprednisolone pulse, IVMP**) 요법은 종종 콜라겐 혈관 및 신장 질환과 같은 중증 또는 불응성 질환이 있는 소아를 치료하는 데 사용된다. 가와사끼병은 염증성 혈관염의 한 형태이기 때문에 글루코코르티코이드 요법은 염증을 억제하기 위한 하나의 치료 방식이다. 가와사끼병 환자에게 스테로이드가 사용되는 경우에는 PSL은 발열 시기에 1일 3회 투여로 나누어 2 mg/kg/day로 정맥 투여한다. 이것은 상태가 안정되면 경구 투여로 변경하고, CRP가 정상화된 후에는 점점 줄여서 나중에는 중단한다. 반면 IVMP는 일반적으로 3일 동안 1일 1회 30 mg/kg으로 정맥 투여하지만 가와사끼병의 경우에는 1–3일 동안 투여하는 것이 일반적이다[Ishii, 2020].

비록 적은 숫자의 환자 시료가 이용되었지만 1979년에 처음으로 스테로이드(prednisolone)가 가와사끼병 환자에 투여되어 치료 효능을 조사하였다. 발병 1–2개월 후에 관상 동맥 조영술을 통해 항생제만 투여한 경우 20%, 스테로이드 투여군 64.7%, 아스피린 투여군 11%에서 관상 동맥류가 나타났다[Kato, 1979]. 이러한 결과는 가와사끼병에서 스테로이드 치료가 기대와는 반대로 가와사끼병의 관상 동맥 병변의 진행을 촉진할 수 있음을 시사한다. 그리고 미국에서 2007년에 면역글로불린 표준 치료 그룹(IVIG)과 면역글로불린 표준 치료법에 스테로이드를 추가한 그룹(IVIG+IVMP) 간의 비교 시험에서 두 그룹 간에 유의적인 임상적 차이를 발견하지 못했다[Newburger, 2007]. 이 결과는 면역글로불린 표준 치료 방법에 스테로이드를 추가하여 치료할 필요는 없다는 것을 확인하였다. 그리고 2018년에 일본에서 면역글로불린 표준 치료 방법에 스테로이드를 추가하여 치료하는 경우에 적합한 스테로이드의 수치에 대한 연구가 진행되었는데, 정상 용량의 스테로이드(0.5–4.0 mg/kg/day)와 높은 용량의 스테로이드(10–40 mg/kg/day) 간에 관상 동맥 이상이나 다른 임상 변수에는 유의적인 차이가 관찰되지 않았다[Okubo, 2018]. 따라서 면역글로불린 표준 치료에 스테로이드를 추가하여 가와사끼병 환자를 치료하는 경우에는 스테로이드 용량은 <4 mg/kg/day만 사용하더라도 충분할 것이다. 그리고 위의 내용을 종합해 보면, 급성기 가와사끼병 환자에게 스테로이드(PSL 또는 IVMP)는 1차 치료로서 효과적인 치료법이 아니다[Miura, 2018].

(3) 아스피린 치료

가와사끼병이 발견되고 나서 처음에는 가와사끼병의 혈관염 치료제로 스테로이드(predniso-lone)와 아스피린이 주로 사용되었다[Ishii, 2020]. 그런데 1979년에 일본에서 가와사끼병의 치료제로 아스피린과 스테로이드 비교 시험에서 스테로이드(prednisolone) 그룹에서 더 높은 합병증 발생률과 사망 사례가 많았고, 아스피린 치료 그룹은 관상 동맥 이상의 발생률을 낮춘다는 사실을 확인하였다[Kato, 1979]. 이 보고를 기점으로 스테로이드는 급격히 사라지고 아스피린이 가와사끼병 치료제의 주류가 되었다(아스피린이 급성기 가와사끼병 치료제로 처음 확립된 약물이 됨). 가와사끼병 환자의 사망률은 아스피린 치료에 의해 약 2%에서 약 0.2%로 감소했지만, 관상 동맥 이상의 합병증 비율은 약 25%로 그대로 유지되어 아스피린만을 사용한 치료 방법은 사망률을 낮추는 데는 매우 유용하지만 관상 동맥 이상의 발생을 감소시키지는 못했다[Kato, 1979; Ishii, 2020].

아스피린은 사용하는 용량의 차이로 다른 약리 효과를 나타낸다.

- 항혈소판 용량 (저용량): 3–5 mg/kg/day
- 해열 용량 (중간 용량): 30–50 mg/kg/day
- 항염증 용량 (고용량): 80–100 mg/kg/day

아스피린의 작용 기전을 살펴보면, 고용량의 아스피린은 항염증 작용을 가지고 있고 저용량의 아스피린은 항혈소판 활성을 가지고 있다. 고용량(항염증 활성을 위해)에서 아스피린은 세포 내에서 IKK의 활성을 억제하여 NF–kB가 세포핵으로 이동하는 것을 방지하여 아라키돈 산(arachidonic acid)에서 프로스타글란딘 E2 (prostaglandin E2)의 합성을 차단하여 항염증 효과를 발휘한다. 그런데 저용량(항혈소판 활성을 위해)의 아스피린은 시클로옥시게나제 효소(cyclooxygenase enzymes)를 억제하여 프로스타글란딘(prostaglandin)과 트롬복산(thrombox-ane A2) 합성을 감소시켜 혈소판 응집을 억제한다[Yeung, 2012; recited from Marchesi, 2018].

현재 일본의 가와사끼병 치료 지침은 급성기에 해열 목적의 아스피린 용량(30–50 mg/kg/day)을 사용하고, 열이 사라지면 그 다음에는 염증 수치가 정상으로 돌아가고 심장 초음파 검사에서 관상 동맥이 정상일 때까지 항혈소판 목적의 저용량 아스피린(3–5 mg/kg/day)을 사용하도록 권장한다[Burns, 2017]. 그런데 미국과 일본의 치료 지침에는 급성기에 다른 용량의 아스피린(미국은 항염증 용량의 80–100 mg/kg/day vs. 일본은 해열 용량인 30–50 mg/kg/day)이 사용되지만 관상 동맥류의 발생률은 동일하다[Ogata, 2013]. 이러한 차이는 현재 면역글로불린 표준 치료에 미국 기준(항염증 용량의 고용량 아스피린) 또는 일본 기준(항혈소판 용량의 중간 아스피린)의 어떤 것을 사용하더라도 아스피린 자체가 관상 동맥 이상의 발생률에는 영향을 미치지 않는다는 사실이 여러 연구를 통해 잘 알려져 있다[Akagi, 1990; Lee, 2013; Durongpisitkul, 1995; Terai, 1997; Hsieh, 2004]. 추가적으로 고용량 아스피린과 중간 용량의 아스피린을 사용한 그룹 간 비교 시험에서도 관상 동맥 이상의 발생률에는 차이가 없다[Dallaire, 2017; Kim, 2017; Amarilyo, 2017; Kuo, 2015; Rahbarimanesh, 2014; Saulsbury, 2002]. 그리고 1997년 연구에 의하면 가와사끼병 환자에서 관상 동맥 이상의 발생은 투여되는 면역글로불린의 용량에 의해 결정되지만, 아스피린 용량에 의해서는 결정되지 않는다는 사실이 확인되었다[Terai, 1997]. 이러한 결과를 종합해 보면, 급성기 가와사끼병 치료에 사용되는 아스피린은 사망률은 현격히 감소시키지만 관상 동맥 이상의 발생률에는 영향을 미치지 않기 때문에 가와사끼병에서 가장 문제가 되는 관상 동맥 이상의 발생을 제어하기 위해서는 중간 용량의 아스피린을 사용해도 전혀 문제가 되지 않을 듯하다.

가와사끼병 치료 시 아스피린의 부작용으로는 간독성[Kusakawa, 1987], 위염 및 상부 위장 출혈[Matsubara, 1996], 감각 신경성 청력 손실[Knott, 2001], 및 라이 증후군(Reye syndrome)[Wei, 2005]이 있다. 따라서 일부 가와사끼병 치료 지침은 고용량 아스피린의 부작용 위험을 피하기 위해 처음부터 저용량(3–5 mg/kg/day) 항혈전용 아스피린을 권장하기도 한다[Ho, 2017]. 라이 증후군(Reye syndrome)은 수두 또는 인플루엔자에 의한 활동성 감염을 경험하는 동안 아스피린을 투여 받은 어린이에서 나타날 수 있는 위험이다. 가와사끼병 환자의 경우에는 발병 후 장기간 고용량 아스피린을 복용하는 환자에서 보고되었으나, 항혈소판 효과에 사용되는 저용량 요법은 라이 증후군의 발생과는 관련이 없다고 한다[McCrindle, 2017].

3. 가와사끼병의 면역글로불린 표준 치료법

(1) 가와사끼병의 표준 치료법

- 급성기 치료: 10–12시간에 걸쳐 고용량의 면역글로불린(2 g/kg)을 아스피린 80–100 mg/

kg/day (미국에서 사용하는 항염증 효과의 고용량 아스피린) 또는 30–50 mg/kg/day (일본과 유럽에서 사용하는 항혈소판 효과의 중간 용량 아스피린)과 함께 정맥 주입한다. 그리고 면역글로불린 치료 저항성 환자는 동일한 용량의 면역글로불린을 재주입하거나 스테로이드(corticosteroids) 또는 인플릭시맵(Infliximab)으로 치료한다.

- 회복기 치료: 저용량의 항혈소판용 아스피린(3–5 mg/kg/day)을 관상 동맥 손상 위험이 가장 높은 시기인 발병 후 6–8주(2017 AHA 가이드라인에서는 4–6주)까지 경구로 투여한다[McCrindle, 2017; Galeotti, 2016].
- 관상 동맥 이상을 가진 환자의 장기 치료 방법: 관상 동맥 이상을 가진 환자는 아스피린(3–5 mg/kg/day; 항혈소판 치료 용량)을 경구로 주고, 경우에 따라서는 클로피도그렐(clopidogrel 1 mg/kg/day, max 75 mg/day)을 추가하기도 한다. 그리고 고위험의 혈전증을 가진 환자에게는 와파린을 추가하기도 한다.

(2) 가와사끼병에서 면역글로불린 치료의 임상적 효과

가와사끼병 환자에서 면역글로불린 치료를 하면 대부분의 환자는 즉시 또는 치료 후 1–2일 이내에 열이 떨어진다[Harnden, 2014]. 발열 후 10일 이내에 아스피린과 함께 고용량 면역글로불린으로 치료하면 관상 동맥류의 위험이 25%에서 5% 이하로 줄어들게 되어(직경이 8 mm 이상인 giant coronary artery aneurysm은 0.5%–1%)[Nakamura, 2012; Newburger, 2004; Eleftheriou, 2014], 가와사끼병에서 95% 이상의 사례에서는 후유증 없이 제어 가능하다. 그리고 사망률은 약 0.1% 정도로 낮아진다[Hedrich, 2018]. 그러나 약 10–15%의 가와사끼병 환자는 최초 면역글로불린(2 g/kg) 치료 후에 36시간이 지나서도 열이 떨어지지 않는 면역글로불린 치료 저항성을 보인다(IVIG non–responders)[Burns, 1998; Wallace, 2000; Son, 2018]. 면역글로불린 치료 저항성 환자는 치료 반응성 환자에 비해 관상 동맥 이상의 위험이 약 3배 증가한다(15% vs. 5%)[Tremoulet, 2008].

(3) 가와사끼병 치료를 위한 최적의 면역글로불린 용량

면역글로불린(IVIG)은 1981년에 면역성 혈소판 감소성 자반증(immune thrombocytopenic purpura; ITP) 치료에 처음 사용되었다[Imbach, 1981; 표 7–2]. 이 결과를 바탕으로 1983년 일

표 7-2. **가와사끼병에서 면역글로불린 치료 개발의 역사**

연도	치료 방법 및 임상 효과
1981	**ITP에 대한 IVIG 치료[Imbach, 1981]**: IVIG는 선천성 무 감마 글로불린 혈증(congenital agammaglobulinemia)과 2차 면역성 혈소판 감소성 자반증 (secondary immune thrombocytopenic purpura; ITP)을 가진 어린이를 치료하는 데 처음 사용되었다.
1983	**가와사끼병에서 첫 번째 IVIG 치료[Furusho, 1983]**: • IVIG (400 mg/kg/day × 5 days; n = 14): 빨리 열이 사라지고 CRP가 낮아짐. 0% CAA • 아스피린 (10-30 mg/kg/day × 3개월 이상; n = 40): 17% CAA
1984	**가와사끼병에서 중간 용량 아스피린 단독 vs. [IVIG+아스피린] 병합 투여의 비교 시험[Furusho, 1984]**: 병합 투여가 3배 더 효과적임. • IVIG (400 mg/kg/day × 5 days) + 아스피린 (n = 40): 15% 관상 동맥 확장(29일 이내) • 아스피린 (발열 기간 중 30-50 mg/kg/day 매일 3회 분할 투여+ 열이 사라진 후에는 매일 한번 투여 10-30 mg/kg/day) (n = 45): 42% 관상 동맥 확장(29일 이내)
1986	**가와사끼병에서 고용량 아스피린 단독 vs. [IVIG+아스피린] 병합 투여의 대규모 비교 시험[Newburger, 1986]**: 병합 투여가 3-4배 더 효과적임. • IVIG (400 mg/kg/day×5 days) + 아스피린 (n = 84): 8% CAL(2주 후); 4% CAL(7주 후) • 고용량 아스피린 단독 (100 mg/kg/day×14 days + 14일 이후 매일 3-5 mg/kg) (n = 84): 23% CAL (2주 후) 및 18% CAL (7주 후)
1987-1988	**IVIG 투여량의 개선[Nishihara, 1988; Nagashima, 1987]**: • 160명의 환자를 대상으로 다기관 일본 비교 시험에서 5일 프로토콜의 3가지 다른 용량 (50-100 mg/kg/day, 200 mg/kg/day 및 400 mg/kg/day)에서 최고 용량만이 관상 동맥 결과에 유익한 효과를 나타냈다[Nishihara, 1988]. • 136명의 환자를 대상으로 한 다른 일본 연구에서 비록 IVIG를 투여 받은 사람의 23%는 여전히 발열이 지속되었지만, IVIG (400 mg/kg/day × 3 days) + 아스피린 (30 mg/kg/일) 병합 투여가 아스피린 (30 mg/kg/day) 단독 투여에 비해 더 좋은 결과를 보였다[Nagashima, 1987]. • IVIG 투여 전 낮은 IgG 수치는 관상 동맥 이상과 연관되어 있다[Sawaji, 1998].
1991	**가와사끼병에서 IVIG 단일 투여(2 g/kg)와 IVIG 다회 투여(400 mg/kg/day × 4일)의 대규모 비교 시험 [Newburger, 1991]**: 고용량 IVIG 1회 투여가 더 효과적임. • IVIG 단일 투여(2 g/kg) + 아스피린(n = 273): 열이 짧아지고 급성 염증이 더 빠르게 사라지고 관상 동맥 이상이 낮아진다. • IVIG 4회 투여 (400 mg/kg/day × 4 days) + 아스피린 (14일까지 100 mg/kg + 14일 이후 3-5 mg/kg) (n = 276): 2주에 CAL의 상대적 유병률 = 1.94배; 치료 7주 후 CAL의 상대적 유병률 = 1.84배; 부작용 비율에는 두 그룹 간 차이가 없었다. ※1999년에 일본에서 2 g/kg의 단일 용량이 5일 동안 400 mg/kg/day 투여보다 더 효율적임이 확인되었다 [Sato, 1999].
1997	1997년에 관상 동맥류(CAA)의 발생은 면역글로불린 용량과 음의 상관관계가 있고 아스피린 투여 용량과는 무관하다는 것이 밝혀졌다[Terai, 1997]. 즉, IVIG 용량이 많을수록 CAL 발생률이 낮았다.
2004, 2017	**가와사끼병에서 표준 IVIG 치료 요법(2 g/kg의 단일 투여)**: • 2004년과 2017년에 발표된 미국심장학회(AHA) 가이드라인은 가와사끼병의 초기 관리를 위해 발병 후 5-10일 이내에 10-12 시간 동안 주입 과정을 통해 투여되는 고용량 (2 g/kg)의 IVIG를 아스피린과 함께 1회 투여를 권장하고 있다[Newburger, 2004; McCrindle, 2017].

CAA, coronary artery aneurysm; CAL, coronary artery lesions; ITP, immune thrombocytopenic purpura. 출처: [Lo, 2018]

본에서 처음으로 가와사끼병 치료에 면역글로불린이 치료제로 사용되었는데, 기존에 치료제로 사용되던 아스피린에 비해서 면역글로불린(400 mg/kg/day 5일 투여)이 염증이 빨리 사라지고 관상 동맥 이상도 나타나지 않았다[Furusho, 1983]. 1년 후인 1984년에 일본의 동일한 연구자가 중간 용량의 아스피린(30−50 mg/kg/day) 단독 투여 보다는 [IVIG+아스피린] 병합 투여가 관상 동맥 이상을 예방하는데 약 3배 정도 더 효과적임을 확인하였다[Furushoi, 1984]. 그리고 고용량 아스피린(100 mg/kg/day)을 단독 투여한 경우와 [IVIG+아스피린] 병합 투여한 비교 연구에서도 병합 투여가 관상 동맥 이상을 예방하는데 약 3−4배 더 효과적임을 확인하였다[Newburger, 1986]. 1987년에는 일본에서 다기관 비교 시험을 통해 면역글로불린 용량이 5일 동안 400 mg/kg/day로 투여한 그룹에서만 치료 효과를 보이고 그 이하 농도에서는 치료 효과가 없음을 보고하여 최소한 400 mg/kg/day 이상의 면역글로불린을 투여해야 함을 알게 되었다[Nishihara, 1988]. 1991년에 미국의 다기관 비교 시험에서 고용량의 면역글로불린(2 g/kg) 단일 투여가 면역글로불린 다회 투여(400 mg/kg/day 4일 동안)보다 더 효과적인 치료 방법임을 알았다[Newburger, 1991]. 1999년에 거의 동일한 비교 시험이 일본에서도 시행되어 단일 투여가 다회 투여보다 더 효과적임을 확인하였다[Sato, 1999]. 그리고 [IVIG+아스피린] 병합 투여에 의한 관상 동맥 이상을 예방하는 효과는 투여하는 면역글로불린 용량과 음의 상관관계를 가지고 있고 아스피린 투여 용량과는 무관함이 밝혀졌다[Terai, 1997]. 즉, 면역글로불린 투여 용량이 많을수록 관상 동맥 이상의 발생률이 낮았다. 위의 연구 결과를 바탕으로 2004년과 2017년에 발표된 미국심장학회의 가와사끼병 치료 가이드라인에서는 가와사끼병의 초기 관리를 위해 발병 후 5−10일 이내에 10−12시간 동안 고용량(2 g/kg)의 면역글로불린을 아스피린과 함께 1회 투여하는 것을 권장하고 있다[Newburger, 2004; McCrindle, 2017]. 참고로 고용량의 면역글로불린(2 g/kg)을 아스피린과 함께 투여하면 가와사끼병 환자에서 관상 동맥 이상의 발생률을 25%에서 3−5% 수준으로 감소시킬 수 있다[Newburger, 1991].

한편 일본의 가와사끼병 치료 가이드라인은 미국 심장학회의 가이드라인과는 조금 차이를 보이고 있다(표 7-3). 2003년도에 나온 제1차 가와사끼병 치료 가이드라인에서는 IVIG 200−400 mg/kg/dose로 3−5일간 치료하는 것을 제시하였다. 그리고 2012년도에 나온 제2차 가와사끼병 치료 가이드라인에서는 아스피린과 함께 IVIG 1−2 g/kg/dose를 8−12시간에 투여하는 것으로 1) 2 g/kg를 한 번에 투여, 2) 1 g/kg을 1일 또는 2일에 연속으로 투여, 또는 3) 하루에 200−400 mg/kg을 3−5일간 투여하는 방법을 권장하였다. 그러나 2009년부터 2 g/kg/24hr 치료법이

표 7-3. **일본의 가와사끼병 급성기 치료 가이드라인**

구분	연도	치료 방법
급성기 가와사끼병 치료를 위한 제1차 일본 가이드라인	2003	IVIG 200-400 mg/kg/dose를 3-5일 동안 분할하여 투여
급성기 가와사끼병 치료를 위한 제2차 일본 가이드라인	2012	IVIG 1-2 g/kg/dose를 8-12시간 투여(아스피린과 함께): • 2 g/kg/day (단일 투여) • 1 g/kg/day를 1일 또는 2일 연속 투여(변형된 단일 투여) • 200-400 mg/kg/day를 3-5일간 투여(분할 투여)

출처: Kawasaki Disease (2017), p103-105

전면 시행됨에 따라 현재는 거의 모두 이 치료 방법을 사용하고 있다[Kitano, 2014]. 일본의 치료 가이드라인은 면역글로불린 비용이 매우 비싸기 때문에 가능한 적은 용량으로 최대의 효과를 보는 치료 가이드라인이 제시된 것이 특징이다.

(4) 가와사끼병 치료를 위한 최적의 면역글로불린 투여 시기

가와사끼병에서 최상의 임상적 치료 효과를 얻기 위해서는 면역글로불린 치료 시기가 매우 중요하다. 일본의 전국 역학 설문 조사(n = 20,993)에 따르면 가와사끼병 환자에서 관상 동맥 이상의 위험 요인으로는 성별(남성: OR = 2.14, $P < 0.001$)과 늦은 치료 시기가 큰 위험 요인으로 알려져 있다(late therapy: OR = 1.66, $P = 0.036$)[Kuwabara, 2018]. 가와사끼병 환자에서 4일 이전에 치료하는 것은 발병 후 5일에서 7일 사이에 통상적으로 치료하는 방법과 비교해서 관상 동맥 이상의 위험을 감소시키지 못한다. 발병 후 10일 이후에 치료하는 것은 통상적으로 치료하는 시기(5일–7일)에 비교해 약 10배 정도 관상 동맥 이상의 위험이 증가하고(19.5% vs. 2.0%), 그리고 발병 후 8일–10일 사이에 치료가 이루어지면 관상 동맥 이상의 위험을 약 1.7배 증가한다(OR = 1.66). 또한 조직학적 연구에 따르면 관상 동맥의 변형은 보통 발병 후 7–10일에 시작되기 때문에[Baer, 2006], 최소한 발병 후 10일 이내에 면역글로불린 치료가 이루어져야 하고, 이상적으로는 7일 이내에 면역글로불린 치료가 시작되어야 한다[Newburger, 2004; Zhang, 1999; Yanagawa, 1999](그림 7-2).

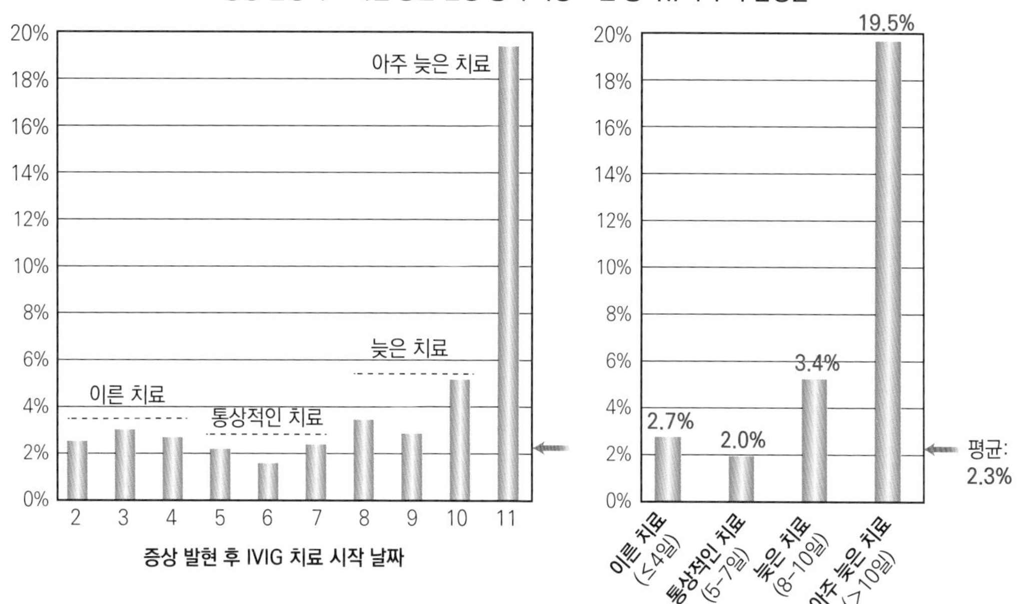

그림 7-2. **면역글로불린 치료 시기와 관상 동맥 이상의 발생률 간의 관계.**
출처: [Kuwabara, 2018]

지금까지 보고된 다양한 면역글로불린 치료 시기가 임상 결과에 미치는 효과를 분석한 내용을 아래에 정리한다.

■ 발병 후 4일 이내 조기 면역글로불린을 치료하는 경우의 효과

전통적으로 가와사끼병의 진단 기준에 5일 이상의 발열이 포함되어 있기 때문에 면역글로불린 치료는 통상적으로 발열 5일 후에 진행된다. 그러나 관상 동맥 이상의 위험성 때문에 5일 이전에도 면역글로불린 치료가 시행되고 있다. 그러나 발병 후 4일 이내에 면역글로불린 치료가 시행되는 경우에는 통상적인 치료 시기(발병 후 5일–7일)보다도 거의 2배의 면역글로불린 치료 저항성과 추가적인 면역글로불린 투여가 필요하다[Kuwabara, 2018; 표 7–4]. 그리고 발병 후 4일 이내에 치료가 시행되는 경우에는 주로 상대적으로 더 어린 소아에서 이루어지기 때문에 조기 면역글로불린 치료가 면역글로불린 치료 저항성을 높이는 원인인지 아니면 나이 효과에 의한 것인지 추가적으로 분석이 필요하다. 그래서 치료시기에 미치는 다양한 종류의 교란변수인 나이, 성별, 진단 및 초기 면역글로불린 용량 등의 변수를 보정한 후에도 여전히 발병 후 4일 이내에 시행되는 조기 치료는 발병 후 5-9일에 시행되는 통상적인 치료시기에 비해서 면역글로불린 치료를 추가로 더 시행해야 하고(16% vs. 9%), 위험도는 약 1.12배 증가시켰다[Muta, 2004; 표 7-5]. 또 다른 연구에서도 여러 교란변수를 보정한 후에 4일 이내 면역글로불린 치료 그룹이 발병 후 5일에 치료한 그룹에 비해서 면역글로불린 치료 저항성이 1.7배 증가하였으나

표 7-4. 면역글로불린 치료 시기가 임상 결과에 미치는 효과

	IVIG 치료 시기			
	이른 치료 (≤4일)	통상적 치료 (5-7일)	늦은 치료 (8-10일)	*P*-value
환자 수	6,926	13,295	624	
IVIG 치료 시작 날짜(일)	3.69	5.53	8.48	<0.001
나이(일)	783	977	1337	<0.001
IVIG 치료 무반응성(저항성)	24.6%	12.8%	7.5%	<0.001
추가 IVIG 치료	26.9%	14.3%	9.0%	<0.001

출처: [Kuwabara, 2018]

표 7-5. 발병 후 4일 이내 조기 면역글로불린 치료가 임상에 미치는 효과

결과	조기 치료 (1-4일; n=4,731)	통상 치료 (5-9일; n=4,020)	오즈비 (95% 신뢰구간)	보정된 오즈비 (95% 신뢰구간)*
추가 IVIG 치료	**16%**	**9%**	**1.12** (1.10-1.16)	**1.12** (1.10-1.16)
급성기 심장 이상	22%	21%	1.01 (0.99-1.03)	1.02 (1.00-1.04)
1개월 후 심장 병변	8%	7%	1.02 (1.00-1.05)	1.02 (0.99-1.05)

*Odds ratios have been adjusted for age, sex, diagnosis, and total IVIG dose in initial treatment. 출처: [Muta, 2004].

표 7-6. 발병 후 4일 이내 조기 면역글로불린 치료가 치료 저항성 및 관상 동맥 이상에 미치는 효과

	조기 치료 (≤4일; %)	통상 치료 (5일; %)	오즈비	*P*
IVIG 치료 저항성	37%	24%	1.7	0.047
IVIG 1차 투여 후 발열 지속	23	19	1.2	0.48
IVIG 1차 투여 후 발열 재발	14	5.0	3.2	0.02
첫 달 동안의 관상 동맥 병변	12	14	0.92	0.67
1개월에 관상 동맥 병변	9.0	5.0	1.86	0.29

IVIG, intravenous immunoglobulin. 출처: [Shiozawa, 2018]

관상 동맥 이상에 대한 위험도에는 영향이 없었다[Shiozawa, 2018; 표 7-6]. 위의 연구 내용을 종합해보면, 더 어린 소아에서 발병 후 4일 이내에 면역글로불린 치료를 시행하는 비율이 높지만 관상 동맥 이상의 위험도는 감소시키지 못하면서 면역글로불린 치료 저항성 비율을 증가시켜 추가적인 면역글로불린 치료가 시행되어야 한다. 따라서 발병 후 4일 이내에 조기에 진단되어 면역글로불린 치료를 받는 환자의 경우에는 면역글로불린 치료 저항성이 증가한다는 사실을 고려해야 한다.

■ 발병 후 10일 이후에 치료하는 경우의 효과

발병 후 10일 이후에 면역글로불린 치료가 진행되면 면역글로불린 치료 저항성을 보이는 환자의 비율은 감소하지만 관상 동맥 이상을 가진 환자의 비율이 큰 비율로 증가하여 아주 심각한 상태를 유발할 수 있다[Muta, 2012; 표 7-7]. 따라서 가와사끼병 환자는 최소한 발병 후 10일 이전에 면역글로불린 치료를 받아야 한다. 실제로 가와사끼병 진단을 받고 발병 후 10일이 지나서 면역글로불린 투여를 받은 환자는 드물지 않으며, 특히 6개월 미만의 소아와 불완전형 가와사끼병 환자에서 더 흔하게 나타난다[Minich, 2007; Sittiwangkul, 2011]. 한편 미국심장학회의 치료 가이드라인에는 가와사끼병이 발병하고 10일이 지나서 진단되는 경우에는 여전히 열이 있거나 또는 실험실 데이터 수치에서 염증 관련 수치가 높으면서 동맥류가 있으면 치료를 권장하고 있다[Newburger, 2004].

표 7-7. 발병 후 10일 이후에 시행되는 늦은 면역글로불린 치료의 임상적 효과

연구[저자]	늦은 IVIG (n)	통상 IVIG (n)	IVIG 저항성	관상 동맥 병변 (평가 시기)
Muta, 2012	11-20일 (75)	4-8일 (75)	12% vs. 16%	• 49% vs. 3% (첫 IVIG 치료 전)* • 49% vs. 13% (첫 IVIG 치료 후에서 발병 1개월 이내까지)* • 27% vs. 1% (발병 후 >1개월)*
Anderson, 2005	≥11일 (25)	<11일 (81)		• 28% vs. 19%
Juan, 2007	≥11일 (14)	<11일 (64)		• 43% vs. 14%*
Du, 2009	≥10일 (181)	<10일 (871)	7% vs. 14%	• 34% vs. 18% (발병 후 1-2주)* • 13% vs. 3% (발병 후 3-6주)*
Sittiwangkul, 2011	≥11일 (20)	<11일 (150)		• 75% vs. 19%*

*$P<0.05$. 출처: [Muta, 2012]

(5) 가와사끼병 치료에서 면역글로불린의 작용 기전

가와사끼병 환자에서 면역글로불린 치료 전 또는 치료 후에 IgG 농도가 낮으면 임상적 예후가 나쁜 것으로 나타났다. 이전 연구에 의하면, 혈액 내 낮은 총 단백질(알부민과 주로 IgG)은 보다 심한 염증, 관상 동맥 이상과 면역글로불린 치료 저항성에 연관되어 있다[Hwang, 2011; Seo, 2018]. 면역글로불린 치료 전 혈액 내 낮은 IgG 수치는 면역글로불린 치료 저항성을 보여서 추가로 면역글로불린 투여가 필요하고 또한 관상 동맥 이상의 위험 인자로 알려져 있다[Yamazaki-Nakashimada, 2019; Sawaji, 1998]. 그리고 면역글로불린 투여 후 낮은 IgG 수치도 관상 동맥 이상을 유발하는 위험 요인이다[Morikawa, 2000]. 따라서 가와사끼병에서 혈액 내 낮은 IgG 수치는 가와사끼병의 발생과 예후에 중요한 요인으로 작용하고 있음을 예상해 볼 수 있다.

수천 명의 기증자 혈청에서 모은 면역글로불린(IVIG)은 1) 면역 결핍 환자의 면역력을 제공하거나(passive protection), 2) 염증성 질환 또는 자가 면역 질환에 항염증제(anti-inflammatory agent)로 사용되거나[Kazatchkine, 2001], 또는 3) 아마도 B 세포 발달을 위한 자극제나 체내에 존재하는 IgG의 당화(glycosylation)를 위한 조절제로 사용된다. 가와사끼병의 치료제로 사용되는 면역글로불린의 작용 기전은 알려져 있지 않다. 그래서 여기서는 위에 언급된 바와 같이 다른 질병의 치료제로 사용되는 면역글로불린의 알려진 치료 기전들 중에서 가와사끼병의 치료 기전에 대입하여 그 가능성을 검토해 보고자 한다.

우선 면역글로불린의 치료 기전으로는 가장 많이 알려진 항염증 효과(anti-inflammatory effect)의 가능성은 다음과 같은 이유 때문에 매우 낮다. 첫 번째로 강력한 항염증 효과가 있는 스테로이드는 가와사끼병의 치료에 효과가 없으며, 이는 면역글로불린의 항염증 작용이 가와사끼병의 치료에 효과가 없음을 시사한다. 두 번째 이유로는 IVIG의 항염증 능력은 IgG 분자의 Fc 부위의 당화(glycosylation of Fc portion of IgG)에 의해 결정되는데, 본 연구팀에서 전장유전체연관성분석 결과에 의하면 IgG 당화(glycosylation)에 관련된 유전자들은 가와사끼병의 감수성이나 면역글로불린 치료 저항성에 전혀 연관성을 보이지 않았다(미발표 결과). 이 결과는 가와사끼병의 치료제로 사용되는 면역글로불린은 염증성 질환 또는 자가 면역 질환에 치료 기전으로 이용되는 항염증 능력은 작용하지 않음을 나타낸다.

다른 가능성으로는 가와사끼병의 원인이 되는 미지의 항원에 대한 항체를 치료용으로 투여된 면역글로불린으로부터 제공받음으로써 수동적 보호(passive protection)의 기능을 갖는 것이다. 그러나 아직 가와사끼병의 원인이 규명되지 않은 상황에서 이 부분에 대한 가능성을 확인하기는 어렵다. 한편 발병 후 면역글로불린 치료를 4일 이내에 아주 조기에 하면 통상적으로 발병 후 5일 이후에 면역글로불린을 투여하는 것보다 치료 효과가 낮은 것으로 보아 수동적 보호의 역할에 대한 가능성은 높지 않을 것 같다.

마지막으로 가장 가능성이 높은 것은 치료제로 사용된 면역글로불린이 환자의 B 세포 발달과 B 세포 기능 조절을 자극하여 병의 원인이 되는 항원을 제거하는 역할을 수행하는 것이다. 이 가설을 지지하는 증거로는 가와사끼병이 진행되는 동안 또는 면역글로불린 치료 후에 환자가 자체 생성하는 IgG 수치가 상승한다는 것이다. 구체적인 증거로는 치료 후 염증이 제거되어 퇴원 시 혈청 IgG 수치가 크게 상승한 것은 아마도 면역 체계의 복구 기능에 관련된 것으로 추측하고 있다[Han, 2017]. 또 다른 연구는 관상 동맥 이상이 있는 가와사끼병 환자는 발병 후 2주와 7주에 더 높은 혈청 IgG 수치를 보였으며, 이는 지속적인 다클론 B 세포 활성화의 결과로 추측된다[Newburger, 1986; Newburger, 1991]. 그리고 발병 후 4일 이내의 조기 면역글로불린 치료는 면역글로불린 치료 저항성을 보이는 비율이 증가해서 면역글로불린을 추가로 투여해야 하고[Kuwabara, 2018], 이 결과는 가와사끼병에서 회복하려면 환자의 자체 B 세포 발달 또는 B 세포 기능의 조절이 필요함을 시사한다. 환자 자체의 B 세포 발달 및 B 세포 기능 활성화가 치료 반응에서 중요한 역할을 한다는 사실은 상당히 많은 환자가 특별한 치료를 받지 않더라도 회복된다는 사실과 최적의 면역글로불린 투여시기가 4일 이전보다는 5일–7일 사이에 투여할 때 더 높은 치료 효과를 보인다는 것이 이 가설을 강하게 지지하는 증거이다. 또 다른 증거로는 가와사끼병의 면역글로불린 치료 반응은 치료용으로 투여된 IgG가 아니라 환자 자신이 생성한 IgG 분자의 시알화(endogenous sialylation of IgG) 수준과 관련이 있다[Ogata, 2013].

(6) 면역글로불린 치료제의 제한성

여러 회사에서 생산되는 면역글로불린 제품의 치료 효과나 부작용 발생 빈도에는 유의적인 차이는 관찰되지 않았다[Rosenfeld, 1995; Oates–Whitehead, 2003; Burns, 1998]. 따라서 시판되는 거의 모든 종류의 면역글로불린은 안전하고 효과적인 가와사끼병 치료제이다. 그러나 면역글로불린도 다음과 같은 몇 가지 한계를 가지고 있다[Cohen, 2016].

- **경제성:** 가와사끼병 치료에 사용되는 면역글로불린 1회 투여량은 수천 달러의 비싼 약

이다.

- **부작용:** 발열과 심한 용혈성 빈혈(hemolytic anemia)을 유발할 수 있다[Luban, 2015].
- **치료 반응성:** 이 약은 최소 약 10%의 환자에서는 최초 치료에 반응성을 보이지 않는다. 그리고 최적의 면역글로불린 치료를 받은 환자 중에서 약 2-4%의 환자는 관상 동맥류를 갖게 된다.

4. 가와사끼병에서 면역글로불린 치료 저항성 환자에 대한 치료 방법

(1) 면역글로불린 치료 무반응성(또는 저항성)의 정의

가와사끼병의 표준 치료 방법인 면역글로불린 치료에 대한 반응성(또는 치료 저항성)에 대한 기준이 나라별 또는 연구자별로 다른 기준을 사용하고 있다. 현재 많이 사용되는 면역글로불린 치료 반응성의 기준에 대해서 간략히 알아보자.

- **일본에서 사용하는 면역글로불린 치료 무반응성(또는 저항성)의 정의:** 일본에서 면역글로불린 치료 무반응성(non-response or resistance)은 총 2 g/kg의 면역글로불린이 투여된 후에 24시간 이상 열이 지속되거나 또는 24시간 이내에 열이 재발하는 것으로 정의하며, 소아과 의사는 첫 번째 면역글로불린 투여 후 24시간 이상 발열이 지속되면 두 번째 면역글로불린을 투여해야 한다[Makino, 2018; Research Committee of the Japanese Society of Pediatric Cardiology, 2014].

- **미국에서 사용하는 면역글로불린 치료 무반응성(또는 저항성)의 정의:** 미국심장학회 가이드라인의 면역글로불린 무반응성의 정의는 면역글로불린 투여 후 처음 36시간 동안 열이 사라지지 않은 경우를 말한다[McCrindle, 2017].

- **다른 면역글로불린 치료 무반응성(또는 저항성)의 정의:** 일본과 미국에서 사용하는 면역글로불린 무반응성은 첫 번째 면역글로불린 치료 후에 판정하는 것에 비해서 일부의 연구자들은 2번의 면역글로불린 치료 후에 열이 지속되는 경우로 정의하고 있다[Shulman, 2015]. 일반적으로 1차 면역글로불린 치료 후에 2차 면역글로불린 치료에 대한 반응성도 1

차와 비슷한 비율로 매우 높고 면역글로불린 치료 반응성이 치료 시기에 의해서 발열 후 4일 이내에 면역글로불린 치료를 하는 경우에 무반응성이 높은 이유 등으로 최소 두 번의 면역글로불린 치료 이후에 발열이 지속되는 경우로 정의하는 것도 합리적인 방법이라고 생각한다.

면역글로불린 치료 저항성의 판단 기준인 발열도 국가별로 다른 기준을 사용하고 있다. 예를 들면, 미국은 구강 또는 직장에서 측정한 열이 38.3℃를 기준으로 판단하고[Burns, 1998; Newburger, 2007], 일본의 발열 기준은 겨드랑이에서 측정한 온도 37.5℃ 이상을 기준으로 사용하고 있다[Egami, 2006; Sano, 2007]. 약 10-15%의 가와사끼병 환자는 초기 면역글로불린 투여 후 열이 지속되는 치료 무반응성(또는 저항성)을 보인다. 그런데 면역글로불린 무반응성의 정의가 어떤 기준을(미국심장학회 기준 또는 일본의 기준) 적용하는가에 따라 가와사끼병 환자의 면역글로불린 무반응성의 발생률에 약간의 차이가 생길 수 있다.

(2) 면역글로불린 치료 무반응성 환자에 대한 치료 방법

가와사끼병 환자의 표준 치료는 아스피린과 함께 고용량의 면역글로불린을 투여하는 것이다. 그런데 약 10-15%의 가와사끼병 환자에서 면역글로불린 치료 무반응성(저항성)을 보이기 때문에 이 환자를 대상으로 추가 치료가 시행되어야 한다. 가와사끼병 환자에서 면역글로불린 치료 저항성 환자를 치료하는 방법으로는 2차 면역글로불린을 투여하거나, [IVIG+steroid], TNF-α 중화 항체(Infliximab) 또는 여러 종류의 면역 억제제 등이 사용되고 있다(표 7-8). 가와사끼병 환자에서 면역글로불린 치료 저항성 환자의 치료에 가장 많이 사용되는 것은 2차 면역글로불린 치료법이고, 이어서 스테로이드, TNF-α 중화항체(Infliximab), 면역 억제제 및 혈장 제거 등의 순서로 사용되고 있다(표 7-9). 그리고 한국에서 2012-2014년에 조사된 바에 따르면 가와사끼병의 1차 치료는 표준 치료 방법인 면역글로불린이 가장 많이 사용되고 있으며(95.4%), 2차 치료도 면역글로불린이 가장 많이 사용되고 있다(78.4%). 그리고 3차와 4차 치료는 각각 스테로이드와 TNF-α 중화항체(Infliximab)의 순서로 많이 사용된다(표 7-10).

표 7-8. 면역글로불린 치료 저항성 가와사끼병 환자에 대한 치료 방법들

치료제 (설명)	용량
IVIG (second dose)	12시간 동안 2 g/kg 정맥 주입
IVIG plus prednisolone	2 g/kg IVIG + 정맥 프레드니솔론 2 mg/kg/day를 3등분 분할하여 5일 동안 투여하여 열이 사라지고 CRP 수치가 정상화되면 이어서 경구 투여하여 15일에 걸쳐 점차 줄여 나감
Infliximab (monoclonal antibody against TNF)	2시간 동안 5 mg/kg을 정맥 주입
Etanercept (soluble form of TNF-α receptor)	Etanercept (0.8 mg/kg/용량)을 피하로 3회 투여함. 1회는 0일로 정의된 IVIG 완료 후 24 시간 이내에 투여하고 2회와 3회는 7일과 14일에 투여함
Cyclosporine (Calcineurin inhibitor)	3 mg/kg/day를 12 시간 단위로 나누어서 정맥 투여하고 24시간 이상 열이 없으면 구강으로 투여함. 경구투여는 8-10 mg/kg/day 용량을 12시간 단위로 나누어 투여함
Methotrexate (folic acid antagonist)	열이 가라앉을 때까지 일주일에 한 번 체표면적당 10 mg을 경구 투여함
Anakinra (recombinant IL-1b receptor antagonist)	2 – 6 mg/kg/day 용량을 피하 주사함
Plasma exchange* or Plasmapheresis*	해당 없음

출처: [Song, 2019]. *Plasmapheresis(*혈장 일부 제거: 일반적으로 환자 혈액 부피의 약 15% 미만의 혈장을 제거하기 때문에 제거된 혈장을 대체해 줄 필요는 없음*). Plasma exchange(*혈장 교환: 환자에게서 많은 양의 혈장을 제거하고 제거된 혈장은 알부민과 같은 용액으로 교체해 줘야 함*).

표 7-9. 면역글로불린 치료 저항성 환자에 사용되는 치료 방법의 사용빈도

종류	일본 [Makino, 2019]	한국 [Kim, 2017]
Additional IVIG treatment	90.6%	81.9%
Steroids	28.9%	29.4%
Infliximab	7.3%	3.8%
immunosuppressants	5.4%	1.0%
Plasmapheresis	2.5%	

출처: [Makino, 2019] & [Kim, 2017]

표 7-10. 2012-2014년 한국에서 급성기 가와사끼병 환자에서 연속적으로 시행된 치료법

	IVIG: N(%)	**Methyl-Pd:** N(%)	**Oral Steroid:** N(%)	**Infliximab:** N(%)	**MTX:** N(%)
1차 치료	11,948 (**95.4%**)				
2차 치료	1,202 (**78.4%**)	177 (11.6%)	122 (8.0%)	25 (1.6%)	6 (0.4%)
3차 치료	49 (22.9%)	131 (**61.2%**)	9 (4.2%)	18 (8.4%)	7 (3.3%)
4차 치료	3 (9.4%)	9 (28.1%)	3 (9.4%)	15 (**46.9%**)	2 (6.3%)

Pd, prednisolone; MTX, methotrexate. 출처: [Kim, 2017]

1) 2차 면역글로불린 치료

가와사끼병 환자에서 1차 면역글로불린 치료 무반응성을 보이는 환자는 전체 환자의 약 10-15%가 된다. 그리고 1차 면역글로불린 치료 무반응성 환자에게 다시 2차 면역글로불린 치료를 수행하면 제1차 때와 유사하거나 조금 더 높은 치료 무반응성(11%에서 36%까지 다양)을 보인다(표 7-11). 그래서 1차와 2차 면역글로불린 치료 이후에도 여전히 치료 무반응성(저항성) 환자의 비율은 1.5%에서 9.1% 정도로 아주 소수의 환자만이 면역글로불린 치료 무반응성(저항성)을 계속 보이고 있다(표 7-11; 그림 7-3).

표 7-11. 가와사끼병 환자에서 1차 면역글로불린 치료와 2차 면역글로불린 치료 후의 치료 무반응성(저항성) 환자의 발생률

IVIG 치료	IVIG 반응성	가와사끼병 환자의 수 (%)		
		미국 (n = 641)	일본 (n = 329)	한국 (n = 588)
1차 IVIG (2 g/kg)	반응군	535/641 (83.5%)	245/329 (74.5%)	508/588 (86.4%)
	무반응군	106/641 (**16.5%**)	84/329 (**25.5%**)	80/588 (**13.6%**)
2차 IVIG (2 g/kg)	반응군	65/86 (75.6%)	54/84 (64.3%)	71/80 (88.8%)
	무반응군	21/86 (**24.4%**)	30/84 (**35.7%**)	9/80 (**11.2%**)
전체 반응율	반응군	96.0%	90.1%	98.5%
	무반응군	**4.0%**	**9.1%**	**1.5%**
[참고 문헌]		[Son, 2011]	[Suzuki, 2011]	[Seo, 2016]

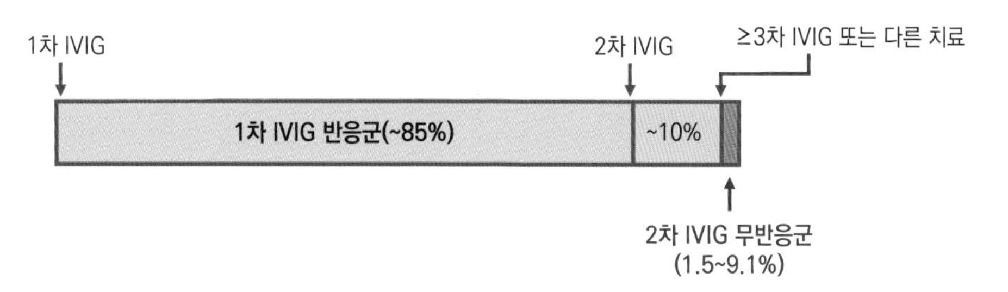

그림 7-3. 연속으로 면역글로불린 치료 이후에 생기는 면역글로불린 치료 무반응성(저항성) 환자의 발생 비율. 위 그림은 표 7-11의 내용을 개략적으로 요약한 내용임.

2) 스테로이드 치료

강력한 항염증 능력을 가진 스테로이드를 단독 또는 면역글로불린과 조합해서 (IVIG+steroid) 가와사끼병 환자를 치료하는 경우에는 치료 효과가 없는 것으로 보고되었다[Kato, 1979; Newburger, 2007]. 그러나 일본에서 개발된 면역글로불린 치료 예측용 알고리즘을 사용하여 면역글로불린 치료 무반응성(저항성) 고위험군으로 예측된 환자를 선별하여 [IVIG+steroid]를 조합하여 치료한 경우에는 표준 면역글로불린만으로 치료한 환자군보다 훨씬 높은 치료 반응성을 보였다. 예를 들면, Egami score로 고위험 환자(Egami score ≥3) 48명을 선별하여 26명은 표준 면역글로불린으로 치료하여 2명이 치료 반응성을 보였고(2/26 = 23.1%), 22명을 [IVIG+steroid (IVMP; 30 mg/kg)] 조합으로 치료하여 19명이 반응성을 보였다(19/22 = 86.4%)[Ogata, 2012]. 대규모 환자 시료를 이용한 또 다른 일본 연구에서도 Kobayashi score로 면역글로불린 치료 무반응성(저항성) 환자군을 선별하여(Kobayashi score ≥5 points), 121명은 표준 면역글로불린으로 치료하여 관상 동맥 이상이 23% 환자에서 발생하였고 [IVIG+prednisolone (2 mg/kg daily for 5 days)] 조합으로 치료하여 3%의 관상 동맥 이상을 발견하였다[Kobayashi, 2012]. 위의 두 연구 결과를 통해서 일본인 집단에서 면역글로불린 치료 저항성 예측 알고리즘을 사용하여 면역글로불린 치료 저항성 고위험 환자군을 미리 선별하여 [IVIG+steroid] 조합으로 치료하면 치료 효율을 더 높일 수 있었다[Miura, 2018]. 그러나 일본 환자를 대상으로 개발된 면역글로불린 치료 저항성 예측 알고리즘이 다른 인종 집단(아시안 포함)에서는 예측의 정확도가 낮아 [IVIG+steroid]를 조합한 치료 방법을 사용할 수 없다.

3) Infliximab 치료

TNF-α 억제제(inhibitors)로는 인플렉시맙(Infliximab)과 에타너셉트(Etanercept)가 있다[Phuong, 2018]. Infliximab(IFX; TNF-α에 강하게 결합하는 단클론 항체)는 TNF-α 특이적으로 작용한다. 그리고 Etanercept(재조합 수용성 TNF 수용체)는 수용성 TNF 수용체로 TNF-α와 lymphtoxins에 모두 광범위하게 작용한다[Ohashi, 2013]. 가와사끼병의 치료제로는 Infliximab이 주로 사용된다. Infliximab은 수용성 TNF-α를 중화시키고 수용체에 결합된 TNF-α를 떨어트리고 TNF-α 생성 세포에 세포 독성 효과를 발휘하여 TNF-α 생성을 억제한다[Scallon, 1995]. 가와사끼병 환자의 혈액에서 높은 농도의 TNF-α 수치가 관찰되었고 [Maury, 1989; Lang, 1989], TNF-α와 관상 동맥 합병증 사이에 상관관계가 있다는 보고가 있으며[Matsubara, 1990], Infliximab을 가와사끼병 환자에 투여했을 때에 염증은 어느 정도 효과적으로 억제하였으나 관상 동맥 이상의 형성을 예방하지 못하고 기존에 형성된 관상 동맥 병변을 되돌려 놓지도 못했다[Hirono, 2009; Youn, 2016; Burns, 2008; Burns, 2005; Son, 2011]. 가와사끼병의 1차 치료로 면역글로불린 표준 치료와 [IVIG+IFX] 조합 치료를 비교했을 때 Infliximab을 추가하더라도 치료 효과의 개선은 관찰되지 않았다[Burns, 2013; Tremoulet, 2014]. 이 결과는 1차 가와사끼병 치료 시에는 표준 면역글로불린 치료만으로 충분함을 의미한다. 그러나 면역글로불린 치료 저항성 환자의 경우에는 Infliximab을 2차 치료제로 투여했을 때 2차 면역글로불린 치료와 유사한 반응성(16% Infliximab 치료 저항성)을 보여서 면역글로불린 치료 저항성 환자에서 사용하는 것은 매우 효과적인 치료 방법이 될 수 있다(표 7-12).

표 7-12. **면역글로불린 치료 저항성 환자에서 Infliximab (IFX) 치료의 효과**

IFX 치료	IFX 반응성	치료 저항성 가와사끼병 환자의 수 (%)		
		미국 (n = 12)	미국 (n = 20)	일본 (n = 434*)
2차 치료로 첫 번째 IFX (~5 mg/kg) 투여	IFX 반응군	11 (91.7%)	17 (85%)	363 (83.6%)
	IFX 무반응군	1 (8.3%)	3 (15%)	71 (16.4%)
3차 치료로 두 번째 IFX 투여	IFX 반응군	-	2/3	
	IFX 무반응군	-	1/3	
[참고 문헌]		Burns, 2008	Son, 2011	Masuda, 2018

*일본 전국 설문조사 자료(Infliximab 사용 시기에 대한 조사 내용):
2차 치료=12 (2.8%)
3차 치료=275 (63.4%)
4차 치료=106 (24.4%)
5차 또는 그 후 치료=41 (9.5%)

Infliximab은 일본에서 2015년 10월에 가와사끼병 치료제로 보험 적용을 받았고, 개정된 새 치료 지침에서는 3번째 치료 방법으로 사용이 권장되고 있다. 그리고 1차 면역글로불린 표준 치료에 저항성을 보이는 환자의 경우에는 바로 2번째 치료방법으로도 사용할 수 있다[Ishii, 2020].

4) 면역 억제제 등 다른 치료 방법

가와사끼병에서 표준 면역글로불린 치료에 저항성을 보이는 환자에게는 면역글로불린 재투여, [IVIG+steroid] 조합 치료, Infliximab 치료 등이 주로 사용되고 있으며, 그 외에도 다양한 종류의 면역 억제제들이 치료제로 사용된 사례가 보고되어 있다(표 7-13). 그러나 이러한 방법들은 아직 아주 제한된 사례만이 보고되어 있어서 일반적으로 사용되지는 못하고 있다. 한편 유전적으로 IgA가 결핍된 소아에서도 가와사끼병이 발생한 사례가 희귀하지만 보고되어 있다. IgA 결핍 환자에게 가와사끼병 표준 치료제인 면역글로불린을 투여하면 면역 거부 반응을 유발하기 때문에 매우 위험해서 대체 치료제인 사이클로스포린[Anzai, 2016] 또는 스테로이드

표 7-13. **면역글로불린 치료 저항성을 보이는 환자에 사용 가능한 다른 치료 방법들**

치료	특성	참고문헌
사이클로스포린(Cyclosporin A, CsA; a calcineurin inhibitor)	사이클로스포린(CsA)은 T 세포 활성화(Ca^{2+}/NFAT)의 신호 전달에 중요한 역할을 하는 칼시뉴린에 결합하여 활성화를 억제하는 면역 억제제이다. 그러나 급성기 가와사끼병의 치료제로는 승인되지 않았다.	Ishii, 2020; Phuong, 2018
Anakinra (=IL-1 blocker)	• Anakinra는 IL-1α와 IL-1β를 모두 억제하는 재조합 IL-1 수용체 길항제(recombinant IL1R antagonist)이다. • 특히, KD의 급성기에 관찰된 IL-1 수치의 상승은 IVIG에 대한 내성 위험이 높을 뿐만 아니라 CAL 위험도 증가할 수 있다. • in vitro 연구에 따르면 IVIG는 인간 단핵구에서 IL-1 수용체 길항제(IL1Ra) 발현을 증가시키는 것으로 나타났으며 이는 가와사끼병과 관련이 있을 수 있다. • IL-1 관련 유전자는 급성기 가와사끼병 환자의 말초 혈액에서 유전자 발현이 증가한다.	Phuong, 2018
리툭시맙(Rituximab)	리툭시맙(Rituximab)은 B 세포에 존재하는 CD20 표면 항원에 대한 키메라 항-CD20 단일 클론 항체다. IVIG 치료 저항성을 보이는 가와사끼병 환자에서 리툭시맙이 사용된 사례가 한 건 보고되어 있다.	Phuong, 2018
울리나스타틴(Ulinastatin)	울리나스타틴(Ulinastatin, UTI)은 오줌에 있는 트립신 억제제로, 호중구 엘라스타제(neutrophil elastase)를 억제함으로써 용량에 비례해서 내피 세포 손상(endothelial cell injury)에 영향을 미칠 수 있다. 2011년 일본에서 Kanai 등이 가와사끼병에 대한 울리나스타틴(UTI)의 효과에 대해 보고하였는데 해열 효과는 크게 없고 보조적인 치료로 사용되었다.	Phuong, 2018; Ishii, 2020
혈장 교환(Plasma exchange)	2004년에 Mori 등과 Imagawa 등이 혈장 교환의 효과에 대해 보고했다. 그리고 2012년에 Hokosaki 등의 보고에 따르면, 발병 9일째에 관상 동맥 병변(CAL)이 발생하기 전에 혈장 교환을 시작하여 관상 동맥 병변을 억제할 수 있었다. 작용 기전은 염증성 사이토카인의 제거와 사이토카인 네트워크가 차단되어 생기는 것으로 생각된다.	Ishii, 2020
토실리주맙(Tocilizumab; anti-IL-6 receptor monoclonal antibody)	IVIG 저항성 가와사끼병 환자에서 토실리주맙(Tocilizumab) 치료에 대한 예비 연구로 4명의 일본 사례가 보고되어 있다. 그러나 토실리주맙은 관상 동맥류의 형성을 촉진할 수 있다는 단점이 있다.	Nozawa, 2017

(IVMP)[Nishikawa, 2008]로 치료하기도 한다.

5. 가와사끼병 환자의 장기적 치료 관리

(1) 발병 후 장기 관리를 위한 항혈소판 치료

가와사끼병 환자에서 혈소판 수는 급성기에 약간 감소했다가 회복기 동안 증가한다. 그래서 가와사끼병 발병 후에 관상 동맥 이상을 제어하기 위해서 적절한 항혈소판 치료가 필요하다 [Ayusawa, 2005; Japanese Circulation Society Joint Research Group, 2005].

■ 발병 후 2-3개월까지 항혈소판 치료

가와사끼병 발병 후 2–3개월까지 혈소판 수와 응고 활성이 증가한다[Yamada, 1978]. 그래서 관상 동맥 후유증이 없는 환자를 포함해서 거의 모든 가와사끼병 환자들은 항혈소판 치료로 발병 후 2–3개월 동안 저용량의 아스피린(3–5 mg/kg)을 복용한다.

■ 발병 후 2-3개월 후 항혈소판 치료

직경이 5 mm 이하인 관상 동맥류를 가진 환자는 아스피린 또는 다른 항혈소판 약물(dipyridamole 또는 ticlopidine과 같은)을 계속 사용해야 하고, 1–3개월마다 심장 초음파 검사를 해서 관상 동맥 이상의 상태를 확인해야 한다. 그리고 관상 동맥류 직경이 6 mm 이상인 환자는 동맥류의 혈전성 폐색을 방지하기 위해 항혈소판제(아스피린)와 함께 항 혈전제인 와파린 치료가 필요하다.

미국에서 조사된 자료에 따르면 2001–2006년에 가와사끼병 환자에서 사용된 non–IVIG 치료제 사용 현황을 보면 항염증 치료제로는 스테로이드 제제와 TNF–α 중화 항체(Infliximab)가 면역글로불린 치료 저항성 환자에서 주로 사용되고 있다. 그리고 동시에 다양한 종류의 항혈전 치료제가 사용되고 있는데 아스피린이 가장 많이 사용되고(전체 환자의 92.1%) 있고, 헤파린이 두 번째로 많이 사용되고 있다(41.7%). 그리고 일부의 환자에서는 와파린도 사용된다(1.1%)(표 7-14).

표 7-14. 2001-2006년 미국에서 가와사끼병 환자에 사용된 non-IVIG 치료 사용 현황(n = 4,811)

그룹	약	숫자 (n)	%
항염증 치료	Methylprednisolone	278	5.8
	Orally administered prednisone and prednisolone	133	2.8
	Infliximab	48	1.0
항혈전 치료	Aspirin	4429	92.1
	Heparin	2004	41.7
	Warfarin	54	1.1
	Enoxaparin	49	1.0
	Tissue plasminogen activator	33	0.7
	Clopidogrel	16	0.3
	Abciximab	10	0.2

출처: [Son, 2006]

(2) 가와사끼병 환자에서 면역글로불린 치료 후 예방접종에 대한 주의 사항

가와사끼병의 표준 치료는 고용량의 면역글로불린을 투여하는 것이다. 면역글로불린은 헌혈자로부터 수집된 혈장에서 분리하여 정제된 다클론 면역 글로불린 제제이다. 한편 치료제로 사용된 면역글로불린을 통해 수동적으로 획득한 항체는 능동 면역에 대한 혈청 반응을 방해할 수 있어서[Siber, 1993; Ruderman, 1991], 가와사끼병 환자에서 면역글로불린 투여는 백신에 대한 면역 반응을 방해할 수 있다. 그래서 면역글로불린 투여 후 9-11개월까지 살아있는 약독화된 백신(live-attenuated vaccine) 투여를 연기하는 것을 권장하고 있다(그 외 다른 백신 접종은 연기할 필요가 없다)[Tacke, 2013]. 연기 기간은 나라별로 약간 차이가 있는데 예방접종 자문위원회와 미국 소아학회 지침은 가와사끼병 환자에서 면역글로불린 투여 후 11개월 이상의 간격을 두고 홍역 예방 접종(measles vaccination: measles-mumps-rubella)을 권고하고 있다. 그런데 일본에서는 6-7개월의 간격을 권장하고 있으며 만약 면역글로불린 투여를 2회 한 경우에는 9개월 이상의 간격을 권장하고 있다. 따라서 대부분의 진료 기관에서는 가와사끼병 발병 후에 최소 6개월까지는 약독화 생백신을 접종하지 않는다.

참고 문헌

1. Akagi T, Kato H, Inoue O, Sato N. A study on the optimal dose of aspirin therapy in Kawasaki disease--clinical evaluation and arachidonic acid metabolism. Kurume Med J. 1990;37(3):203-208. PMID: 2126584
2. Amarilyo G, Koren Y, Brik Simon D, et al. High-dose aspirin for Kawasaki disease: outdated myth or effective aid?. Clin Exp Rheumatol. 2017;35 Suppl 103(1):209-212. PMID: 28079513
3. Anderson MS, Todd JK, Glodé MP. Delayed diagnosis of Kawasaki syndrome: an analysis of the problem. Pediatrics. 2005;115(4):e428-e433. PMID: 15805345
4. Anzai T, Minami T, Sato T, Furui S, Yamagata T. Treatment of a patient with Kawasaki disease associated with selective IgA deficiency by continuous infusion of cyclosporine A without intravenous immunoglobulin. Turk J Pediatr. 2016;58(6):666-668. PMID: 29090883
5. Ayusawa M, Sonobe T, Uemura S, et al. Revision of diagnostic guidelines for Kawasaki disease (the 5th revised edition). Pediatr Int. 2005;47(2):232-234. PMID: 15771703
6. Baer AZ, Rubin LG, Shapiro CA, et al. Prevalence of coronary artery lesions on the initial echocardiogram in Kawasaki syndrome. Arch Pediatr Adolesc Med. 2006;160(7):686-690. PMID: 16818833
7. Burns JC, Capparelli EV, Brown JA, Newburger JW, Glode MP. Intravenous gamma-globulin treatment and retreatment in Kawasaki disease. US/Canadian Kawasaki Syndrome Study Group. Pediatr Infect Dis J. 1998;17(12):1144-1148. PMID: 9877364
8. Burns JC, Mason WH, Hauger SB, et al. Infliximab treatment for refractory Kawasaki syndrome. J Pediatr. 2005;146(5):662-667. PMID: 15870671
9. Burns JC, Best BM, Mejias A, et al. Infliximab treatment of intravenous immunoglobulin-resistant Kawasaki disease. J Pediatr. 2008;153(6):833-838. PMID: 18672254
10. Burns JC, Song Y, Bujold M, et al. Immune-monitoring in Kawasaki disease patients treated with infliximab and intravenous immunoglobulin. Clin Exp Immunol. 2013;174(3):337-344. PMID: 23901839
11. Burns JC. Frequently asked questions regarding treatment of Kawasaki disease. Glob Cardiol Sci Pract. 2017;2017(3):e201730. PMID: 29564351
12. Cohen E, Sundel R. Kawasaki Disease at 50 Years. JAMA Pediatr. 2016;170(11):1093-1099. PMID: 27668809
13. Conn HO, Blitzer BL. Nonassociation of adrenocorticosteroid therapy and peptic ulcer. N Engl J Med. 1976;294(9):473-479. PMID: 173997
14. Dallaire F, Fortier-Morissette Z, Blais S, et al. Aspirin Dose and Prevention of Coronary Abnormalities in Kawasaki Disease. Pediatrics. 2017;139(6):e20170098. PMID: 28562282
15. Du ZD, Di Z, Du JB, et al. Comparison of efficacy among early, conventional and late intravenous gamma globulin treatment of Kawasaki disease [in Chinese with English abstract]. Zhonghua Yi Xue Za Zhi. 2009;89(26):1841-1843. PMID: 19953930
16. Durongpisitkul K, Gururaj VJ, Park JM, Martin CF. The prevention of coronary artery aneurysm in Kawasaki disease: a meta-analysis on the efficacy of aspirin and immunoglobulin treatment. Pediatrics. 1995;96(6):1057-1061. PMID: 7491221
17. Egami K, Muta H, Ishii M, et al. Prediction of resistance to intravenous immunoglobulin treatment in patients with Kawasaki disease. J Pediatr. 2006;149(2):237-240. PMID: 16887442
18. Eleftheriou D, Levin M, Shingadia D, Tulloh R, Klein NJ, Brogan PA. Management of Kawasaki disease. Arch Dis Child. 2014;99(1):74-83. PMID: 24162006
19. Furusho K, Sato K, Soeda T, et al. High-dose intravenous gammaglobulin for Kawasaki disease. Lancet. 1983;2(8363):1359. PMID: 6196587
20. Furusho K, Kamiya T, Nakano H, et al. High-dose intravenous gammaglobulin for Kawasaki disease. Lancet. 1984;2(8411):1055-1058. PMID: 6209513
21. Galeotti C, Kaveri SV, Cimaz R, Koné-Paut I, Bayry J. Predisposing factors, pathogenesis and therapeutic in-

tervention of Kawasaki disease. Drug Discov Today. 2016;21(11):1850-1857. PMID: 27506874

22. Guidelines for medical treatment of acute Kawasaki disease: Report of the Research Committee of the Japanese Society of Pediatric Cardiology and Cardiac Surgery (2012 revised version). Pediatr Int. 2014;56:135-58.
23. Han JW, Oh JH, Rhim JW, Lee KY. Correlation between elevated platelet count and immunoglobulin levels in the early convalescent stage of Kawasaki disease. Medicine (Baltimore). 2017;96(29):e7583. PMID: 28723797
24. Han SB, Lee SY. Antibiotic use in children with Kawasaki disease. World J Pediatr. 2018;14(6):621-622. PMID: 29713927
25. Harnden A, Tulloh R, Burgner D. Kawasaki disease. BMJ. 2014;349:g5336. PMID: 25230954.
26. Hedrich CM, Schnabel A, Hospach T. Kawasaki Disease. Front Pediatr. 2018;6:198. PMID: 30042935
27. Hirono K, Kemmotsu Y, Wittkowski H, et al. Infliximab reduces the cytokine-mediated inflammation but does not suppress cellular infiltration of the vessel wall in refractory Kawasaki disease. Pediatr Res. 2009;65(6):696-701. PMID: 19430379
28. Ho LGY, Curtis N. What dose of aspirin should be used in the initial treatment of Kawasaki disease?. Arch Dis Child. 2017;102(12):1180-1182. PMID: 29066520
29. Hsieh KS, Weng KP, Lin CC, Huang TC, Lee CL, Huang SM. Treatment of acute Kawasaki disease: aspirin's role in the febrile stage revisited. Pediatrics. 2004;114(6):e689-e693. PMID: 15545617
30. Hwang JY, Lee KY, Rhim JW, et al. Assessment of intravenous immunoglobulin non-responders in Kawasaki disease. Arch Dis Child. 2011;96(11):1088-1090. PMID: 20551193
31. Imbach P, Barandun S, d'Apuzzo V, et al. High-dose intravenous gammaglobulin for idiopathic thrombocytopenic purpura in childhood. Lancet. 1981;1(8232):1228-1231. PMID: 6112565
32. Ishii M, Ebato T, Kato H. History and Future of Treatment for Acute Stage Kawasaki Disease. Korean Circ J. 2020;50(2):112-119. PMID: 31845551
33. Japanese Circulation Society Joint Research Group. Guidelines for diagnosis and management of cardiovascular sequelae in Kawasaki disease. Pediatr Int. 2005;47(6):711-732. PMID: 16354233
34. Juan CC, Hwang B, Lee PC, et al. The clinical manifestations and risk factors of a delayed diagnosis of Kawasaki disease. J Chin Med Assoc. 2007;70(9):374-379. PMID: 17908651
35. Kato H, Koike S, Yokoyama T. Kawasaki disease: effect of treatment on coronary artery involvement. Pediatrics. 1979;63(2):175-179. PMID: 440805
36. Kato H, Sugimura T, Akagi T, et al. Long-term consequences of Kawasaki disease. A 10- to 21-year follow-up study of 594 patients. Circulation. 1996;94(6):1379-1385. PMID: 8822996
37. Kawasaki T. [Acute febrile mucocutaneous syndrome with lymphoid involvement with specific desquamation of the fingers and toes in children]. Arerugi (=Japan. J. Allerg.). 1967;16(3):178-222. PMID: 6062087
38. Kawasaki T, Kosaki F, Okawa S, Shigematsu I, Yanagawa H. A new infantile acute febrile mucocutaneous lymph node syndrome (MLNS) prevailing in Japan. Pediatrics. 1974;54(3):271-276. PMID: 4153258
39. Kazatchkine MD, Kaveri SV. Immunomodulation of autoimmune and inflammatory diseases with intravenous immune globulin. N Engl J Med. 2001;345(10):747-755. PMID: 11547745
40. Kim GB, Yu JJ, Yoon KL, et al. Medium- or Higher-Dose Acetylsalicylic Acid for Acute Kawasaki Disease and Patient Outcomes. J Pediatr. 2017;184:125-129. PMID: 28043685
41. Kim GB, Park S, Eun LY, et al. Epidemiology and Clinical Features of Kawasaki Disease in South Korea, 2012-2014. Pediatr Infect Dis J. 2017;36(5):482-485. PMID: 27997519
42. Kitano N, Suzuki H, Takeuchi T, et al. Epidemiologic features and prognostic factors of coronary artery lesions associated with Kawasaki disease based on a 13-year cohort of consecutive cases identified by complete enumeration surveys in Wakayama, Japan. J Epidemiol. 2014;24(5):427-434. PMID: 24998951
43. Knott PD, Orloff LA, Harris JP, Novak RE, Burns JC; Kawasaki Disease Multicenter Hearing Loss Study Group. Sensorineural hearing loss and Kawasaki disease: a prospective study. Am J Otolaryngol. 2001;22(5):343-348. PMID: 11562886

44. Kobayashi T, Saji T, Otani T, et al. Efficacy of immunoglobulin plus prednisolone for prevention of coronary artery abnormalities in severe Kawasaki disease (RAISE study): a randomised, open-label, blinded-endpoints trial. Lancet. 2012;379(9826):1613-1620. PMID: 22405251

45. Kuo HC, Lo MH, Hsieh KS, Guo MM, Huang YH. High-Dose Aspirin is Associated with Anemia and Does Not Confer Benefit to Disease Outcomes in Kawasaki Disease. PLoS One. 2015;10(12):e0144603. PMID: 26658843

46. Kusakawa S, Tatara K. Efficacies and risks of aspirin in the treatment of the Kawasaki disease. Prog Clin Biol Res. 1987;250:401-413. PMID: 3423052

47. Kuwabara M, Yashiro M, Ae R, Yanagawa H, Nakamura Y. The effects of early intravenous immunoglobulin therapy for Kawasaki disease: The 22nd nationwide survey in Japan. Int J Cardiol. 2018;269:334-338. PMID: 30049499

48. Lang BA, Silverman ED, Laxer RM, Lau AS. Spontaneous tumor necrosis factor production in Kawasaki disease. J Pediatr. 1989;115(6):939-943. PMID: 2585231

49. Lee G, Lee SE, Hong YM, Sohn S. Is high-dose aspirin necessary in the acute phase of kawasaki disease?. Korean Circ J. 2013;43(3):182-186. PMID: 23613695

50. Lee KY. A common immunopathogenesis mechanism for infectious diseases: the protein-homeostasis-system hypothesis. Infect Chemother. 2015;47(1):12-26. PMID: 25844259

51. Luban NL, Wong EC, Henrich Lobo R, Pary P, Duke S. Intravenous immunoglobulin-related hemolysis in patients treated for Kawasaki disease. Transfusion. 2015;55 Suppl 2:S90-S94. PMID: 26174904

52. Lo MS, Newburger JW. Role of intravenous immunoglobulin in the treatment of Kawasaki disease. Int J Rheum Dis. 2018;21(1):64-69. PMID: 29205910

53. Makino N, Nakamura Y, Yashiro M, et al. Epidemiological observations of Kawasaki disease in Japan, 2013-2014. Pediatr Int. 2018;60(6):581-587. PMID: 29498791

54. Makino N, Nakamura Y, Yashiro M, et al. Nationwide epidemiologic survey of Kawasaki disease in Japan, 2015-2016. Pediatr Int. 2019;61(4):397-403. PMID: 30786118

55. Marchesi A, Tarissi de Jacobis I, Rigante D, et al. Kawasaki disease: guidelines of the Italian Society of Pediatrics, part I - definition, epidemiology, etiopathogenesis, clinical expression and management of the acute phase. Ital J Pediatr. 2018;44(1):102. PMID: 30157897

56. Masuda H, Kobayashi T, Hachiya A, et al. Infliximab for the Treatment of Refractory Kawasaki Disease: A Nationwide Survey in Japan. J Pediatr. 2018;195:115-120. PMID: 29224935

57. Matsubara T, Furukawa S, Yabuta K. Serum levels of tumor necrosis factor, interleukin 2 receptor, and interferon-gamma in Kawasaki disease involved coronary-artery lesions. Clin Immunol Immunopathol. 1990;56(1):29-36. PMID: 2113446

58. Matsubara T, Mason W, Kashani IA, Kligerman M, Burns JC. Gastrointestinal hemorrhage complicating aspirin therapy in acute Kawasaki disease. J Pediatr. 1996;128(5 Pt 1):701-703. PMID: 8627447

59. Maury CP, Salo E, Pelkonen P. Elevated circulating tumor necrosis factor-alpha in patients with Kawasaki disease. J Lab Clin Med. 1989;113(5):651-654. PMID: 2715685

60. McCrindle BW, Rowley AH, Newburger JW, et al. Diagnosis, Treatment, and Long-Term Management of Kawasaki Disease: A Scientific Statement for Health Professionals From the American Heart Association [published correction appears in Circulation. 2019;140(5):e181-e184]. Circulation. 2017;135(17):e927-e999. PMID: 28356445

61. Meyers FH, Jawetz E, Goldfien A, Schaubert LV. The adrenocortical steroids. Review of medical pharmacology. 7th ed. Los Altos, CA: Lange Medical Publications; 1980:353-68.

62. Minich LL, Sleeper LA, Atz AM, et al. Delayed diagnosis of Kawasaki disease: what are the risk factors?. Pediatrics. 2007;120(6):e1434-e1440. PMID: 18025079

63. Miura M. Role of glucocorticoids in Kawasaki disease. Int J Rheum Dis. 2018;21(1):70-75. PMID: 29105310

64. Morikawa Y, Ohashi Y, Harada K, et al. Coronary risks after high-dose gamma-globulin in children with Kawasaki disease. Pediatr Int. 2000;42(5):464-469. PMID: 11059532

65. Murata H. Experimental candida-induced arteritis in mice. Relation to arteritis in the mucocutaneous lymph node syndrome. Microbiol Immunol. 1979;23(9):825-831. PMID: 395420

66. Muta H, Ishii M, Egami K, et al. Early intravenous gamma-globulin treatment for Kawasaki disease: the nationwide surveys in Japan. J Pediatr. 2004;144(4):496-499. PMID: 15069399

67. Muta H, Ishii M, Yashiro M, Uehara R, Nakamura Y. Late intravenous immunoglobulin treatment in patients with Kawasaki disease. Pediatrics. 2012;129(2):e291-e297. PMID: 22250032

68. Nagashima M, Matsushima M, Matsuoka H, Ogawa A, Okumura N. High-dose gammaglobulin therapy for Kawasaki disease. J Pediatr. 1987;110(5):710-712. PMID: 2437278

69. Nakamura Y, Yashiro M, Uehara R, et al. Epidemiologic features of Kawasaki disease in Japan: results of the 2009-2010 nationwide survey. J Epidemiol. 2012;22(3):216-221. PMID: 22447211

70. Newburger JW, Takahashi M, Burns JC, et al. The treatment of Kawasaki syndrome with intravenous gamma globulin. N Engl J Med. 1986;315(6):341-347. PMID: 2426590

71. Newburger JW, Takahashi M, Beiser AS, et al. A single intravenous infusion of gamma globulin as compared with four infusions in the treatment of acute Kawasaki syndrome. N Engl J Med. 1991;324(23):1633-1639. PMID: 1709446

72. Newburger JW, Takahashi M, Gerber MA, et al. Diagnosis, treatment, and long-term management of Kawasaki disease: a statement for health professionals from the Committee on Rheumatic Fever, Endocarditis and Kawasaki Disease, Council on Cardiovascular Disease in the Young, American Heart Association. Circulation. 2004;110(17):2747-2771. PMID: 15505111

73. Newburger JW, Sleeper LA, McCrindle BW, et al. Randomized trial of pulsed corticosteroid therapy for primary treatment of Kawasaki disease. N Engl J Med. 2007;356(7):663-675. PMID: 17301297

74. Nishihara S, Ishibashi K, Iribe K, Matsuda I. Intravenous gammaglobulin and reduction of coronary artery abnormalities in children with Kawasaki Disease. Lancet. 1988;2(8617):973. PMID: 2459575

75. Nishikawa T, Nomura Y, Kono Y, Kawano Y. Selective IgA deficiency complicated by Kawasaki syndrome. Pediatr Int. 2008;50(6):816-818. PMID: 19067898

76. Nozawa T, Imagawa T, Ito S. Coronary-Artery Aneurysm in Tocilizumab-Treated Children with Kawasaki's Disease. N Engl J Med. 2017;377(19):1894-1896. PMID: 29117496

77. Patel RM, Shulman ST. Kawasaki disease: a comprehensive review of treatment options. J Clin Pharm Ther. 2015;40(6):620-625. PMID: 26547265

78. Phuong LK, Curtis N, Gowdie P, Akikusa J, Burgner D. Treatment Options for Resistant Kawasaki Disease. Paediatr Drugs. 2018;20(1):59-80. PMID: 29101553

79. Oates-Whitehead RM, Baumer JH, Haines L, et al. Intravenous immunoglobulin for the treatment of Kawasaki disease in children. Cochrane Database Syst Rev. 2003;2003(4):CD004000. PMID: 14584002

80. Ogata S, Ogihara Y, Honda T, Kon S, Akiyama K, Ishii M. Corticosteroid pulse combination therapy for refractory Kawasaki disease: a randomized trial. Pediatrics. 2012;129(1):e17-e23. PMID: 22144699

81. Ogata S, Shimizu C, Franco A, et al. Treatment response in Kawasaki disease is associated with sialylation levels of endogenous but not therapeutic intravenous immunoglobulin G. PLoS One. 2013;8(12):e81448. PMID: 24324693

82. Ogata S, Tremoulet AH, Sato Y, et al. Coronary artery outcomes among children with Kawasaki disease in the United States and Japan. Int J Cardiol. 2013;168(4):3825-3828. PMID: 23849968

83. Ohashi R, Fukazawa R, Watanabe M, et al. Etanercept suppresses arteritis in a murine model of kawasaki disease: a comparative study involving different biological agents. Int J Vasc Med. 2013;2013:543141. PMID: 23606968

84. Okubo Y, Michihata N, Morisaki N, et al. Association Between Dose of Glucocorticoids and Coronary Artery

Lesions in Kawasaki Disease. Arthritis Care Res (Hoboken). 2018;70(7):1052-1057. PMID: 29073349

85. Rahbarimanesh A, Taghavi-Goodarzi M, Mohammadinejad P, Zoughi J, Amiri J, Moridpour K. Comparison of high-dose versus low-dose aspirin in the management of Kawasaki disease. Indian J Pediatr. 2014;81(12):1403. PMID: 24710712

86. Rosenfeld EA, Shulman ST, Corydon KE, Mason W, Takahashi M, Kuroda C. Comparative safety and efficacy of two immune globulin products in Kawasaki disease. J Pediatr. 1995;126(6):1000-1003. PMID: 7776074

87. Ruderman JW, Barka N, Peter JB, Stiehm ER. Antibody response to MMR vaccination in children who received IVIG as neonates. Am J Dis Child. 1991;145(4):425-426. PMID: 2012024

88. Sano T, Kurotobi S, Matsuzaki K, et al. Prediction of non-responsiveness to standard high-dose gamma-globulin therapy in patients with acute Kawasaki disease before starting initial treatment. Eur J Pediatr. 2007;166(2):131-137. PMID: 16896641

89. Sato N, Sugimura T, Akagi T, et al. Selective high dose gamma-globulin treatment in Kawasaki disease: assessment of clinical aspects and cost effectiveness. Pediatr Int. 1999;41(1):1-7. PMID: 10200128

90. Saulsbury FT. Comparison of high-dose and low-dose aspirin plus intravenous immunoglobulin in the treatment of Kawasaki syndrome. Clin Pediatr (Phila). 2002;41(8):597-601. PMID: 12403377

91. Sawaji Y, Haneda N, Yamaguchi S, et al. Coronary risk factors in acute Kawasaki disease: correlation of serum immunoglobulin levels with coronary complications. Acta Paediatr Jpn. 1998;40(3):218-225. PMID: 9695293

92. Scallon BJ, Moore MA, Trinh H, Knight DM, Ghrayeb J. Chimeric anti-TNF-alpha monoclonal antibody cA2 binds recombinant transmembrane TNF-alpha and activates immune effector functions. Cytokine. 1995;7(3):251-259. PMID: 7640345

93. Seo YM, Kang HM, Lee SC, et al. Clinical implications in laboratory parameter values in acute Kawasaki disease for early diagnosis and proper treatment. Korean J Pediatr. 2018;61(5):160-166. PMID: 29853941

94. Seo E, Yu JJ, Jun HO, et al. Prediction of unresponsiveness to second intravenous immunoglobulin treatment in patients with Kawasaki disease refractory to initial treatment. Korean J Pediatr. 2016;59(10):408-413. PMID: 27826327

95. Shiozawa Y, Inuzuka R, Shindo T, et al. Effect of i.v. immunoglobulin in the first 4 days of illness in Kawasaki disease. Pediatr Int. 2018;60(4):334-341. PMID: 29292568

96. Shulman ST, Rowley AH. Kawasaki disease: insights into pathogenesis and approaches to treatment. Nat Rev Rheumatol. 2015;11(8):475-482. PMID: 25907703

97. Siber GR, Werner BG, Halsey NA, et al. Interference of immune globulin with measles and rubella immunization. J Pediatr. 1993;122(2):204-211. PMID: 8429432

98. Sittiwangkul R, Pongprot Y, Silvilairat S, Phornphutkul C. Delayed diagnosis of Kawasaki disease: risk factors and outcome of treatment. Ann Trop Paediatr. 2011;31(2):109-114. PMID: 21575314

99. Son MB, Gauvreau K, Ma L, et al. Treatment of Kawasaki disease: analysis of 27 US pediatric hospitals from 2001 to 2006. Pediatrics. 2009;124(1):1-8. PMID: 19564276

100. Son MB, Gauvreau K, Burns JC, et al. Infliximab for intravenous immunoglobulin resistance in Kawasaki disease: a retrospective study. J Pediatr. 2011;158(4):644-649. PMID: 21129756

101. Son MBF, Newburger JW. Kawasaki Disease. Pediatr Rev. 2018;39(2):78-90. PMID: 29437127

102. Song MS. Predictors and management of intravenous immunoglobulin-resistant Kawasaki disease. Korean J Pediatr. 2019;62(4):119-123. PMID: 30999718

103. Stockheim JA, Innocentini N, Shulman ST. Kawasaki disease in older children and adolescents. J Pediatr. 2000;137(2):250-252. PMID: 10931420

104. Suzuki H, Terai M, Hamada H, et al. Cyclosporin A treatment for Kawasaki disease refractory to initial and additional intravenous immunoglobulin. Pediatr Infect Dis J. 2011;30(10):871-876. PMID: 21587094

105. Tacke CE, Smits GP, van der Klis FR, Kuipers IM, Zaaijer HL, Kuijpers TW. Reduced serologic response to

mumps, measles, and rubella vaccination in patients treated with intravenous immunoglobulin for Kawasaki disease. J Allergy Clin Immunol. 2013;131(6):1701-1703. PMID: 23498596

106. Takahashi M, Mason W, Lewis AB. Regression of coronary aneurysms in patients with Kawasaki syndrome. Circulation. 1987;75(2):387-394. PMID: 3802442

107. Terai M, Shulman ST. Prevalence of coronary artery abnormalities in Kawasaki disease is highly dependent on gamma globulin dose but independent of salicylate dose. J Pediatr. 1997;131(6):888-893. PMID: 9427895

108. Tremoulet AH, Best BM, Song S, et al. Resistance to intravenous immunoglobulin in children with Kawasaki disease. J Pediatr. 2008;153(1):117-121. PMID: 18571548

109. Tremoulet AH, Jain S, Jaggi P, et al. Infliximab for intensification of primary therapy for Kawasaki disease: a phase 3 randomised, double-blind, placebo-controlled trial. Lancet. 2014;383(9930):1731-1738. PMID: 24572997

110. Uehara R, Nakamura Y, and Yanagawa H. Epidemiology of Kawasaki disease in Japan. JMAJ 2005;48(4):183-193.

111. Wallace CA, French JW, Kahn SJ, Sherry DD. Initial intravenous gammaglobulin treatment failure in Kawasaki disease. Pediatrics. 2000;105(6):E78.

112. Wei CM, Chen HL, Lee PI, Chen CM, Ma CY, Hwu WL. Reye's syndrome developing in an infant on treatment of Kawasaki syndrome. J Paediatr Child Health. 2005;41(5-6):303-304. PMID: 15953335

113. Yamada K, Fukumoto T, Shinkai A, Shirahata A, Meguro T. The platelet functions in acute febrile mucocutaneous lymph node syndrome and a trial of prevention for thrombosis by antiplatelet agent. Nihon Ketsueki Gakkai Zasshi. 1978;41(4):791-802. PMID: 716791

114. Yamazaki-Nakashimada MA, Gámez-González LB, Murata C, Honda T, Yasukawa K, Hamada H. IgG levels in Kawasaki disease and its association with clinical outcomes. Clin Rheumatol. 2019;38(3):749-754. PMID: 30343342

115. Yanagawa H, Tuohong Z, Oki I, et al. Effects of gamma-globulin on the cardiac sequelae of Kawasaki disease. Pediatr Cardiol. 1999;20(4):248-251. PMID: 10368448

116. Yeung RSM. Kawasaki disease. In Abdelaziz Y and Elzouki (ed.), Textbook of Clinical Pediatrics. 2012

117. Youn Y, Kim J, Hong YM, Sohn S. Infliximab as the First Retreatment in Patients with Kawasaki Disease Resistant to Initial Intravenous Immunoglobulin. Pediatr Infect Dis J. 2016;35(4):457-459. PMID: 26673981

118. Zhang T, Yanagawa H, Oki I, et al. Factors related to cardiac sequelae of Kawasaki disease. Eur J Pediatr. 1999;158(9):694-697. PMID: 10485297

Chapter

8

가와사끼병의 면역글로불린 치료 저항성

1. 가와사끼병에서 면역글로불린 치료 저항성의 패턴

관상 동맥류는 치료받지 않은 환자의 25%에서 발생하며, 가와사끼병은 소아 후천성 심장병의 주요 원인이다[Kato, 1996; Burns, 2004]. 가와사끼병 치료에는 발병 후 10일 이내에 아스피린과 함께 고용량의 면역글로불린이 사용되며, 관상 동맥류 발생률을 5–7%로 감소시킨다[Newburger, 1991; Ogata, 2013]. 그러나 가와사끼병 환자의 약 10–20%는 면역글로불린에 저항성이 있으며, 이 환자군에서는 관상 동맥류의 발생 위험이 더 커지고 추가 보조 치료가 필요하다.

일본에서 가와사끼병 환자 195명을 대상으로 면역글로불린 치료 후 발열 변화 패턴을 기준으로 환자를 4개 그룹으로 분류하였다[Yoshida, 2018]. 약 1/3의 환자가 면역글로불린 치료에 의해서 열이 떨어지다가 열이 다시 올라오는 패턴을 보이고 있다(그림 8-1). 최초 면역글로불린 치료에 의해서 발열이 사라지면 추가적인 면역글로불린 치료가 필요하지 않고, 관상 동맥 이상의 위험성도 없다(표 8-1). 그러나 최초 면역글로불린 치료 후에도 열이 지속되는 저항성 환자 그룹은 추가적인 면역글로불린 치료가 필요하고 관상 동맥 이상을 유발할 가능성도 매우 높아진다(표 8-1).

A. 좋은 치료 반응(n = 115; 59.0%)

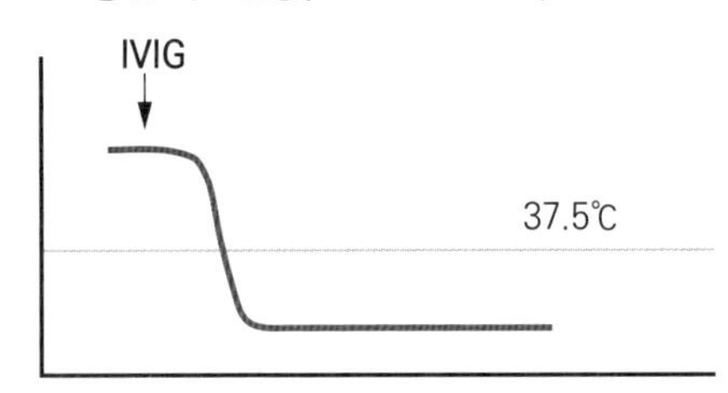

C. 조기 발열 재발(n = 45; 23.1%)

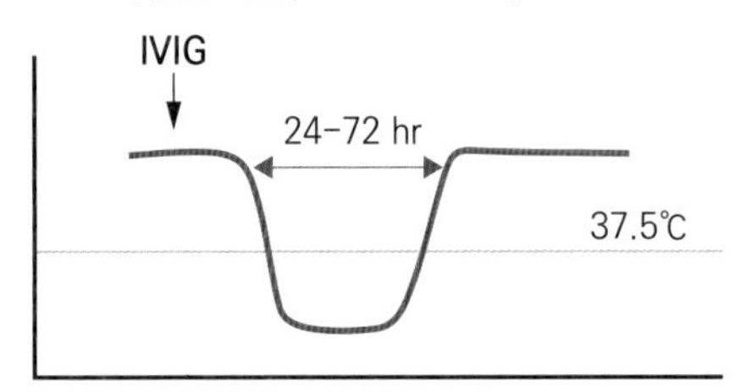

B. 치료 무반응(n = 24; 12.3%)

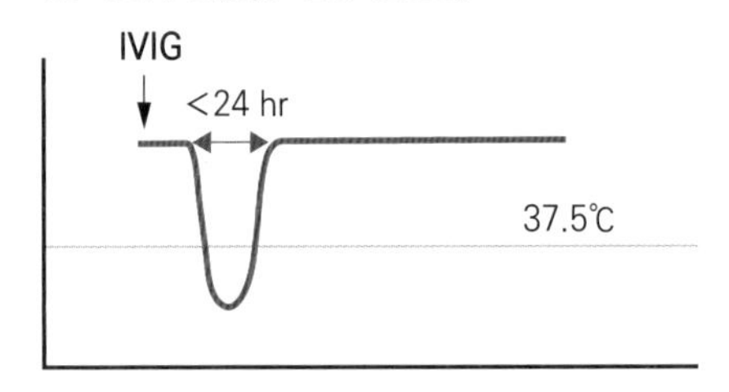

D. 늦은 발열 재발(n = 11; 5.6%)

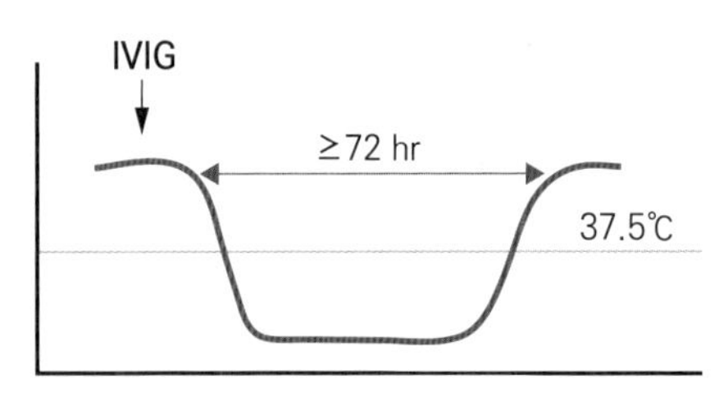

그림 8-1. **면역글로불린 치료 후 발열 패턴을 기준으로 분류된 4개의 환자 그룹.**
출처: [Yoshida, 2018]

표 8-1. **면역글로불린(IVIG) 치료 후 발열 패턴으로 분류된 환자 그룹의 임상적 특징(n = 195)**

	치료 무반응	조기 발열 재발	늦은 발열 재발	좋은 치료 반응	*P*
환자 수	24 (12.3%)	45 (23.1%)	11 (5.6%)	115 (59.0%)	
첫 IVIG 투여일	4.6	4.6	4.5	5.3	0.01
추가 치료	24 (100%)	14 (31%)	2 (18%)	0 (0%)	<0.001
관상 동맥 병변(CAL)	2 (8.3%)	0 (0%)	2 (18.2%)	0 (0%)	<0.001

2. 가와사끼병에서 면역글로불린 치료 저항성의 위험 요인들

일본의 2015–2016년도 가와사끼병 전국 역학 설문 조사에 따르면 가와사끼병 환자의 첫 번째 검사일은 발병 후 4일째 가장 많았고(25.1%), 면역글로불린 치료는 환자의 93.5%에서 투여되었으며 발병 후 5일째 가장 많이(34.2%) 시행되었다[Makino, 2019]. 가와사끼병 환자에서 면역글로불린 치료 저항성은 전 세계 대부분의 인구 집단에서 발생하며, 전체 환자의 6.7%–26.8%가 면역글로불린 치료 저항성이 있는 것으로 보고되었고(그림 8-2), 면역글로불린 저항성 환자들은 관상 동맥 이상의 위험이 증가한다.

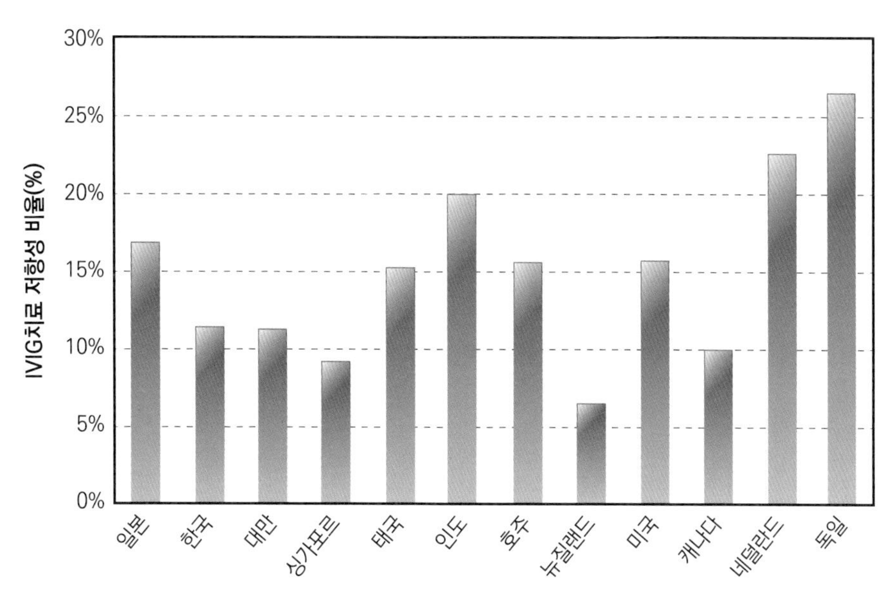

그림 8-2. **전 세계 주요 나라별 가와사끼병의 면역글로불린 치료 저항성 환자의 비율.**
출처: [Lin, 2017]

지금까지 보고된 면역글로불린 치료 저항성의 위험요인(risk factors)으로는 다음과 같은 것이 있다[Bayers, 2013; Wu, 2019]:

- 남성(male)
- 나이(12개월 미만)
- 발병후 10일 이후에 IVIG 치료
- 높은 neutrophil %
- 높은 C-reactive protein (CRP) 수치
- 높은 alanine transaminase (ALT) 수치
- 높은 glutamyl transpeptidase 수치
- 높은 total bilirubin 수준
- 혈소판 감소증(thrombocytopenia)
- 낮은 albumin, 낮은 hemoglobin, 낮은 sodium
- IVIG 투여 후 지속적인 CRP 상승
- IVIG 투여 후 지속적인 알부민 저하

일본의 전국 역학 설문 조사에 따르면 가와사끼병의 면역글로불린 치료 저항성 환자의 비율은 20.3%이고, 치료 저항성의 위험 요인으로는 남성(OR = 1.21), 발병 후 5일 이전에 면역글로불린 투여(OR = 1.89), 재발한 환자(OR = 1.38) 등이 확인되었다(표 8-2). 그리고 면역글로불린 치료 저항성은 관상 동맥류(OR = 10.38)와 거대 관상 동맥류(giant aneurysm; OR = 54.06)의 큰 위험 요인이다(표 8-3).

표 8-2. 가와사끼병 환자에서 면역글로불린 치료 저항성의 위험 요인

	IVIG 치료 무반응 그룹(%); 1286/6330 = 20.3%	오즈비 (95% 신뢰구간)*
나이 (개월):		
- 0-11	19.8%	
- 12-59	20.2%	
- 60+	22.4%	
성:		
- **남성**	21.6%	**1.21** (1.06 - 1.37)
- 여성	18.5%	ref
재발 유무:		
- **Yes**	26.3%	**1.38** (1.00 - 1.90)
- No	20.1%	ref
첫 IVIG 투여 일:		
- **1-4**	28.3%	**1.89** (1.66 - 2.15)
- 5-9	17.2%	ref

*multivariate analysis. 출처: [Uehara, 2008]

표 8-3. 관상 동맥 이상의 위험 요인인 면역글로불린 치료 저항성

관상 동맥 이상	IVIG 무반응 그룹 (n = 1,286)	IVIG 반응 그룹 (n = 5,044)	오즈비 (95% 신뢰구간)
- 확장(Dilatation)	17.0%	7.2%	**2.63** (2.20 - 3.15)
- 동맥류(Aneurysm)*	6.8%	0.7%	**10.38** (6.98 - 15.45)
- 거대 동맥류(Giant aneurysm)	2.1%	0.04%	**54.06** (12.84 - 227.65)

*Aneurysm includes giant aneurysms. 출처: [Uehara, 2008]

3. 가와사끼병에서 임상변수를 이용한 면역글로불린 치료 저항성 예측 방법

초기 단계의 면역글로불린 치료 반응에 대한 정확한 예측은 성공적인 초기 임상 관리 및 치료에 필수적이다. 일본에서는 가와사끼병의 임상 실험실 데이터와 임상 변수를 사용한 점수 시스템을 만들어 면역글로불린 치료 저항성을 예측하는 데 사용하고 있다. 현재 가장 많이 사용하고 있는 일본의 면역글로불린 저항성 예측 시스템에는 Egami score(5개 변수 사용), Kobayashi score(7개 변수 사용), Sano score(3개 변수 사용)가 있다(표 8-4). 그 외에도 미국과 대만에서 개발된 예측용 시스템도 있다(표 8-5).

일본에서 개발된 면역글로불린 치료 저항성 예측 시스템은 일본 환자를 대상으로 한 예측에서는 상당히 신뢰할만한 결과가 확인되었다. 예를 들면, Kobaysahi score를 일본의 대규모 환자 집단에서 면역글로불린 투여를 [1 g/kg × 2 days] 또는 [2 g/kg × 1 day]로 했을 때 양쪽 그룹에서 거의 동일하게 좋은 예측 능력을 보였다(표 8-6). 그리고 완전형 가와사끼병과 불완전형 가와사끼병에 대한 일본 면역글로불린 치료 저항성 예측 시스템에 대한 비교 분석에서는 Kobayashi score와 Egami score는 완전형 가와사끼병의 경우에 더 잘 작동하는 반면에 Sano score는 불완전형 가와사끼병 환자의 경우에 더 잘 작동하였다(표 8-7). 일본에서 개발된 면역글

표 8-4. 일본에서 개발된 면역글로불린 치료 저항성 예측 시스템

항목	Egami score (=Kurume): 5 변수	Kobayashi score (=Gunma): 7 변수	Sano score (=Osaka): 3 변수
CRP	■	■	■
Age	■	■	
Days of illness	■	■	
Alanine Aminotransferase (ALT)	■		
Total bilirubin			■
Aspartate Aminotransferase (AST)		■	■
Sodium		■	
Percentage of neutrophils		■	
Platelet count	■	■	

출처: Rigante, 2016

표 8-5. 면역글로불린 치료 저항성 예측을 위한 주요 방법의 상세한 내용 요약

	년도 (NR#/all-KD#)*	변수값	경계값	점수	민감도	특이도	문헌
• Kobayashi score (≥4 points):	2006	• Sodium	≤133 mmol/L	2	86%	67%	[1]
- score 0-3 = low risk	(148/528)	• Day of illness at initial IVIG	≤4 days	2			
- score 4-11 = high risk		• AST	≥100 IU/L	2			
		• % Neutrophils	≥80%	2			
		• CRP	≥10 mg/dL	1			
		• Platelet counts	≤30 × 10^4/mm^3	1			
		• Age	≤12 months	1			
• Egami score (≥3 points):	2006	• ALT	≥80 IU/L	2	78%	76%	[2]
- score 0-2 = low risk	(41/320)	• Day of illness at initial IVIG	≤4 days	1			
- score 3-6 = high risk		• CRP	≥8 mg/dL	1			
		• Platelet counts	≤30 × 10^4/mm^3	1			
		• Age	≤6 months	1			
• Sano score (≥2 points):	2007	• AST	≥200 IU/L	1	77%	86%	[3]
- score 0-1 = low risk	(22/112)	• Total bilirubin	≥0.9 mg/dL	1			
- score 2-3 = high risk		• CRP	≥7 mg/dL	1			
• Tremoulet score (≥2 points):	2008	• % bands	≥20	2	73%	62%	[4]
- score 0-1 = low risk	(60/362)	• Day of illness at initial IVIG	Day 4 or earlier	1			
- score 2-5 = high risk		• g-GTP	≥60 IU/L	1			
		• Hemoglobin z score	≤-2	1			
• Formosa (≥3 points):	2016	• Lymphadenopathy	Positive	1	86%	81%	[5]
- score 0-2 = low risk	(29/248)	• Neutrophil %	≥60%	2			
- score 3-4 = high risk		• Albumin	≤3.5 g/dL	1			

*NR#: number of patients with IVIG nonresponders; all-KD#: number of all patients with KD. AST, aspartate aminotransferase; CRP, C-reactive protein; IVIG, i.v. immunoglobulin; KD, Kawasaki disease. 출처: [1] Kobayashi, 2006; [2] Egami, 2006; [3] Sano, 2007; [4] Tremoulet, 2008; [5] Lin, 2016.

표 8-6. 일본인 환자에서 Kobayashi score의 면역글로불린 치료 저항성 예측에 대한 검정 결과

IVIG 치료	숫자	일본 가와사끼병 환자에서 IVIG 치료 저항성 예측		
		AUC	민감도 (%)	특이도 (%)
1 g/kg × 2 days	990	0.82	73.6	79.1
2 g/kg × 1 day	636	0.80	69.8	80.0

AUC, area under the curve. 출처: [Seki, 2011]

표 8-7. 일본의 불완전형 가와사끼병(iKD) 환자에서 면역글로불린 치료 저항성 예측 시스템의 검정 결과

위험 예측 시스템	오즈비	*P* 값	민감도	특이도	양성 예측률	음성 예측률	AUC
Kobayashi (7개 변수): - cKD (n = 132) - iKD (n = 51)	3.62 2.20	0.010 0.465	79.3 66.7	48.5 52.4	30.3 23.1	89.3 88.0	0.60
Egami (5개 변수): - cKD (n = 132) - iKD (n = 51)	5.57 2.03	<0.01 0.460	72.4 55.6	68.0 61.9	38.9 23.8	89.7 86.7	0.62
Sano (3개 변수): - cKD (n = 132) - iKD (n = 51)	3.21 6.19	0.024 0.068	36.0 42.9	85.1 89.1	39.1 42.9	83.3 89.2	0.72

AUC, area under the curve. 출처: [Kanamitsu, 2016]

로불린 치료 저항성 예측 시스템은 민감도와 특이도가 약 75–80% 내외 수준이며 이 시스템은 일본 환자 집단 내에서는 재현 가능하다. 그러나 일본에서 개발된 면역글로불린 저항성 예측 시스템은 서양 국가 및 기타 아시아 인구 집단에서는 민감도가 낮아서 실제 임상에서 사용하기 어렵다(표 8-8).

표 8-8. 여러 나라에서 시행한 일본 면역글로불린 치료 저항성 예측 시스템의 유용성 검정

위험 예측 시스템	환자의 숫자(#)		민감도(%)	특이도(%)	양성 예측률	음성 예측률	AUC (정확도)
	All-KD	R#:NR#					
Kobayashi [1]:							
- 미국 [4]	546	434:112	86	67	43	95	
- 영국 [5]	62	53:9	33	87			
- 독일 [6]	59	40:19	58	35			
- 중국 [7]	301	254:31	43	83	31		89
- 중국 [8]	1,177	966:211	49	72			
- 중국 [9]	2126	1746:380	53	69			64
- 중국 [10]	1163	1100:63	16	85			
- 대만 [11]	504	479:25	72	62	9	98	74
- 태국 [12]	181	159:22	62	71			
- 한국 [13]	217	191:26	18	85			
- 한국 [14]	703	585:118	31	87			
- 한국 [15]	309	279:30	60	74			
	204	102:102	31	83	65	55	57
Egami [2]:							
- 미국 [4]	320	279:41	78	76	32	96	
- 미국 [16]	78	66:12	42	85			
- 독일 [6]	362	302:60	38	84			
- 스페인 [17]	301	254:31	49	76	27	89	
- 중국 [7]	399	332:67	26	82	22	85	62
- 중국 [8]	1,177	966:211	21	87			
- 중국 [9]	2126	1746:380	50	65			58
- 중국 [10]	1163	1100:63	14	86			
- 태국 [12]	504	479:25	44	82	11	97	70
- 한국 [13]	217	191:26	31	85			
- 한국 [14]	703	585:118	34	87			
- 한국 [15]	309	279:30	57	77			
	204	102:102	24	87	65	53	55
Sano [3]:							
- 미국 [4]	112	90:22	77	86	59	94	
- 독일 [6]	56	46:10	40	85			
- 중국 [8]	301	254:31	28	94	46	88	58
- 중국 [9]	2126	1746:380	65	47			
- 중국 [10]	1163	1100:63	95	3			58
- 태국 [12]	504	479:25	20	91	10	96	
- 한국 [13]	217	191:26	19	86			
- 한국 [14]	703	585:118	28	92			
	309	279:30	60	90			

*R#: number of patients with IVIG responders; NR#: number of patients with IVIG nonresponders; all-KD: number of all KD patients. 출처: [1] Kobayashi, 2006; [2] Egami, 2006; [3] Sano, 2007; [4] Sleeper, 2011; [5] Davies, 2015; [6] Jakob, 2018; [7] Fu, 2013; [8] Hua, 2017; [9] Song, 2017; [10] Qian, 2018; [11] Lin, 2016; [12] Chantasiriwan, 2018; [13] Kim, 2016; [14] Park, 2013; [15] Shin, 2017; [16] Tremoulet, 2008; [17] Sánchez-Manubens, 2016

4. 가와사끼병에서 바이오마커를 이용한 면역글로불린 치료 저항성 예측 방법

아직까지 면역글로불린 저항성을 예측할 수 있는 특정 바이오마커는 없다. 그러나 일부 후보 바이오마커들이 면역글로불린 저항성 예측 인자로 가능성이 있다는 보고가 있어서 여기에서 몇 가지를 소개한다. 가장 많이 연구된 면역글로불린 저항성 예측용 마커로 호중구-림프구 비율(neutrophil-to-lymphocyte ratio; NLR) 및 혈소판-림프구 비율(platelet-to-lymphocyte ratio; PLR)이 있다.

말초 혈액의 호중구-림프구 비율(NLR) 및 혈소판-림프구 비율(PLR)은 염증과 심혈관 질환의 중증도를 반영할 수 있다[Kawamura, 2016; Gasparyan, 2019]. 그리고 가와사끼병의 기본적인 병리학적 징후는 전신성 혈관염이며, 말초 혈액 내 호중구-림프구 비율(NLR) 및 혈소판-림프구 비율(PLR)의 증가는 면역글로불린 치료 저항성과 관련이 있어 가와사끼병의 면역글로불린 저항성 예측 지표로 활용될 수 있다[Ha, 2015; Kawamura, 2016; Yuan, 2017]. 여러 연구에 따르면 가와사끼병을 가진 모든 연령의 환자에서 호중구-림프구 비율(NLR)이 특정 범위 이상으로 높으면 면역글로불린 저항성의 높은 위험 인자였지만[Ha, 2015; Cho, 2017; Kawamura,

표 8-9. 호중구-림프구 비율(NLR) 및 혈소판-림프구 비율(PLR)을 이용한 면역글로불린 치료 저항성 예측

연구 [참고문헌]	환자의 수(#)		NLR 경계값	민감도	특이도	양성 예측률	음성 예측률	AUC
	All	R#:NR#						
한국 [1]	587	365:222	NLR>5.49**	39	86	63	70	67
한국 [2]	196	173:23	NLR≥5	74	78			80
일본 [3]	405	320:85	NLR≥3.83	84	59	35	93	75
			PLR≥150	75	64	36	91	73
			NLR≥3.83&PLR≥150	71	69	38	90	na
일본 [4]	437	344:93	NLR ≥3.83&PLR≥150	72	67	37	90	68
			Kobayashi score(≥5)	70	68	37	89	68
			Egami score(≥3)	56	71	34	86	68
			Sano score(≥2)	45	81	39	85	74
중국 [5]	94*	81:11	NLR>2.51 (KD<1yr)	55	84			69

*KD patients with <1 yr. **reference NLR value after recovery= 0.74. NLR, neutrophil-to-lymphocyte ratio; PLR, platelet-to-lymphocyte ratio; R#: number of patients with IVIG responders; NR#, number of patients with IVIG nonresponders; AUC, area under the curve. 출처: [1] Ha, 2015; [2] Cho, 2017; [3] Kawamura, 2016; [4] Takeshita, 2017; [5] Chen, 2019.

2016; Takeshita, 2017], 말초 림프구 수 또는 호중구 수는 소아의 연령대에 따라 현저하게 변화한다. 특히 생후 4–6일과 5세에 호중구와 림프구 비율의 교차가 있기 때문에 호중구–림프구 비율(NLR)의 범위는 연령에 따라 크게 달라져 호중구–림프구 비율(NLR) 수치를 이용한 면역글로불린 저항성 예측 능력에 상당한 영향을 미칠 수 있다[Rudolph, 2011].

가와사끼병 환자에서 면역글로불린 치료 저항성 예측 지표로 가와사끼병 환자의 혈액 내 호중구(neutrophil) %와 IL6 수치를 이용하거나[Sato, 2013], 혈장 Clusterin 농도[Ou–Yang, 2013], 또는 serum protein level [Seo, 2016]을 이용하여 면역글로불린 저항성을 예측하는 연구들이 보고되어 있다(표 8-10). 향후에 더 정확성이 높고 임상 적용이 가능한 새로운 바이오마커를 활용한 면역글로불린 치료 저항성 예측 인자의 발굴이 필요하다.

표 8-10. **바이오마커를 이용한 면역글로불린 치료 저항성 예측**

연구 [문헌]	환자의 수 (R#:NR#)	바이오마커 경계값	오즈비	*P* 값	민감도	특이도	AUC
일본 [1]	84:21	Neutrophil % (≥75%: 2 points) IL-6 (≥140 pg/mL = 2 point; 70 pg/mL≤ IL-6<140 pg/mL: 1 point) high risk (≥3 points)			86	77	
대만 [2]	58:5	Plasma Clusterin (CLUSTER12 >8.52 mg/L)	11.47	0.04			
한국 [3]	71:9*	Serum protein level (<7.15 g/dL)*	0.16	0.04	100	72	91

*No. of patients with KD after 2nd IVIG treatment. R#: number of patients with IVIG responders; NR#, number of patients with IVIG nonresponders; AUC, area under the curve. 출처: [1] Sato, 2013; [2] Ou-Yang, 2013; [3] Seo, 2016

5. 가와사끼병에서 면역글로불린 치료 저항성의 생물학적 작용 기전

가와사끼병 환자에서 표준 면역글로불린 치료에 반응성과 저항성을 결정하는 원인 기전에 대해서는 전혀 알려져 있지 않다. 그래서 기존에 연구된 내용들을 바탕으로 면역글로불린 치료 저항성의 원인 기전을 추론해 보고자 한다. 전장유전체연관성연구(GWAS)에 따르면 가와사끼병의 질병 감수성 유전자로 *BLK*, *CD40*, *FCGR2A* 등이 밝혀졌는데[Onouchi, 2012; Lee, 2012; Khor, 2011], 이 유전자들은 모두 B 세포 발달과 B 세포 기능에 관련된 유전자들이다. 따라서 가와사끼병의 병리 기전은 B 세포 발달 및 기능의 문제로 생기는 질병으로 이해할 수 있다. 그리고 B 세포 사멸과 B 세포 신호전달 체계에 관련된 *BCL2L11* 유전자가 가와사끼병 환자의 면역글로불린 치료 반응성 그룹에서만 질병 감수성으로 작용하는 반면에 면역글로불린 치료 저항성 환자 그룹에서는 질병 감수성으로 작용하지 않음이 밝혀졌다[Kwon, 2018]. 또 면역글로불린 치료 저항성에 대한 전장유전체연관성연구에 따르면 T 세포 기능에 중요한 역할을 수행하는 *IL16* 유전자가 연관되어 있었다[Kim, 2020]. 그리고 면역글로불린 치료 후에 저항성을 보이는 환자군의 혈액에서는 T cell activation markers인 수용성 IL2R과 IL6이 높아져 있는 것을 확인하였다[Suzuki, 2010]. 위의 내용을 종합해 보면, 가와사끼병 환자에서 면역글로불린 반응성 환자 그룹은 B 세포 발달과 기능에 의해서 생기는 환자 집단이지만 면역글로불린 치료 저항성 환자 그룹은 B 세포가 아니라 아마도 T 세포 반응의 이상에 기인한 면역 질환일 가능성이 있다. 그러나 치료 전 가와사끼병 환자에서는 T cell activation marker의 차이가 없지만 면역글로불린 치료 후에 차이가 발생하는 것은 면역글로불린 치료 저항성의 원인이 아니라 결과일 수 있다. 따라서 면역글로불린 치료 저항성 환자에서 T cell activation이 면역글로불린 치료 저항성의 원인인지 아니면 결과인지는 정확히 아직 알 수 없다. 그리고 가와사끼병의 면역글로불린 치료 저항성의 위험요인으로 성별, 발병 후 4일 이전에 투여되는 조기 면역글로불린 치료와 같은 것이 관련된 것은 면역글로불린 치료 저항성에 환경적인 요인도 중요한 원인으로 함께 작용할 수 있음을 기억해야겠다.

참고 문헌

1. Bayers S, Shulman ST, Paller AS. Kawasaki disease: part II. Complications and treatment. J Am Acad Dermatol. 2013;69(4):513-522. PMID: 24034380
2. Burns JC, Glodé MP. Kawasaki syndrome. Lancet. 2004;364(9433):533-544. PMID: 15302199
3. Chantasiriwan N, Silvilairat S, Makonkawkeyoon K, Pongprot Y, Sittiwangkul R. Predictors of intravenous immunoglobulin resistance and coronary artery aneurysm in patients with Kawasaki disease. Paediatr Int Child Health. 2018;38(3):209-212. PMID: 29768976
4. Chen Y, Hua Y, Zhang C, et al. Neutrophil-to-Lymphocyte Ratio Predicts Intravenous Immunoglobulin-Resistance in Infants Under 12-Months Old With Kawasaki Disease. Front Pediatr. 2019;7:81. PMID: 30941338
5. Cho HJ, Bak SY, Kim SY, et al. High neutrophil : lymphocyte ratio is associated with refractory Kawasaki disease. Pediatr Int. 2017;59(6):669-674. PMID: 28097746
6. Davies S, Sutton N, Blackstock S, et al. Predicting IVIG resistance in UK Kawasaki disease. Arch Dis Child. 2015;100(4):366-368. PMID: 25670405
7. Egami K, Muta H, Ishii M, et al. Prediction of resistance to intravenous immunoglobulin treatment in patients with Kawasaki disease. J Pediatr. 2006;149(2):237-240. PMID: 16887442
8. Fu PP, Du ZD, Pan YS. Novel predictors of intravenous immunoglobulin resistance in Chinese children with Kawasaki disease. Pediatr Infect Dis J. 2013;32(8):e319-e323. PMID: 23446442
9. Gasparyan AY, Ayvazyan L, Mukanova U, Yessirkepov M, Kitas GD. The Platelet-to-Lymphocyte Ratio as an Inflammatory Marker in Rheumatic Diseases. Ann Lab Med. 2019;39(4):345-357. PMID: 30809980
10. Ha KS, Lee J, Jang GY, et al. Value of neutrophil-lymphocyte ratio in predicting outcomes in Kawasaki disease. Am J Cardiol. 2015;116(2):301-306. PMID: 25975725
11. Hua W, Sun Y, Wang Y, et al. A new model to predict intravenous immunoglobin-resistant Kawasaki disease. Oncotarget. 2017;8(46):80722-80729. PMID: 29113339
12. Jakob A, von Kries R, Horstmann J, et al. Failure to Predict High-risk Kawasaki Disease Patients in a Population-based Study Cohort in Germany. Pediatr Infect Dis J. 2018;37(9):850-855. PMID: 29406464
13. Kanamitsu K, Kakimoto H, Shimada A, et al. Verification of risk scores to predict i.v. immunoglobulin resistance in incomplete Kawasaki disease. Pediatr Int. 2016;58(2):146-151. PMID: 26190225
14. Kato H, Sugimura T, Akagi T, et al. Long-term consequences of Kawasaki disease. A 10- to 21-year follow-up study of 594 patients. Circulation. 1996;94(6):1379-1385. PMID: 8822996
15. Kawamura Y, Takeshita S, Kanai T, Yoshida Y, Nonoyama S. The Combined Usefulness of the Neutrophil-to-Lymphocyte and Platelet-to-Lymphocyte Ratios in Predicting Intravenous Immunoglobulin Resistance with Kawasaki Disease. J Pediatr. 2016;178:281-284. PMID: 27526622
16. Khor CC, Davila S, Breunis WB et al. Genome-wide association study identifies FCGR2A as a susceptibility locus for Kawasaki disease. Nat Genet. 2011;43(12):1241-6. PMID: 22081228
17. Kim BY, Kim D, Kim YH, et al. Non-Responders to Intravenous Immunoglobulin and Coronary Artery Dilatation in Kawasaki Disease: Predictive Parameters in Korean Children. Korean Circ J. 2016;46(4):542-549. PMID: 27482264
18. Kim HJ, Kim JJ, Yun SW, et al. Association of the IL16 Asn1147Lys polymorphism with intravenous immunoglobulin resistance in Kawasaki disease. J Hum Genet. 2020;65(4):421-426. PMID: 31965063
19. Kobayashi T, Inoue Y, Takeuchi K, et al. Prediction of intravenous immunoglobulin unresponsiveness in patients with Kawasaki disease. Circulation. 2006;113(22):2606-2612. PMID: 16735679
20. Kwon YC, Kim JJ, Yun SW, et al. BCL2L11 Is Associated With Kawasaki Disease in Intravenous Immunoglobulin Responder Patients. Circ Genom Precis Med. 2018;11(2):e002020. PMID: 29453247
21. Lee YC, Kuo HC, Chang JS et al. Two new susceptibility loci for Kawasaki disease identified through genome-wide association analysis. Nat Genet. 2012;44(5):522-5. PMID: 22446961

22. Lin MT, Chang CH, Sun LC, et al. Risk factors and derived formosa score for intravenous immunoglobulin unresponsiveness in Taiwanese children with Kawasaki disease. J Formos Med Assoc. 2016;115(5):350-355. PMID: 25910931
23. Lin MT, Wu MH. The global epidemiology of Kawasaki disease: Review and future perspectives. Glob Cardiol Sci Pract. 2017;2017(3):e201720. PMID: 29564341
24. Makino N, Nakamura Y, Yashiro M, et al. Nationwide epidemiologic survey of Kawasaki disease in Japan, 2015-2016. Pediatr Int. 2019;61(4):397-403. PMID: 30786118
25. Newburger JW, Takahashi M, Beiser AS, et al. A single intravenous infusion of gamma globulin as compared with four infusions in the treatment of acute Kawasaki syndrome. N Engl J Med. 1991;324(23):1633-1639. PMID: 1709446
26. Ogata S, Tremoulet AH, Sato Y, et al. Coronary artery outcomes among children with Kawasaki disease in the United States and Japan. Int J Cardiol. 2013;168(4):3825-3828. PMID: 23849968
27. Onouchi Y, Ozaki K, Burns JC et al. A genome-wide association study identifies three new risk loci for Kawasaki disease. Nat Genet. 2012;44(5):517-21. PMID: 22446962.
28. Ou-Yang MC, Kuo HC, Lin IC, et al. Plasma clusterin concentrations may predict resistance to intravenous immunoglobulin in patients with Kawasaki disease. ScientificWorldJournal. 2013;2013:382523. PMID: 23956692
29. Park HM, Lee DW, Hyun MC, Lee SB. Predictors of nonresponse to intravenous immunoglobulin therapy in Kawasaki disease. Korean J Pediatr. 2013;56(2):75-79. PMID: 23482814
30. Qian W, Tang Y, Yan W, Sun L, Lv H. A comparison of efficacy of six prediction models for intravenous immunoglobulin resistance in Kawasaki disease. Ital J Pediatr. 2018;44(1):33. PMID: 29523168
31. Rigante D, Andreozzi L, Fastiggi M, Bracci B, Natale MF, Esposito S. Critical Overview of the Risk Scoring Systems to Predict Non-Responsiveness to Intravenous Immunoglobulin in Kawasaki Syndrome. Int J Mol Sci. 2016;17(3):278. PMID: 26927060
32. Rudolph CD, Rudolph AM, Lister GE. Rudolph's Pediatrics. New York, NY : McGraw Hill 2011; p.1590-6
33. Sánchez-Manubens J, Antón J, Bou R, et al. Role of the Egami score to predict immunoglobulin resistance in Kawasaki disease among a Western Mediterranean population. Rheumatol Int. 2016;36(7):905-910. PMID: 27215220
34. Sano T, Kurotobi S, Matsuzaki K, et al. Prediction of non-responsiveness to standard high-dose gamma-globulin therapy in patients with acute Kawasaki disease before starting initial treatment. Eur J Pediatr. 2007;166(2):131-137. PMID: 16896641
35. Sato S, Kawashima H, Kashiwagi Y, Hoshika A. Inflammatory cytokines as predictors of resistance to intravenous immunoglobulin therapy in Kawasaki disease patients. Int J Rheum Dis. 2013;16(2):168-172. PMID: 23773640
36. Seki M, Kobayashi T, Kobayashi T, et al. External validation of a risk score to predict intravenous immunoglobulin resistance in patients with kawasaki disease. Pediatr Infect Dis J. 2011;30(2):145-147. PMID: 20802375
37. Seo E, Yu JJ, Jun HO, et al. Prediction of unresponsiveness to second intravenous immunoglobulin treatment in patients with Kawasaki disease refractory to initial treatment. Korean J Pediatr. 2016;59(10):408-413. PMID: 27826327
38. Shin J, Lee H, Eun L. Verification of Current Risk Scores for Kawasaki Disease in Korean Children. J Korean Med Sci. 2017;32(12):1991-1996. PMID: 29115081
39. Sleeper LA, Minich LL, McCrindle BM, et al. Evaluation of Kawasaki disease risk-scoring systems for intravenous immunoglobulin resistance. J Pediatr. 2011;158(5):831-835. PMID: 21168857
40. Song R, Yao W, Li X. Efficacy of Four Scoring Systems in Predicting Intravenous Immunoglobulin Resistance in Children with Kawasaki Disease in a Children's Hospital in Beijing, North China. J Pediatr. 2017;184:120-124. PMID: 28043682

41. Suzuki H, Suenaga T, Takeuchi T, Shibuta S, Yoshikawa N. Marker of T-cell activation is elevated in refractory Kawasaki disease. Pediatr Int. 2010;52(5):785-789. PMID: 20487370
42. Takeshita S, Kanai T, Kawamura Y, Yoshida Y, Nonoyama S. A comparison of the predictive validity of the combination of the neutrophil-to-lymphocyte ratio and platelet-to-lymphocyte ratio and other risk scoring systems for intravenous immunoglobulin (ivig)-resistance in Kawasaki disease. PLoS One. 2017;12(5):e0176957. PMID: 28542183
43. Tremoulet AH, Best BM, Song S, et al. Resistance to intravenous immunoglobulin in children with Kawasaki disease. J Pediatr. 2008;153(1):117-121. PMID: 18571548
44. Uehara R, Belay ED, Maddox RA, et al. Analysis of potential risk factors associated with nonresponse to initial intravenous immunoglobulin treatment among Kawasaki disease patients in Japan. Pediatr Infect Dis J. 2008;27(2):155-160. PMID: 18174868
45. Wu S, Long Y, Chen S, et al. A New Scoring System for Prediction of Intravenous Immunoglobulin Resistance of Kawasaki Disease in Infants Under 1-Year Old. Front Pediatr. 2019;7:514. PMID: 31921727
46. Yoshida M, Oana S, Masuda H, et al. Recurrence of Fever After Initial Intravenous Immunoglobulin Treatment in Children With Kawasaki Disease. Clin Pediatr (Phila). 2018;57(2):189-192. PMID: 28952328
47. Yuan YD, Sun J, Li PF, Wei CL, Yu YH. Values of neutrophil-lymphocyte ratio and platelet-lymphocyte ratio in predicting sensitivity to intravenous immunoglobulin in Kawasaki disease. Zhongguo Dang Dai Er Ke Za Zhi. 2017;19(4):410-413. PMID: 28407827

Chapter

9

가와사끼병의 심장 합병증

1. 가와사끼병에서 심장 합병증의 문제

가와사끼병은 소아에서 관상 동맥 이상을 유발하는 6개 질환(Kawasaki disease, chromic active EBV, *Yersinia pseudotuberculosis* infection, Systemic juvenile idiopathic arthritis, Takayasu disease, Juvenile polyarteritis nodosa) 중의 하나이다[Yoshino, 2017]. 가와사끼병은 치료를 받지 않으면 약 25%의 환자에서 관상 동맥류가 발생하고 1%는 거대 동맥류(giant aneurysm: 직경이 >8 mm 이상)를 가지는 급성 혈관염이다[Kato, 1982; Golshevsky, 2013]. 그리고 적절한 시기에 표준 치료제인 면역글로불린으로 치료를 받더라도 관상 동맥류의 위험을 여전히 3–5%는 가지고 있다. 실제 다양한 국가에서 수행된 전국 역학 설문 조사에 따르면 상당히 높은 비율(8.6%–21%)의 환자가 관상 동맥 이상을 가지고 있다(표 9-1). 특히 불완전형 가와사끼병 환자는 진단 가능한 임상 표현형이 적어서 진단과 치료가 지연되어 관상 동맥 이상의 위험이 높아진다. 그러나 완전형 가와사끼병 환자의 경우에는 비록 관상 동맥 이상과 연계된 특정 임상 증상은 없었지만 임상 증상을 6개 가진 환자군이 5개 가진 환자군보다 관상 동맥 이상의 위험도가 더 높았다(Nakamura, 2009; 표 9–2). 그리고 가와사끼병 환자의 약 10–20%는 초기 면역글로불린 치료에 반응하지 않는다[Bar–Meir, 2018]. 면역글로불린 저항성 환자도 관상 동맥류와 같은 심장 합병증의 위험을 증대시킨다. 한편 가와사끼병에서 대부분(50–70%)의 관상 동맥류는 1–2년 후에 없어지지만, 거대 동맥류는 완전히 사라지지 않고 예후가 아주 나쁘다. 가와사끼병 환자의 거의 모든 사망은 심장 후유증(cardiac sequelae)으로 인해 발생하고 최대 사망률은 발병 후 15일에서 45일 사이에 발생하는 것으로 보고되어 있다[Newburger,

표 9-1. **가와사끼병에서 주요 나라별 관상 동맥 이상의 발생률**

국가 (도시)	년도	가와사끼병의 관상 동맥 합병증 비율(%)	참고 문헌
일본	2007-2008	10.03%	[1]
	2009-2010	8.57%	[2]
미국	1994-2003	12.9%	[3]
한국	2009-2011	18.3%	[4]
중국(베이징)	2000-2004	20.6%	[5]
중국(상하이)	2003-2007	19.8%	[6]
	2008-2012	15.9%	[7]

출처: [1] Nakamura, 2010; [2] Nakamura, 2012; [3] Belay, 2006; [4] Kim, 2014; [5] Du, 2004; [6] Ma, 2007; [7] Chen, 2016

표 9-2. **가와사끼병의 임상 증상 6개과 5개를 가진 환자의 관상 동맥 이상 위험도 비교**

관상 동맥류의 크기	6개 증상 환자	5개 증상 환자	오즈비 (6개 vs. 5개 증상)
소형(small)	4.7%	4.1%	1.44
중형(medium)	1.7%	1.4%	1.28
대형(giant)	0.42%	0.22%	1.70

출처: [Nakamura, 2009]

2004].

2. 가와사끼병에서 관상 동맥 이상의 발생 과정

가와사끼병으로 인한 관상 동맥염은 발병 후 6-8일에 염증 세포가 동맥의 내막(intima)과 외막(adentitia)에 침투할 때 발생한다. 그리고 발병 후 10일 즈음에 모든 동맥 층 및 동맥의 모든 주변에 영향을 미치는 확산 염증으로 빠르게 진행된다. 동맥 내막 세포는 단핵구, 대식세포,

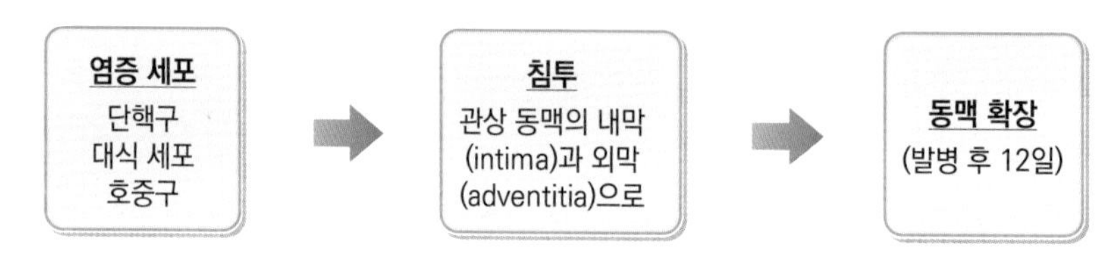

그림 9-1. **가와사끼병에서 급성기 관상 동맥염의 발생 과정**

호중구 및 기타 염증 세포에 의해 심하게 공격을 받으며, 발병 후 약 12일에 동맥 확장(arterial dilatation)이 발생한다(그림 9-1). 염증 세포의 현저한 침투는 발병 후 약 25일까지 계속되고, 염증은 발병 후 약 40일 정도에 없어지게 된다[출처: Kawasaki Disease (2017), p459].

가와사끼병이 발생하면 관상 동맥은 혈관의 염증으로 환자에 따라 정상 상태의 관상 동맥을 유지하거나, 또는 일시적으로 약한 관상 동맥 확장이 생기거나, 또는 관상 동맥류가 생기기도 한다(그림 9-2). 일시적인 관상 동맥 확장은 4–6주 이내에 정상이 되지만, 관상 동맥류의 경우에는 혈관 내 진행되는 형태에 따라 혈관 협착(stenosis), 비정상적인 혈관벽 모양을 갖거나, 혈전에 의해서 혈관이 막히기도 하고, 심하면 혈관이 파열하여 사망할 수도 있다(Newburger, 2016; 그림 9–2).

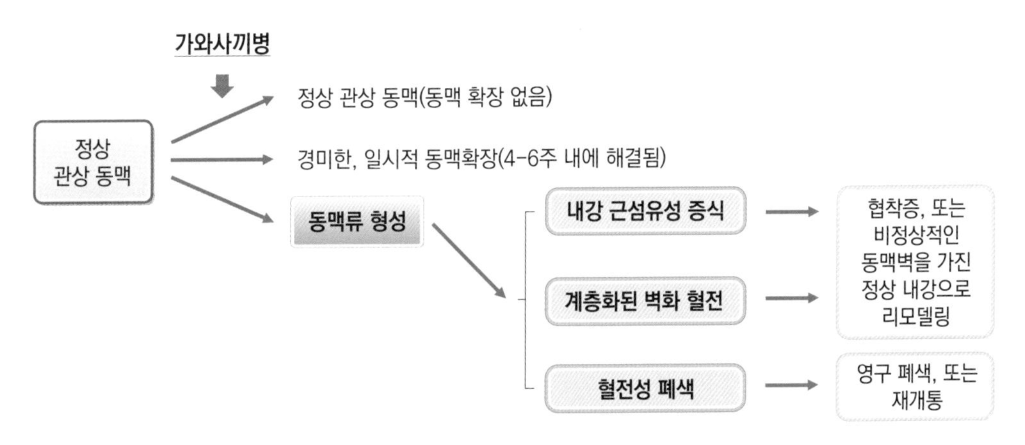

그림 9-2. **가와사끼병 발병 시 관상 동맥의 변화 형태.**
출처: modified from [Newburger, 2016]

가와사끼병에서 문제가 되는 것은 심장의 관상 동맥류이며(심장에 혈액을 공급하는 관상 동맥은 3개가 있음), 주로 right coronary artery (RCA)와 left anterior descending coronary artery (LADCA)에서 생기며(Baker, 2008; 그림 9–3), 생긴 관상 동맥류의 모양에 따라 다양한 종류의 관상 동맥류가 관찰될 수 있다(그림 9-4). 한편 관상 동맥 이상을 가진 약 20%의 환자는 이후에 침습적 심장 치료가 필요할 수도 있다[Baker, 2008]. 그리고 관상 동맥류의 크기별 분류 기준은 제2장의 내용을 참고하기 바란다.

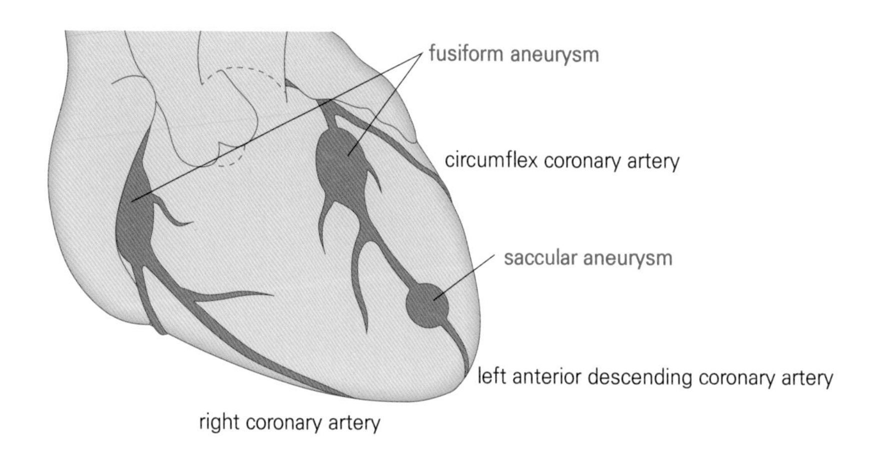

그림 9-3. **관상 동맥류를 가진 가와사끼병 환자의 심장 모식도**

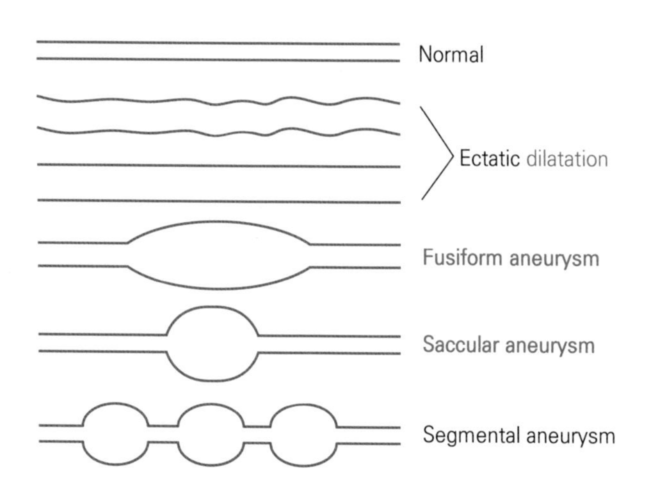

그림 9-4. **관상 동맥 이상의 여러 모양에 대한 모식도.**
출처: [Yim, 2013]

3. 가와사끼병에서 관상 동맥 이상을 찾아내는 영상 기술

가와사끼병의 심장 이상은 시기별로 발병 후 1개월 이내에 생긴 것을 급성 **심장 병변**(**acute cardiac lesions**)이라고 부르고, 발병 후 1개월 이상 지속된 것은 **심장 후유증**(**cardiac sequelae**)이라고 정의하고 있다. 심혈관 후유증(cardiovascular sequelae)에는 관상 동맥 팽창(dilation), 동맥류(aneurysm), 거대 동맥류(giant aneurysm), 협착(stenosis), 심근경색(myocardial infarction) 및 판막 병변(valvular lesion)이 있다. 일본의 전국 역학 조사에 따르면 치료 방법 및 환자 관리 기술의 개선으로 심장 병변 및 심장 후유증의 발생률이 상당히 개선되었다(그림 9-5).

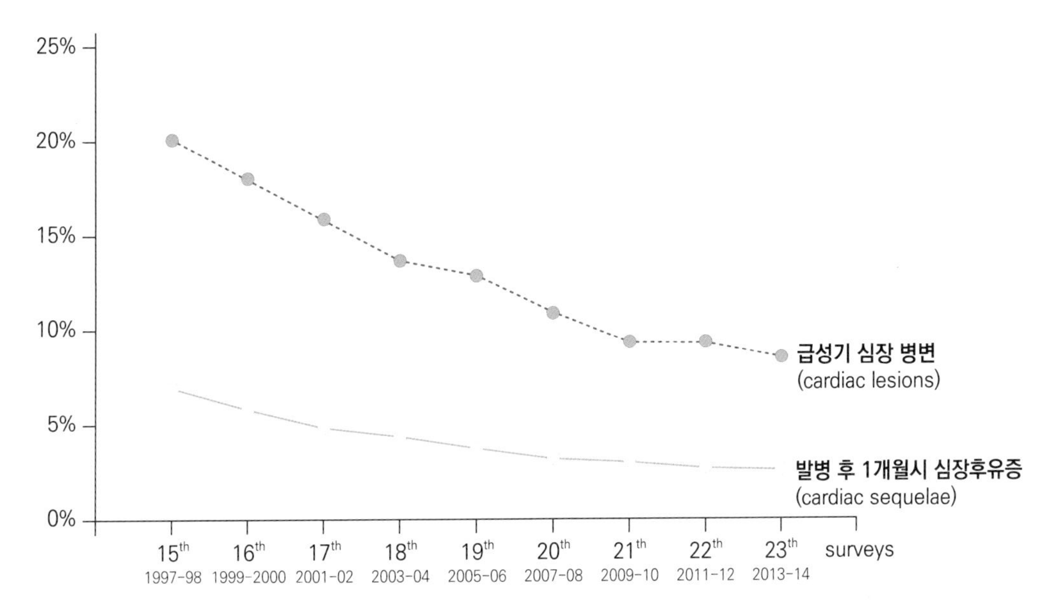

그림 9-5. **일본의 전국 역학 조사 자료의 심장 이상 병변 및 후유증의 발생률 변화(1997-2014).**
출처: [Makino, 2018]

가와사끼병의 심장 이상은 거의 모든 환자에서 2차원 심장 초음파(2-dimensional echocardiography)를 기반으로 진단한다. 2차원 심장 초음파 검사는 관상 동맥을 영상화하는 비침습적 방법으로, 가와사끼병의 급성기와 차후 검사(follow-up)할 때 사용한다. 이 방법으로 관상 동맥의 해부학적 조사, 심근 기능 및 판막 이상 등을 평가할 수 있어서, 가와사끼병이 의심되는 경우에는 바로 심장 초음파 검사를 수행해야 한다[Dietz, 2017]. 그러나 이 방법은 작동하는 사람에 따라 결과가 다를 수 있어서 정확히 진단하기 위해서는 숙련된 운영자가 필요하다. 그 외에도 침습적이고 방사능 노출 위험성이 있는 심장 MRI 또는 컴퓨터 단층 촬영 혈관 조영술(computer topography angiography)과 같은 검사 방법을 사용하여 관상 동맥의 이상을 검사할 수 있다.

가와사끼병의 급성기에 질병의 진단과 모니터링을 위해 심장 초음파 검사에 대한 권고 사항은 다음과 같다[McCrindle, 2017].

- 가와사끼병 진단 시: 심장 초음파 검사를 실시해야 한다.
- 심장 관상 동맥에 이상이 없는 환자의 경우: 치료 후 1–2주와 4–6주에 심장 초음파 검사를 두 번 반복해야 한다.
- 급성기에 관상 동맥 이상(Z-score >2.5)이 발견된 환자의 경우: 혈전증의 위험성을 확인하기 위해 내강 치수(luminal dimensions) 진행이 멈출 때까지 더 빈번한 심장 초음파 검사(주당 최소 2회)를 수행해야 한다.
- 거대 동맥류를 가진 환자의 경우: 내강 치수가 빠르게 확장되는 동안에는 심장 초음파 검사를 일주일에 두 번 수행하고, 질병이 발생한 후 처음 45일 동안에는 적어도 매주 한 번, 그러고 나서는 질병이 발병한 후 3개월까지는 매월 수행하는 것이 합리적이다.

4. 가와사끼병에서 관상 동맥 이상의 위험 요인

일본의 전국 역학 설문 조사를 바탕으로 분석한 심혈관 후유증(cardiovascular sequelae)의 위험 요인으로 성별(남성), 나이(1세 미만), 재발, 불완전형 가와사끼병, 늦은 면역글로불린 치료, 추가 면역글로불린 치료 등이 관여함을 확인하였다(표 9-3). 그러나 가와사끼병의 진단 기준인 5일 이상의 발열 이전(발열 후 4일 이내)에 면역글로불린으로 조기에 치료하면 심혈관 후유

표 9-3. 가와사끼병에서 심장혈관 후유증(cardiovascular sequelae)에 연관된 요인들

요인	보정된 오즈비 (95% 신뢰구간)	*p* 값
성(남성)	1.56 (1.39 – 1.76)	<0.001
나이(<1세)	1.34 (1.12 – 1.51)	<0.001
재발(+ vs. –)	1.90 (1.50 – 2.39)	<0.001
진단(불완전형 가와사끼병)	1.49 (1.28–1.75)	<0.001
이른 IVIG 치료(≤4일)	0.74 (0.66 – 0.83)	<0.001
첫 IVIG 투여 일(>9일)	1.96 (1.72–2.22)	<0.001
추가 IVIG 투여	6.29 (5.62 – 7.09)	<0.001

IVIG, intravenous immunoglobulin. 출처: [Muta, 2007]

증의 위험성이 감소한다[Muta, 2007].

지금까지 밝혀진 관상 동맥 이상의 임상적 위험 요인으로는 남성, 1세 미만의 소아 또는 8세 이상의 어린이, 늦은 진단과 늦은 치료, 적은 면역글로불린 투여량, 불완전형 가와사끼병, 면역글로불린 치료 저항성 등이 관여한다. 그리고 혈액 내 높은 염증 관련 수치(WBC, neutrophil, CRP 등)와 낮은 농도의 단백질(헤모글로불린, 알부민, IgG) 수치도 관상 동맥 이상의 위험 요인으로 알려져 있다. 특히 헤모글로불린과 알부민 수치의 감소는 혈관염에 의해서 혈관벽이 상처를 받아 혈액 내 물질이 조직으로 빠져 나가서 생긴 결과이다.

- 관상 동맥류의 위험 요인들(임상 변수 및 혈액 내 실험실 수치값):
  - 성별(남성)
  - 나이(1세 미만 또는 8세 이상)
  - 늦은 진단 또는 늦은 면역글로불린 치료(>10 days)
  - 적은 면역글로불린 투여량
  - 불완전형 가와사끼병
  - 면역글로불린 치료 저항성(추가 IVIG 투여)
  - 높은 WBC 숫자
  - 높은 미성숙 호중구(immature neutrophils) 숫자
  - 높은 CRP 농도(>200 mg/dL)
  - 낮은 헤모글로빈 농도
  - 낮은 알부민 농도(<35 g/L)
  - 혈소판 감소증(platelet count $<35 \times 10^4/mm^3$)
  - 낮은 IgG 수치

여기에서는 관상 동맥 이상의 개별 위험 요인들에 대한 내용을 간략히 정리해 보고자 한다.

(1) 성별(남성)

일본 가와사끼병 환자에서 남자가 여자보다는 관상 동맥 이상을 가질 위험도가 1.46배 크다

[Nakamura, 1991]. 거대 동맥류(giant aneurysm) 발생의 경우에는 남자가 여자보다 16배 이상 위험도가 증가한다[Dietz, 2017].

(2) 나이(1세 미만 또는 5세 이상)

일본 가와사끼병 환자에서 1세 미만의 소아와 5세 이상의 어린이에게서 관상 동맥 이상의 위험도가 상대적으로 다른 나이 구간에 비해서 더 높았다[Nakamura, 1991; Yanagawa, 2006]. 이는 1세 미만의 소아와 5세 이상의 어린이에게서 진단용 임상 표현형의 숫자가 적은 불완전형 가와사끼병의 발생 빈도가 높아서 진단과 치료가 늦어져서 관상 동맥 이상이 많이 발생한다[Nakamura, 2012]. 따라서 가와사끼병에서 관상 동맥 이상의 발생은 나이 구간에 따라 1세 미만과 5세 이상에서 각각 약 3배 이상 위험도가 증가하는 U자 모양의 패턴을 보이고 있다[Kitano, 2014]. 1세 미만에서 관상 동맥 이상의 발병 위험도가 높아진다는 사실은 한국인 환자와 미국인 환자 그룹에서도 동일한 현상이 관찰되었다[No, 2013; Cameron, 2019]. 특히 1세 미만이나 6개월 미만의 소아는 염증 반응은 더 높지만 임상 표현형의 숫자는 적어서 불완전형 가와사끼병 환자가 많고 이에 따른 가와사끼병 진단과 치료 시기가 늦어져 다른 나이 구간의 어린이 환자에 비해 관상 동맥 이상의 발생률이 더 높다[Singh, 2016; Manlhiot, 2009; Sabharwal, 2009; Chang, 2006].

(3) 불완전형 가와사끼병

가와사끼병 환자에서 관상 동맥류의 발생 빈도는 완전형 가와사끼병(14.2%)보다는 불완전형 가와사끼병(18.4%)에서 더 높다. 그리고 1세 미만과 5세 이상에서도 불완전형 가와사끼병의 비율이 높은데, 이 나이 구간에서도 관상 동맥 이상의 발생률이 높다[Sonobe, 2007]. 따라서 임상적 표현형이 충분히 발현되지 못하는 불완전형 가와사끼병은 관상 동맥 이상의 위험 요인으로 작용한다.

(4) 늦은 진단

가와사끼병의 진단 시기가 늦으면 치료를 제 때에 하지 못해서 관상 동맥 이상의 발생률이 증가한다[Wilder, 2007; Minich, 2007]. 그래서 늦은 진단이 관상 동맥 이상의 위험 요인으로 작용할 수 있어서 가능한 빠른 시간 내 진단이 이루어져야 한다.

(5) 늦은 치료

가와사끼병 진단은 가능하면 빠른 시간 내 이루어져야 하고, 가와사끼병으로 진단된 환자는 빠른 시간 내 면역글로불린 치료를 받아야 한다. 만약 면역글로불린 치료 시기가 늦어지면 관상 동맥 이상을 유발할 확률이 커진다[Sudo, 2012; Muta, 2012].

(6) 면역글로불린 치료 저항성

가와사끼병 환자에게 투여되는 면역글로불린은 관상 동맥 이상이 일어나는 것을 매우 효과적으로 억제한다. 그러나 만약 가와사끼병 환자가 면역글로불린 치료 저항성을 보이는 경우에는 염증 반응이 지속되어 관상 동맥에 심각한 피해를 주어서 관상 동맥 이상을 유발하는 강력한 위험 요인으로 작동한다[Wallace, 2000; Belay, 2006; Nakamura, 2002; Nakamura, 2003; Sudo, 2010].

(7) 재발

가와사끼병 환자에서 치료 후에 다시 재발하는 경우에도 관상 동맥 이상의 위험성이 매우 커지는 것으로 보고되어 있다[Nakamura, 1998; Muta, 2007].

(8) 혈액 내 낮은 IgG 수치

가와사끼병에서 면역글로불린은 표준 치료제로 사용되고 있고, 관상 동맥 이상의 발생을 매우 효과적으로 제어하고 있다. 그런데 가와사끼병 환자의 혈액 내에 면역글로불린 치료 전에 IgG 수치가 낮으면 관상 동맥 이상의 발생률을 크게 증가시키는 위험 요인으로 작동하고, 혈액 내 IgG Z-score 값은 관상 동맥 이상의 중증도와 역의 상관관계를 가지고 있다[Sawaji, 1998].

5. 가와사끼병에서 관상 동맥 이상을 예측하는 방법

(1) 면역글로불린 치료 시대 이전의 관상 동맥 이상을 예측하는 방법

일본에서는 가와사끼병에서 면역글로불린 치료가 본격적으로 시행되기 전에 다양한 임상 변수를 이용한 관상 동맥 이상의 발생을 예측하기 위한 점수 예측 시스템(risk score system)을 개발하여 임상에 활용하였다(표 9-4). 이 예측 시스템들은 매우 예측력이 높았으나 1980년대 후반에 2차원 심장 초음파 기기(2–D echocardiography)로 대체되었으며 면역글로불린이 표준 치료로 사용된 이후에는 더 이상 필요하지 않게 되었다. 그래서 관상 동맥 이상의 위험 요인으로 어떤 것들이 있는지 참고하는 용도로 이해하면 될 것 같다.

표 9-4. **면역글로불린 치료 시대 이전에 일본에서 사용한 관상 동맥 이상을 예측하는 방법**

예측 시스템 이름	년도	변수의 수	변수명	문헌
Asai and Kusakawa score: (첫 시도) (낮은 위험 ≤5; 보통 위험 = 6–8; 높은 위험 ≥9)	1983	15	성별(남성); 발병 연령 (<1세); 발열 기간(일); double–peaked fever; double–peaked skin eruption; 헤모글로빈; 백혈구 수; ESR; CRP 또는 ESR 수치가 정상화될 때 까지 병에 걸린 일수; double–peaked CRP or ESR; 심비대(cardiomegaly); 부정맥; Q/R ratio increase in leads II, III, and aVF; 심근경색 발작증; 재발 사례	[1]
Nakano score: (낮은 위험 ≥0; 높은 위험 <0)	1986	3	발병 연령 (≤1세); 높은 CRP; 낮은 혈소판 숫자	[2]
Iwasa score: (낮은 위험 <0; 높은 위험 ≥0)	1987	5	나이; 성별(남성); 적혈구(RBC) 숫자; 적혈구 용적률(hematocrit, %); 알부민	[3]
Harada score: (낮은 위험 = 0–3; 높은 위험 = 4–7)	1991	7	나이 (≤12개월); 성별(남성); 낮은 알부민; 높은 CRP; 낮은 헤모글로빈; 낮은 혈소판 숫자; 높은 백혈구 숫자	[4]

출처: [1] Asai, 1983; [2] Nakan, 1986; [3] Iwasa, 1987; [4] Harada, 1991

(2) 면역글로불린 치료 시대에 관상 동맥 이상을 예측하는 방법

면역글로불린 치료 이후에 관상 동맥 이상에 관련된 위험 요인 분석을 통해서 관상 동맥 이상을 예측할 수 있는 위험 점수 예측 시스템이 일부 보고되었다(표 9-5). 그러나 본 예측 시스템들은 정확도가 낮아서 실제 임상에 적용하기는 어려운 실정이다. 그래서 기존에 보고된 관상 동맥 이상 예측 시스템에 대한 내용은 관상 동맥 이상에 관련된 위험 요인들을 파악하는 목적으로 이해하면 될 것 같다. 그리고 단백질 바이오마커(예, NT-proBNP)를 이용한 관상 동맥 이상을 예측하는 연구[Sato, 2013]도 수행되었지만 아직까지 임상 활용 가능한 것은 없다.

표 9-5. 면역글로불린 치료 시대에 관상 동맥 이상을 예측하는 위험 점수 예측 방법

국가	환자 수	관상 동맥 병변(CAL) 또는 동맥류(CAA)의 위험 요인 및 위험 예측 점수	문헌
미국	362	① 초기 IVIG 치료시 질병 일수 ≤4일, 1점 ② 나이 보정된 헤모글로빈 농도 ≤-2, 1점 ③ γ-glutamyl transpeptidase (GGT) ≥60 U/L, 1점 ④ bands ≥20%, 2점 * 위험 그룹: 낮음 (0-1점) 또는 높음 (2-5점) * 위험 점수≥2: 민감도 = 0.722, 특이도 = 0.576, 양성 예측도 = 8.2, 음성 예측도 = 97.5	[1]
	1,088	① z-score ≥2.0 (OR = 9.82, P <0.001): 2점 ② 나이 <6개월 (OR = 3.02, P = 0.002): 1점 ③ 아시아인 (OR = 1.95, P = 0.007): 1점 ④ CRP≥13 mg/dL (OR = 2.06, P = 0.002): 1점 2-8주에 관상 동맥류(CAA)의 예측 인자(총 5점): * 위험군: 낮음 (0-1점), 보통 (2점), 높음 (3-5점) * CAA의 OR값 (고위험군 vs. 저위험군) = 16.4, P <0.001 (개발 단계); OR = 44.0, P <0.001 (검증 단계).	[2]
중국	2,305	① 남성 (OR = 1.45): 1점 ② 총 발열 기간 ≥8일 (OR = 1.78): 1점 ③ IVIG 저항성 (OR = 1.42): 1점 ④ 알부민 ≤35.9 g/L (OR = 1.53): 1점 ⑤ 호중구(eosinophils) ≥2.2% (OR = 1.17): not available ⑥ 단핵구(monocyte) ≥5.9% (OR = 1.37): 1점 * 관상 동맥 이상(CAL)의 예측 인자 (총 5점: 위험 ≥3점): AUC = 0.634, 민감도 = 51.4%, 특이도 = 68.2% • 6개월령 이하의 환자에서 관상 동맥 이상(CAL)의 위험 요인 ① 총 발열 기간 ≥8일 (OR = 3.61): 2점 ② 진단 지연 (OR = 3.49): 2점 ③ 알부민 ≤35.9 g/L (OR = 2.07): 1점 * 6개월령 이하의 환자에서 관상 동맥 이상의 예측 인자(총 5점: 위험 ≥3점): AUC = 0.731, 민감도 = 64.7%, 특이도 = 80.9%.	[3]

CAL, coronary artery lesions; CAA, coronary artery aneurysm; IVIG, intravenous immunoglobulin; KD, Kawasaki disease; OR, odds ratio 출처: [1] Tremoulet, 2008; [2] Son, 2019; [3] Hua, 2019

6. 가와사끼병에서 관상 동맥 이상의 장기적 예후

가와사끼병 환자에서 가장 문제가 되는 것은 심장 관상 동맥의 이상이다. 관상 동맥류의 장기적 예후는 관상 동맥류의 크기가 클수록 더 큰 문제를 야기한다. 예를 들면, 동맥류의 직경이 5 mm 이하인 small size는 치료 후 모두 정상으로 되돌아가지만, medium size(>5 mm) 이상의 크기를 가진 동맥류는 다양한 종류의 관상 동맥 문제를 초래하게 된다[Miura, 2018; Tsuda, 2017; Mueller, 2009; 표 9-6]. 그리고 관상 동맥류가 한 곳에만 생긴 경우보다 두 곳 이상에서 생긴 경우가 관상 동맥의 이상을 초래할 가능성이 3배 이상 증가한다[bilateral=60% vs. unilateral=22%; Tsuda, 2017]. 따라서 가와사끼병 환자에서 관상 동맥류의 직경이 5 mm 이상이거나, 두 곳 이상에서 관상 동맥류가 발생한 경우에는(특히 거대 관상 동맥류의 경우) 정기적으로 coronary angiography를 수행하여 환자의 심장 관상 동맥 상태를 관찰하고 관리하는 것이 필요하다. 장기적인 관상 동맥의 문제를 일으키는 위험 요인으로는 거대 관상 동맥류(large/giant coronary artery aneurysm, >8 mm), 남성 및 면역글로불린 치료 저항성 등이 관여한다[Miura, 2018]. 특히 발병 후 1개월에 측정된 관상 동맥류의 중증도가 향후 장기적인 예후를 결정하는 가장 중요한 위험 요인이다[Lin, 2015]. 그리고 남성과 면역글로불린 치료 여부가 초기 관상 동맥 중증도의 위험 요인으로 작용하지만 향후 장기적인 예후에는 연관성은 없었다[Lin, 2015].

심혈관계에 심각한 문제를 야기하는 거대 관상 동맥류(giant coronary aneurysm; >8 mm)는 전체 가와사끼병 환자의 약 0.5–1.0%를 차지한다[Lee, 2014]. 거대 관상 동맥류의 발생 성비(남자: 여자)는 3:1로 남자가 3배 이상 더 많이 발생하고 있다(표 9-7). 거대 관상 동맥류를 앓고 있는 245명의 일본인 환자를 대상으로 한 대규모 다기관 조사 결과에 따르면, 발병 후 30년에 90%의 생존율을 보고했으며, 관상 동맥류가 양측에 생긴 경우가 한쪽에 생긴 경우보다 예후가 더 나빴다(bilateral 생존율 = 87% vs. unilateral 생존율 = 96%)[Tsuda, 2014]. 그리고 발병 후 30년에 심장에 전혀 문제가 없는 경우(cardiac event–free rate at 30 years)는 36%에 불과했으며, 한쪽에 생긴 경우에(unilateral = 59%) 비해 양측에 생긴 경우에(bilateral = 21%) 더 나쁜 결과를 나타냈다. 그리고 30년 추적 관찰에 의하면 거대 관상 동맥류 환자의 절반(양측 = 69%, 단측 = 20 %)에서 관상 동맥 우회술(coronary artery bypass graft; CABG)이 시행되었다. 그리고 최근 일본의 거대 관상 동맥류를 가진 환자 209명에 대한 15년간의 추적 관찰조사를 통해서 밝혀진 내용에 따르면, 가와사끼병 발병 후 2년 이내에 심각한 심혈관 문제가 발생할 가능성이 높으며, 이 기간 이후에는 사망자가 발생하지 않는다고 한다[Fukazawa, 2017]. 따라서 특히 발병 후 처음 2년 동안은 주의 깊은 모니터링이 필요하다. 그리고 거대 관상 동맥류가 있는 대부분(81%)의 환자는 적절한 관리를 통해 평범한 삶을 영위할 수 있다.

표 9-6. **가와사끼병에서 관상 동맥 이상의 장기적 예후**

국가	환자 수	추적 기간	관상 동맥 병변 또는 동맥류의 임상적 결과	문헌
일본	1,006	10년	**관상 동맥 이상 없이 10년 생존율**: • 소형 동맥류: 100% • 중형 동맥류: (남성 = 94% vs. 여성 = 96%) • 대형 동맥류: (남성 = 52% vs. 여성 = 79%) **관상 동맥 이상의 위험 요인**: • 대형 동맥류 (HR = 8.9, $P<0.001$) • 성별(남성) (HR = 2.8, $P<0.001$) • IVIG 저항성 (HR = 2.2, $P=0.001$)	[1]
일본	214 with CAA	30년	**심장 이상 없이 30년 생존률**: • 소형 동맥류: 100% • 중형 동맥류: 85% • 대형 동맥류: 59% • 양측 그룹 (40%) vs. 단측 그룹 (78%)	[2]
대만	196/1073 (18.3%) CAA at 1 month	10년	• 10년간 허혈(ischemia)이 없는 확률: 87.5% • 10년간 동맥류 지속 가능성: 20.6% ※ 동맥류 지속의 위험 요인: 가와사끼병 발병 1개월 후 동맥류의 중증도	[3]
스위스	38	8.5년 (중앙값)	• 관상 동맥류의 크기가 ≤5.0 mm인 23명의 환자: 모두 정상으로 돌아감. • 관상 동맥류의 크기가 >5 mm인 15명의 환자: 14명 (93%)이 동맥류가 지속하거나 심지어는 더 커짐.	[4]
한국	239 with CAA >6 mm	7.7년 (중앙값)	• 중증의 관상 동맥 협착 또는 폐색이 22% (52/239) 환자에서 일어남: 52명 중에서 22명(9.2%)는 중재 카데터 삽입과 14명 (5.8%)는 관상 동맥 우회 이식 수술을 받은 환자에서 발생함. • 13 (5.4 %)은 심근 경색 증상을 보이고 5명은 사망함.	[5]
미국	500/2860 (17%) CAA	2년	• 75% 환자에서 관상 동맥류가 줄어듦. • 5% 환자에서 주요 심장 이상 반응이 발생했으며 다음과 관련이 있음: – 진단 시 더 높은 관상 동맥류 z-score (OR = 1.1, $P<0.001$) – IVIG 치료 부재 (OR = 9.0, $P<0.001$)	[6]

CAA, coronary artery aneurysm; HR, hazard ratio; IVIG, intravenous immunoglobulin; KD, Kawasaki disease; OR, odds ratio. 출처: [1] Miura, 2018; [2] Tsuda, 2017; [3] Lin, 2015; [4] Mueller, 2009; [5] Jang, 2015; [6] Friedman, 2016

표 9-7. 대형 동맥류(giant aneurysm, GA; >8 mm)를 가진 가와사끼병 환자의 예후

환자의 수	추적 기간	관상 동맥 병변 또는 동맥류의 임상적 결과	문헌
76	30년	• 남자: 여자 = 3:1 • 30년 추적 기간 동안에 59%의 누적 관상 동맥 중재율과 88%의 생존율.	[1]
245	30년	• 남자: 여자 = 3.22:1 • 141 양측(bilateral) vs. 104 단측(unilateral) • 임상 결과: - 사망 = 15 (6%) - 급성 심근 경색(AMI) = 57 (23%) - 관상 동맥 우회술(CABG) = 90 (37%) - 가와사끼병 발병 30년 후 심장 이상 없는 비율 = 36% - 가와사끼병 발병 30년 후 생존률 = 90% ① 양측 대형 동맥류 환자의 30년 생존률 = 87% ② 단측 대형 동맥류 환자의 30년 생존률 = 96% ③ 급성 심근 경색 가와사끼병 환자의 30년 생존률 = 49% ④ 관상 동맥 우회술(CABG)을 한 환자의 25년 생존률 = 92%	[2]
209	15년	• 남자: 여자 = 3.18:1 • 임상 결과: - 5년간 심장 이상이 없는 비율 = 72% - 10년간 심장 이상이 없는 비율 = 68% - 10년 생존률 = 197/209 = 94.3% - 관상 동맥 파열(발병 1개월 이내)로 12명 사망 (5.7%)과 6명 심근 경색(18개월 이내) 발생함: 2년 이후에 사망 없음. - 32명 심근 경색(15.3%) - 81%의 환자는 정상적인 생활을 영위함.	[3]

출처: [1] Suda, 2011; [2] Tsuda, 2014; [3] Fukazawa, 2017

가와사끼병에 관련된 사망은 대부분 심장 후유증(cardiac sequelae)으로 생기며, 단기적으로는 발병 후 15일–45일 사이에 사망률이 정점에 이르고(급성기에 전체 사망률의 거의 절반을 차지함), 장기적으로는 심지어 성인기에도 사망하게 된다. 일본에서 가와사끼병 환자의 사망률은 1974년까지 1% 이상, 1974–1993년까지 0.1–0.2%로 감소했으며, 1993–2002년에는 0.02–0.09%로, 그리고 최근 사례에서는 0.01%로 감소했다[Cohen, 2016]. 그리고 가와사끼병 환자의 사망률은 거의 모두 거대 동맥류 환자에서 발생하고 있다[Tsuda, 2014].

참고 문헌

1. Baker AL, Newburger JW. Cardiology patient pages. Kawasaki disease. Circulation. 2008;118(7):e110-2. PMID: 18695195
2. Bar-Meir M, Kalisky I, Schwartz A, Somekh E, Tasher D; Israeli Kawasaki Group. Prediction of Resistance to Intravenous Immunoglobulin in Children With Kawasaki Disease. J Pediatric Infect Dis Soc. 2018;7(1):25-29. PMID: 28062554
3. Belay ED, Maddox RA, Holman RC, Curns AT, Ballah K, Schonberger LB. Kawasaki syndrome and risk factors for coronary artery abnormalities: United States, 1994-2003. Pediatr Infect Dis J. 2006;25(3):245-249. PMID: 16511388
4. Cameron SA, Carr M, Pahl E, DeMarais N, Shulman ST, Rowley AH. Coronary artery aneurysms are more severe in infants than in older children with Kawasaki disease. Arch Dis Child. 2019;104(5):451-455. PMID: 30413485
5. Chang FY, Hwang B, Chen SJ, Lee PC, Meng CC, Lu JH. Characteristics of Kawasaki disease in infants younger than six months of age. Pediatr Infect Dis J. 2006;25(3):241-244. PMID: 16511387
6. Chen JJ, Ma XJ, Liu F, et al. Epidemiologic Features of Kawasaki Disease in Shanghai From 2008 Through 2012. Pediatr Infect Dis J. 2016;35(1):7-12. PMID: 26372452
7. Cohen E, Sundel R. Kawasaki Disease at 50 Years. JAMA Pediatr. 2016;170(11):1093-1099. PMID: 27668809
8. Dietz SM, Kuipers IM, Tacke CEA, Koole JCD, Hutten BA, Kuijpers TW. Giant aneurysms: A gender-specific complication of Kawasaki disease? J Cardiol. 2017;70(4):359-365. PMID: 28325522
9. Dietz SM, van Stijn D, Burgner D, et al. Dissecting Kawasaki disease: a state-of-the-art review. Eur J Pediatr. 2017;176(8):995-1009. PMID: 28656474
10. Du ZD, Zhao D, Du J, et al. Epidemiologic study on Kawasaki disease in Beijing from 2000 through 2004. Pediatr Infect Dis J. 2007;26(5):449-451. PMID: 17468660
11. Friedman KG, Gauvreau K, Hamaoka-Okamoto A, et al. Coronary Artery Aneurysms in Kawasaki Disease: Risk Factors for Progressive Disease and Adverse Cardiac Events in the US Population. J Am Heart Assoc. 2016;5(9):e003289. PMID: 27633390
12. Fukazawa R, Kobayashi T, Mikami M, et al. Nationwide Survey of Patients With Giant Coronary Aneurysm Secondary to Kawasaki Disease 1999-2010 in Japan. Circ J. 2017;82(1):239-246. PMID: 28855435
13. Golshevsky D, Cheung M, Burgner D. Kawasaki disease--the importance of prompt recognition and early referral. Aust Fam Physician. 2013;42(7):473-476. PMID: 23826599
14. Hua W, Ma F, Wang Y, et al. A new scoring system to predict Kawasaki disease with coronary artery lesions. Clin Rheumatol. 2019;38(4):1099-1107. PMID: 30523553
15. Jang GY, Kang IS, Choi JY, et al. Nationwide survey of coronary aneurysms with diameter >6 mm in Kawasaki disease in Korea. Pediatr Int. 2015;57(3):367-372. PMID: 25406095
16. Kato H, Ichinose E, Yoshioka F, et al. Fate of coronary aneurysms in Kawasaki disease: serial coronary angiography and long-term follow-up study. Am J Cardiol. 1982;49(7):1758-1766. PMID: 7081062
17. Kim GB, Han JW, Park YW, et al. Epidemiologic features of Kawasaki disease in South Korea: data from nationwide survey, 2009-2011. Pediatr Infect Dis J. 2014;33(1):24-27. PMID: 24064559
18. Kitano N, Suzuki H, Takeuchi T, et al. Epidemiologic features and prognostic factors of coronary artery lesions associated with Kawasaki disease based on a 13-year cohort of consecutive cases identified by complete enumeration surveys in Wakayama, Japan. J Epidemiol. 2014;24(5):427-434. PMID: 24998951
19. Lee J, Kim GB, Kwon BS, Bae EJ, Noh CI. Two cases of super-giant coronary aneurysms after kawasaki disease. Korean Circ J. 2014;44(1):54-58. PMID: 24497892
20. Lin MT, Sun LC, Wu ET, Wang JK, Lue HC, Wu MH. Acute and late coronary outcomes in 1073 patients with Kawasaki disease with and without intravenous γ-immunoglobulin therapy. Arch Dis Child.

2015;100(6):542-547. PMID: 25564534

21. Ma XJ, Yu CY, Huang M, et al. Epidemiologic features of Kawasaki disease in Shanghai from 2003 through 2007. Chin Med J (Engl). 2010;123(19):2629-2634. PMID: 21034643

22. Manlhiot C, Yeung RS, Clarizia NA, Chahal N, McCrindle BW. Kawasaki disease at the extremes of the age spectrum. Pediatrics. 2009;124(3):e410-e415. PMID: 19706564

23. McCrindle BW, Rowley AH, Newburger JW, et al. Diagnosis, Treatment, and Long-Term Management of Kawasaki Disease: A Scientific Statement for Health Professionals From the American Heart Association [published correction appears in Circulation. 2019 Jul 30;140(5):e181-e184]. Circulation. 2017;135(17):e927-e999. PMID: 28356445

24. Minich LL, Sleeper LA, Atz AM, et al. Delayed diagnosis of Kawasaki disease: what are the risk factors?. Pediatrics. 2007;120(6):e1434-e1440. PMID: 18025079

25. Miura M, Kobayashi T, Kaneko T, et al. Association of Severity of Coronary Artery Aneurysms in Patients With Kawasaki Disease and Risk of Later Coronary Events. JAMA Pediatr. 2018;172(5):e180030. PMID: 29507955

26. Mueller F, Knirsch W, Harpes P, Prêtre R, Valsangiacomo Buechel E, Kretschmar O. Long-term follow-up of acute changes in coronary artery diameter caused by Kawasaki disease: risk factors for development of stenotic lesions. Clin Res Cardiol. 2009;98(8):501-507. PMID: 19499164

27. Muta H, Ishii M, Iemura M, Suda K, Nakamura Y, Matsuishi T. Effect of revision of Japanese diagnostic criterion for fever in Kawasaki disease on treatment and cardiovascular outcome. Circ J. 2007;71(11):1791-1793. PMID: 17965504

28. Muta H, Ishii M, Yashiro M, Uehara R, Nakamura Y. Late intravenous immunoglobulin treatment in patients with Kawasaki disease. Pediatrics. 2012;129(2):e291-e297. PMID: 22250032

29. Nakamura Y, Fujita Y, Nagai M, et al. Cardiac sequelae of Kawasaki disease in Japan: statistical analysis. Pediatrics. 1991;88(6):1144-1147. PMID: 1720235

30. Nakamura Y, Oki I, Tanihara S, Ojima T, Yanagawa H. Cardiac sequelae in recurrent cases of Kawasaki disease: a comparison between the initial episode of the disease and a recurrence in the same patients. Pediatrics. 1998;102(6):E66. PMID: 9832594

31. Nakamura Y, Yashiro M, Oki I, Tanihara S, Ojima T, Yanagawa H. Giant coronary aneurysms due to Kawasaki disease: a case-control study. Pediatr Int. 2002;44(3):254-258. PMID: 11982891

32. Nakamura Y, Yashiro M, Uehara R, et al. Case-control study of giant coronary aneurysms due to Kawasaki disease. Pediatr Int. 2003;45(4):410-413. PMID: 12911476

33. Nakamura Y, Yashiro M, Sadakane A, et al. Six principal symptoms and coronary artery sequelae in Kawasaki disease. Pediatr Int. 2009;51(5):705-708. PMID: 19419505

34. Nakamura Y, Yashiro M, Uehara R, et al. Epidemiologic features of Kawasaki disease in Japan: results of the 2007-2008 nationwide survey. J Epidemiol. 2010;20(4):302-307. PMID: 20530917

35. Nakamura Y, Yashiro M, Uehara R, et al. Epidemiologic features of Kawasaki disease in Japan: results of the 2009-2010 nationwide survey. J Epidemiol. 2012;22(3):216-221. PMID: 22447211

36. Newburger JW, Takahashi M, Gerber MA et al. Diagnosis, treatment, and long-term management of Kawasaki disease: a statement for health professionals from the Committee on Rheumatic Fever, Endocarditis and Kawasaki Disease, Council on Cardiovascular Disease in the Young, American Heart Association. Circulation. 2004;110(17):2747-71. PMID: 15505111

37. Newburger JW, Takahashi M, Burns JC. Kawasaki Disease. J Am Coll Cardiol. 2016;67(14):1738-1749. PMID: 27056781

38. No SJ, Kim DO, Choi KM, Eun LY. Do predictors of incomplete Kawasaki disease exist for infants?. Pediatr Cardiol. 2013;34(2):286-290. PMID: 23001516

39. Sabharwal T, Manlhiot C, Benseler SM, et al. Comparison of factors associated with coronary artery dilation only versus coronary artery aneurysms in patients with Kawasaki disease. Am J Cardiol. 2009;104(12):1743-1747. PMID: 19962487

40. Sawaji Y, Haneda N, Yamaguchi S, et al. Coronary risk factors in acute Kawasaki disease: correlation of serum immunoglobulin levels with coronary complications. Acta Paediatr Jpn. 1998;40(3):218-225. PMID: 9695293
41. Sato YZ, Molkara DP, Daniels LB, et al. Cardiovascular biomarkers in acute Kawasaki disease. Int J Cardiol. 2013;164(1):58-63. PMID: 21777987
42. Singh S, Agarwal S, Bhattad S, et al. Kawasaki disease in infants below 6 months: a clinical conundrum?. Int J Rheum Dis. 2016;19(9):924-928. PMID: 26990891
43. Son MBF, Gauvreau K, Tremoulet AH, et al. Risk Model Development and Validation for Prediction of Coronary Artery Aneurysms in Kawasaki Disease in a North American Population. J Am Heart Assoc. 2019;8(11):e011319. PMID: 31130036
44. Sonobe T, Kiyosawa N, Tsuchiya K, et al. Prevalence of coronary artery abnormality in incomplete Kawasaki disease. Pediatr Int. 2007;49(4):421-426. PMID: 17587261
45. Sudo D, Monobe Y, Yashiro M, Sadakane A, Uehara R, Nakamura Y. Case-control study of giant coronary aneurysms due to Kawasaki disease: the 19th nationwide survey. Pediatr Int. 2010;52(5):790-794. PMID: 20487371
46. Sudo D, Monobe Y, Yashiro M, et al. Coronary artery lesions of incomplete Kawasaki disease: a nationwide survey in Japan. Eur J Pediatr. 2012;171(4):651-656. PMID: 22159904
47. Suda K, Iemura M, Nishiono H, et al. Long-term prognosis of patients with Kawasaki disease complicated by giant coronary aneurysms: a single-institution experience. Circulation. 2011;123(17):1836-1842. PMID: 21502578
48. Tremoulet AH, Best BM, Song S, et al. Resistance to intravenous immunoglobulin in children with Kawasaki disease. J Pediatr. 2008;153(1):117-121. PMID: 18571548
49. Tsuda E, Hamaoka K, Suzuki H, et al. A survey of the 3-decade outcome for patients with giant aneurysms caused by Kawasaki disease. Am Heart J. 2014;167(2):249-258. PMID: 24439987
50. Tsuda E, Tsujii N, Hayama Y. Cardiac Events and the Maximum Diameter of Coronary Artery Aneurysms in Kawasaki Disease. J Pediatr. 2017;188:70-74. PMID: 28662948
51. Uehara R, Belay ED, Maddox RA, et al. Analysis of potential risk factors associated with nonresponse to initial intravenous immunoglobulin treatment among Kawasaki disease patients in Japan. Pediatr Infect Dis J. 2008;27(2):155-160. PMID: 18174868
52. Wallace CA, French JW, Kahn SJ, Sherry DD. Initial intravenous gammaglobulin treatment failure in Kawasaki disease. Pediatrics. 2000;105(6):E78. PMID: 10835091
53. Wilder MS, Palinkas LA, Kao AS, Bastian JF, Turner CL, Burns JC. Delayed diagnosis by physicians contributes to the development of coronary artery aneurysms in children with Kawasaki syndrome. Pediatr Infect Dis J. 2007;26(3):256-260. PMID: 17484225
54. Yanagawa H, Nakamura Y, Yashiro M, Uehara R, Oki I, Kayaba K. Incidence of Kawasaki disease in Japan: the nationwide surveys of 1999-2002. Pediatr Int. 2006;48(4):356-361. PMID: 16911079
55. Yim D, Curtis N, Cheung M, Burgner D. An update on Kawasaki disease II: clinical features, diagnosis, treatment and outcomes. J Paediatr Child Health. 2013;49(8):614-623. PMID: 23647873
56. Yoshino A, Tanaka R, Takano T, Oishi T. Afebrile Kawasaki disease with coronary artery dilatation. Pediatr Int. 2017;59(3):375-377. PMID: 28317308

Index

ㄱ

ㄴ

ㅅ

ㅇ

ㅎ

Alphabet (gene symbol)